espace
mathématique 4

Jeanne Bouchard
Conrad Huard

erpi **ÉDITIONS DU RENOUVEAU PÉDAGOGIQUE INC.**
8925, boul. Saint-Laurent, Montréal (Québec) H2N 1M5

Équipe éditoriale:
Isabelle Bourrellis
Monique Daigle
Diane Karneyeff
Sylvie Rocque

Révision linguistique:
Isabelle Bourrellis

**Conception graphique
et réalisation technique:**

Composition typographique:
Caractéra

Illustrations:

Mireille de Palma
Dominique Gagnon
Gérard Joly
Nicole Lafond
Élise Palardy
Michel Rabagliati

Couverture:

Dépôt légal: 3ᵉ trimestre 1986
Bibliothèque nationale du Québec
Bibliothèque nationale du Canada

ISBN 2-7613-0443-8

2184 A

2 3 4 5 6

 mise en situation 1

 mise en situation 2

 mise en situation 3

 évaluation

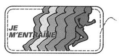 consolidation

 enrichissement

 La calculatrice est nécessaire pour effectuer l'activité.

 On trouvera dans le cahier d'activités, à la page indiquée dans le crayon, la reproduction du matériel illustré (graphiques, tableaux, figures géométriques, etc.).

 Ce symbole présente les activités reliées aux mises en situation.

 Ce symbole présente les activités des sections suivantes:
JE FAIS LE POINT, JE M'ENTRAÎNE, JE VAIS PLUS LOIN.

TABLE DES MATIÈRES

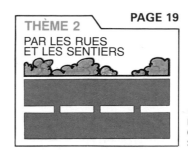

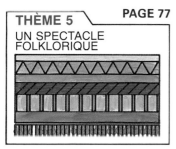

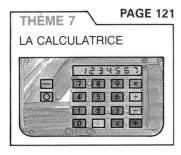
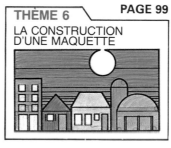
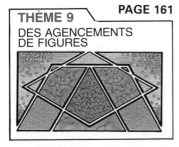
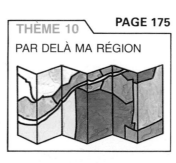

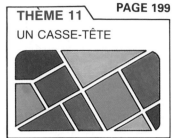

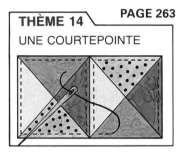
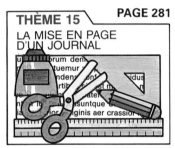
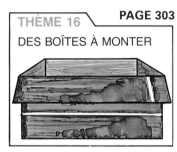

II

LA CARTE D'IDENTITÉ

1

Pierre est dans une grande salle où plusieurs personnes sont réunies. Il trouve un portefeuille par terre.

Pierre examine le contenu du portefeuille. Il trouve les deux cartes suivantes:

Carte A

PARA 4857 2300
ANDRE PARADIS
91 07
480723 M
01

Carte B

CARTE D'IDENTITÉ

NOM: Paradis   **PRÉNOM:** André

ADRESSE: 2404, rue Dubois
Québec (Québec)
G2P 3X4

DATE DE NAISSANCE: 23 juillet 1948

YEUX: Bleus   **CHEVEUX:** Châtains

TAILLE: 175 cm   **POIDS:** 75 kg

1 Quelles informations trouve-t-on sur la carte A?

PISTES:

a) En quelle année cette personne est-elle née?

b) En quelle année sommes-nous?

c) Quel est l'âge approximatif de cette personne?

d) Quel est le mois de naissance de cette personne?

e) Quel est l'âge exact de cette personne?

f) S'agit-il d'un homme ou d'une femme? Comment le sais-tu?

2 Quelles informations trouve-t-on sur la carte B?

PISTES:

a) Quel est le nom de cette personne?

b) Où demeure-t-elle?

c) Quelles sont les caractéristiques physiques de cette personne?

d) Que signifie le symbole **cm**?

e) Cette personne est-elle plus grande ou plus petite que toi? Quelle est la différence de grandeur entre elle et toi?

f) Cette personne est-elle plus grande ou plus petite que ton enseignant ou ton enseignante? Quelle est la différence de grandeur entre ces deux personnes?

g) Que signifie le symbole **kg**?

h) Cette personne pèse-t-elle plus ou moins que toi? Quelle est la différence de masse entre cette personne et toi?

i) Choisis un adulte dans ton entourage. André Paradis pèse-t-il plus ou moins que cet adulte? Quelle est la différence de masse entre ces deux personnes?

j) Quelle différence d'âge y a-t-il entre cette personne et toi?

3 Laquelle des deux cartes permettra le plus facilement à Pierre de reconnaître le propriétaire du portefeuille dans la salle? Pourquoi?

Pierre reconnaît l'utilité des cartes d'identité. Il demande à chacun des membres de sa famille d'établir la sienne.

Voici les cartes des membres de la famille de Pierre:

A

CARTE D'IDENTITÉ

NOM: Tardif   PRÉNOM: Cynthia

ADRESSE: 9, rue des Oiseaux
Québec (Québec)
G3S 1Y1

YEUX: Bleus   CHEVEUX: Châtains
TAILLE: 119 cm   POIDS: 23 kg
ÂGE: 7 ans

B

CARTE D'IDENTITÉ

NOM: Tardif   PRÉNOM: Jean

ADRESSE: 9, rue des Oiseaux
Québec (Québec)
G3S 1Y1

YEUX: Bruns   CHEVEUX: Châtains
TAILLE: 170 cm   POIDS: 62 kg
ÂGE: 15 ans

C

CARTE D'IDENTITÉ

NOM: Bélanger   PRÉNOM: Yolande

ADRESSE: 9, rue des Oiseaux
Québec (Québec)
G3S 1Y1

YEUX: Bleus   CHEVEUX: Bruns
TAILLE: 166 cm   POIDS: 57 kg
ÂGE: 38 ans

D

CARTE D'IDENTITÉ

NOM: Tardif   PRÉNOM: Gaston

ADRESSE: 9, rue des Oiseaux
Québec (Québec)
G3S 1Y1

YEUX: Bleus   CHEVEUX: Gris
TAILLE: 164 cm   POIDS: 75 kg
ÂGE: 75 ans

E

CARTE D'IDENTITÉ

NOM: Tardif   PRÉNOM: Conrad

ADRESSE: 9, rue des Oiseaux
Québec (Québec)
G3S 1Y1

YEUX: Bruns   CHEVEUX: Blonds
TAILLE: 178 cm   POIDS: 70 kg
ÂGE: 47 ans

F

CARTE D'IDENTITÉ

NOM: Tardif   PRÉNOM: Pierre

ADRESSE: 9, rue des Oiseaux
Québec (Québec)
G3S 1Y1

YEUX: Bruns   CHEVEUX: Châtains
TAILLE: 134 cm   POIDS: 32 kg
ÂGE: 9 ans

1 ▷ Voici les membres de la famille Tardif. Indique, pour chacun, la carte d'identité qui lui appartient. Écris la lettre de la carte correspondante.

FAMILLE TARDIF

2 ▷ Reproduis le tableau ci-dessous. Tu t'en serviras pour résoudre les problèmes suivants.

	CYNTHIA	JEAN	YOLANDE	GASTON	CONRAD	PIERRE
ANNÉE DE NAISSANCE						

a) Trouve l'année de naissance de chaque membre de la famille. Inscris ces nombres dans ton tableau.

b) Lis les années de naissance à un ou à une camarade qui les écrira.

3 ▷ **a)** Écris l'âge de chacun des membres de la famille, du plus jeune au plus vieux.

b) Place les années de naissance en ordre croissant.

4 ▷ Réfère-toi à l'année de naissance ou à l'âge de chacun. Écris qui est né:

a) le premier;
b) le quatrième;
c) le sixième.

5 ▷ **a)** D'après le tableau de l'activité 2, quelle est l'année de naissance de Pierre?

c) Fais le même travail avec ton année de naissance.

b) Dans le nombre qui représente l'année de naissance de Pierre, quel chiffre occupe la position:
- des dizaines?
- des unités?
- des centaines?

6 ▷ Considère les nombres du tableau de l'activité 2. Indique les années qui viennent:

a) avant l'année de naissance de Yolande;

b) après l'année de naissance de Jean;

c) entre l'année de naissance de Yolande et celle de Jean.

7 ▷ Compare la taille de chacun des membres de la famille.
Remplace les points d'interrogation par les symboles < ou >.

a) | CYNTHIA 119 cm | **?** | JEAN 170 cm | b) | JEAN 170 cm | **?** | YOLANDE 166 cm | c) | CONRAD 178 cm | **?** | PIERRE 134 cm |

d) | GASTON 164 cm | **?** | CONRAD 178 cm | e) | YOLANDE 166 cm | **?** | GASTON 164 cm | f) | PIERRE 134 cm | **?** | CYNTHIA 119 cm |

g) | JEAN 170 cm | **?** | CONRAD 178 cm | h) | CYNTHIA 119 cm | **?** | CONRAD 178 cm | i) | PIERRE 134 cm | **?** | GASTON 164 cm |

8 ▷ Pierre mesure 134 cm.

a) Combien de décimètres y a-t-il dans cette mesure?

b) Combien de mètres y a-t-il dans cette mesure?

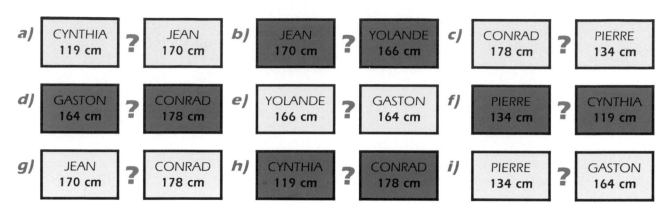

SOUVIENS-TOI!

10 cm = 1 dm
10 dm = 1 m

centimètre: cm
décimètre : dm
mètre : m

9 ▷ Reproduis le tableau suivant. Complète-le en traçant des X dans les cases appropriées.

La ↗ signifie: «... pèse plus que ...».

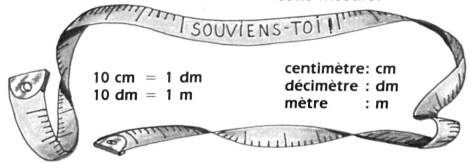

	TABLEAU DES MASSES					
	Cynthia 23 kg	Jean 62 kg	Yolande 57 kg	Gaston 75 kg	Conrad 70 kg	Pierre 32 kg
Cynthia 23 kg						
Jean 62 kg						
Yolande 57 kg						
Gaston 75 kg						
Conrad 70 kg						
Pierre 32 kg						

a) Dans la famille Tardif, la personne la plus jeune est-elle la plus petite? La plus légère?

b) La personne la plus âgée est-elle la plus grande? La plus lourde?

c) La personne la plus grande est-elle la plus lourde?

d) La personne la plus lourde est-elle la plus grande?

e) Y a-t-il une relation entre la taille et la masse des membres de la famille Tardif? Est-ce toujours vrai?

As-tu besoin de chercher la réponse à l'activité **d**?

a) Compare l'âge de Pierre à celui de chacun des membres de la famille. Quelle différence y a-t-il entre ces âges? Reproduis puis complète le tableau suivant pour exprimer cette différence.

ÂGE DE CYNTHIA		ÂGE DE JEAN		ÂGE DE YOLANDE		ÂGE DE GASTON		ÂGE DE CONRAD	
ÂGE DE PIERRE		ÂGE DE PIERRE		ÂGE DE PIERRE		ÂGE DE PIERRE		ÂGE DE PIERRE	
DIFFÉRENCE		DIFFÉRENCE		DIFFÉRENCE		DIFFÉRENCE		DIFFÉRENCE	

b) Considère, pour l'âge de chacun, le chiffre des unités et le chiffre des dizaines. Que remarques-tu, une fois que tu as enlevé 9?

c) Est-ce toujours le cas lorsqu'on soustrait 9 d'un nombre? Par exemple, quel est le résultat de 25 − 9?

a) Dans l'immeuble qu'habite la famille Tardif, le petit ascenseur ne peut porter plus de 300 kg à la fois. Toute la famille veut l'utiliser en même temps. Peut-elle le faire?

b) Si oui, combien de kilogrammes pourrait encore porter l'ascenseur?

c) Sinon, qui pourrait l'utiliser en même temps?

Fais une estimation avant d'effectuer tes calculs. Note ton estimation.

Tu constates sans doute, toi aussi, qu'il pourrait t'être fort utile d'avoir ta
pro___ ___ ___é. Peux-tu décrire quelques situations où cette carte
t___

1 **a)** Construis ta carte d'identité
personnelle. Utilise un carton
mince de 15 cm de longueur sur
1 dm de largeur. Prends modèle
sur les cartes de la famille
Tardif. Tu peux, si tu le désires,
ajouter d'autres informations
pertinentes.

b) Quelle forme ta carte
aura-t-elle?
As-tu remarqué que les cartes
d'identité ont presque toujours
une forme rectangulaire?
Peux-tu expliquer pourquoi?
Pourquoi les formes carrées,
triangulaires, circulaires ou
autres ne conviennent-elles pas
la plupart du temps?

2 Avec quelques camarades ou tous les élèves de la classe, construis les
graphiques suggérés ci-dessous.

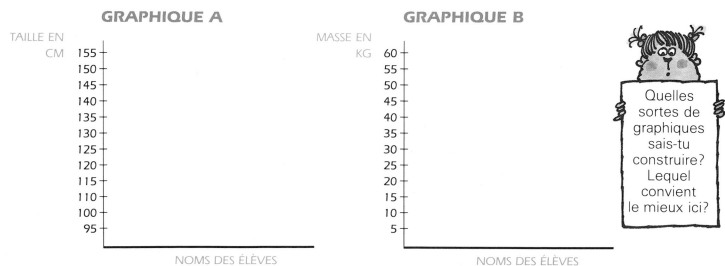

GRAPHIQUE A

TAILLE EN CM
155, 150, 145, 140, 135, 130, 125, 120, 115, 110, 100, 95

NOMS DES ÉLÈVES

GRAPHIQUE B

MASSE EN KG
60, 55, 50, 45, 40, 35, 30, 25, 20, 15, 10, 5

NOMS DES ÉLÈVES

Quelles
sortes de
graphiques
sais-tu
construire?
Lequel
convient
le mieux ici?

Observe les deux graphiques que tu as construits.
Que remarques-tu?

JE FAIS LE POINT

1 Dans le nombre 1986, quel chiffre occupe la position:

a) des dizaines?

b) des centaines?

c) des unités?

d) des unités de mille?

2 *a)* Indique le nombre venant immédiatement avant 2340.

b) Indique le nombre venant immédiatement après 4789.

c) Indique deux nombres qui se situent entre 2478 et 2398.

3 Indique, dans cette suite, le rang qu'occupe la lettre de couleur:

A B C D E F G H I J K L M N O P

4 Place en ordre croissant les nombres ci-dessous.

2347	4327	3247
7342	4237	7234

5 Remplace les points de couleur par les symboles <, > ou =.

a) 347 ● 437

b) 2378 ● 2387

c) 4653 ● 465

d) 8743 ● 8734

6 Reproduis le tableau suivant, puis complète-le en traçant des X dans les cases appropriées.  : «... est plus petit que ...»

	478	748	2847
3213			
874			
1987			
249			
4021			

7 Lis les nombres qui suivent à un ou à une camarade.
Ton ou ta camarade écrit les nombres que tu lis.

79	2356	837	6532	5623
381	97	738	3256	5362

9

8 Parmi les situations suivantes, indique celles où il faut soustraire pour résoudre le problème.

situation A
François avait une collection de 243 cartes d'athlètes. Le jour de son anniversaire, Karine lui en donne 35 en cadeau. Combien de cartes François a-t-il maintenant?

situation B
Suzanne collectionne les timbres. Elle en a 250: 128 sont de la France et les autres, du Canada. Combien de timbres canadiens Suzanne a-t-elle?

situation C
Marie a 27 livres dans sa bibliothèque et Jacques en a 56 dans la sienne. Combien de livres Jacques a-t-il de plus que Marie?

situation D
Le magasin «Note et son» compte 14 employés. Ce matin, 11 se sont présentés au travail. Combien d'employés sont absents ce matin?

situation E
Sébastien a ramassé 43 bouteilles vides et Maryse en a ramassé 24 de plus que Sébastien. Combien de bouteilles Maryse a-t-elle ramassées?

9 Parmi les situations suivantes, indique celles où il faut additionner pour résoudre le problème.

situation A
Zoé a 45 billes. Elle en gagne 25 au jeu. Combien de billes Zoé a-t-elle maintenant?

situation B
Un maraîcher compte les légumes qu'il a récoltés. Il a 52 sacs de pommes de terre, 64 sacs de carottes et 76 sacs de navets. Combien de sacs de légumes ce maraîcher a-t-il en tout?

situation C
Stéphane est camelot. Il a 37 journaux à distribuer. Il se sent fatigué, se repose un peu et compte les journaux qui lui restent: il y en a 14. Combien de journaux Stéphane a-t-il distribués?

situation D
Le jeu de construction de Pascale comprenait 273 pièces. Elle a donné 43 pièces à sa petite soeur. Combien y a-t-il de pièces maintenant dans le jeu de Pascale?

situation E
À l'école Papineau, il y a 4 groupes de 2e année, 6 groupes de 3e année, 5 groupes de 4e année et 8 groupes de 5e année. Combien de groupes d'élèves y a-t-il à l'école Papineau?

10 Effectue les additions suivantes.

a) 37
   + 29

b) 407
    339
   + 105

c) 348
   + 589

11 Effectue les soustractions suivantes.

a) 72
    20

b) 245
    147

c) 804
    500

12 Estime, à la centaine près, les sommes suivantes.

a) 427
   + 328

b) 384
    241
   + 179

13 Estime, à la centaine près, les différences suivantes.

a) 809
   − 247

b) 789
   − 212

14 Estime, en centimètres,

a) la longueur de ton pupitre;
b) sa hauteur.

15 Mesure, en centimètres,

a) l'épaisseur de ton pupitre;
b) sa largeur.

16 Exprime en centimètres:

a) 15 mètres;
b) 9 décimètres.

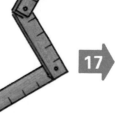

17 Écris le symbole de:

a) mètre;
b) centimètre;
c) décimètre.

11

1 Pour chacun des nombres suivants:

| 9 | 27 | 368 | 9436 | 17 805 |

a) donne le chiffre qui occupe la position des dizaines;

b) donne le chiffre qui occupe la position des centaines.

2 Utilise une grille semblable à celle-ci. Dessines-y les figures demandées.
On a déjà fait pour toi l'exercice *a*.

a) ☆, dans la 2e case de la 3e rangée;

b) ♡, dans la 4e case de la 6e rangée;

c) △, dans la 2e case de la 5e rangée;

d) ♣, dans la 6e case de la 2e rangée;

e) ○, dans la 1re case de la 3e rangée.

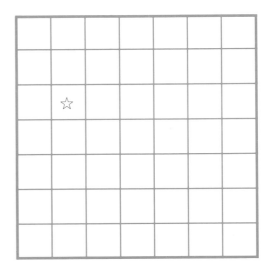

3 Reproduis puis complète les tableaux suivants.

NOMBRE QUI VIENT IMMÉDIATEMENT **AVANT**	NOMBRE QUI VIENT IMMÉDIATEMENT **APRÈS**	NOMBRE QUI VIENT IMMÉDIATEMENT **AVANT**	NOMBRE QUI VIENT IMMÉDIATEMENT **APRÈS**
(19)		(140)	
(69)		(777)	
(90)		(809)	

4 Place en ordre croissant les nombres de chaque série.

a) 32 - 45 - 67 - 12 - 14 - 99 - 88 - 39 - 48 - 78

b) 637 - 245 - 626 - 184 - 378 - 956 - 625 - 745 - 106 - 892

Ordre croissant veut dire du plus petit au plus grand.

5 Lis les nombres de la colonne A à un ou à une camarade.
Ton ou ta camarade écrit les nombres que tu lis.
Fais ensuite le même travail pour les nombres de la colonne B, en inversant les rôles.

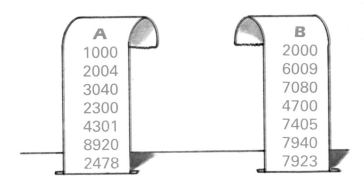

A	B
1000	2000
2004	6009
3040	7080
2300	4700
4301	7405
8920	7940
2478	7923

6 Complète ces phrases mathématiques en choisissant, parmi les nombres suivants, ceux qui conviennent.

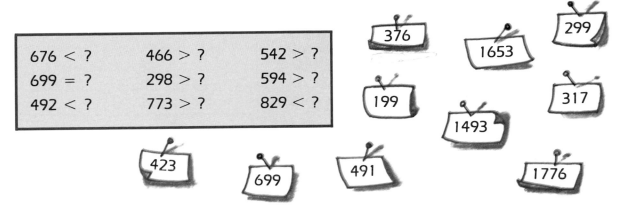

676 < ?	466 > ?	542 > ?
699 = ?	298 > ?	594 > ?
492 < ?	773 > ?	829 < ?

376   1653   299

199   1493   317

423   699   491   1776

7 Reproduis puis complète les tableaux en traçant des X dans les cases appropriées.

a) ⤴ : «... est plus grand que...»   b) ⤵ : «... est plus petit que...»

⤴	143	361	104	229	656
100					
431					
46					
819					
224					

⤵	861	132	424	519	106
351					
132					
818					
103					
959					

8 Pour chacune des situations, indique s'il faut additionner ou soustraire. Présente tes réponses dans un tableau semblable à celui illustré plus bas.

situation A
La ville de Québec a été fondée par Samuel de Champlain en 1608. Quel anniversaire les Québécois fêteront-ils cette année?

situation B
Julie part de Québec. Elle parcourt 135 km pour se rendre à Trois-Rivières, puis 142 km pour se rendre à Montréal. Quelle est la distance entre Québec et Montréal?

situation C
La bibliothèque de l'école Cartier compte 950 bandes dessinées et 337 romans. Combien cela fait-il de livres en tout?

situation D
Sylvette et Julien sautent à la corde. Sylvette fait 48 sauts et Julien en fait 56. Combien de sauts Julien a-t-il faits de plus que Sylvette?

situation E
On compte 19 voitures dans un parc de stationnement. Un peu plus tard, 8 voitures arrivent puis 5 s'en vont. Combien y a-t-il de voitures maintenant dans le parc de stationnement?

SITUATION	J'ADDITIONNE	JE SOUSTRAIS
A		
B		
C		
D		
E		

9 Effectue les additions.
Estime d'abord, à la centaine près, chacun des termes puis les sommes.

a)   124
   + 467

b)   341
     220
   + 479

c)   418
     710
   + 348

10 Refais l'activité 9 avec les nombres de ton choix.

11 Trouve les sommes.

a)   47
   + 28

b)   346
     174
   + 303

c)   461
     642
   + 318

12 Compose 3 additions semblables à celles de l'activité 11.
Demande à un ou à une camarade de trouver les sommes.

13 Effectue les soustractions.
Estime d'abord, à la centaine près, chacun des termes puis les différences.

a) 841
  − 239

b) 789
  − 465

c) 844
  − 715

14 Compose 3 soustractions semblables à celles de l'activité 13.
Demande à un ou à une camarade de trouver les différences.

Les phrases mathématiques doivent être vraies.

15 Remplace les points de couleur par les symboles + ou =.

a) 14 ● 28 ● 42

b) 347 ● 142 ● 205

16 a) Estime, en centimètres, les dimensions des objets indiqués dans le tableau.
Reproduis le tableau et inscris-y tes estimations.

OBJET	LONGUEUR		LARGEUR		ÉPAISSEUR	
	ESTIMATION	MESURE	ESTIMATION	MESURE	ESTIMATION	MESURE
annuaire du téléphone						
ESPACE 4						
dictionnaire						

b) Utilise ta règle et mesure ces objets.
Inscris dans le tableau le résultat de tes mesures.

17 a) Exprime en centimètres les mesures suivantes:
  ● 2 dm
  ● 14 dm

b) Exprime en centimètres les mesures suivantes:
  ● 4 m
  ● 15 m

c) Exprime en décimètres les mesures suivantes:
  ● 80 cm
  ● 50 cm

JE VAIS PLUS LOIN

a) Parmi tous les nombres de deux chiffres qu'il est possible de former, combien ont:

- un 3 à la position des dizaines?
- un 3 à la position des unités?
- un 3 à la position des dizaines et à la position des unités?

b) Combien de nombres de deux chiffres sont formés d'au moins un 3?

Parmi tous les nombres de trois chiffres qu'il est possible de former, combien ont:

a) un 4 à la position des dizaines?

b) un 4 à la position des unités?

c) un 4 à la position des centaines et à la position des unités?

d) un 4 à la position des centaines et à la position des dizaines?

e) un 4 à la position des dizaines et à la position des unités?

f) un 4 à la position des centaines, à la position des dizaines et à la position des unités?

Combien de nombres de trois chiffres sont formés d'au moins un 4?

a) Quels sont les deux plus grands nombres que tu peux former avec

1, 4 et 6?

Quels sont les deux plus petits?

b) Quels sont les deux plus grands nombres que tu peux former avec

8, 2 et 0?

Quels sont les deux plus petits?

N'utilise chaque chiffre qu'une seule fois.

a) Indique tous les nombres qu'il est possible de former avec

2, 3 et 6.

b) Quel est le plus grand nombre que tu as formé? Quel est le plus petit?

a) Effectue les opérations suivantes.

b) Fais d'autres activités semblables avec les nombres de ton choix.

A	B	C	D
3 + 2	7 + 6	7 + 8	9 + 8
13 + 2	17 + 6	17 + 8	19 + 8
23 + 2	27 + 6	27 + 8	29 + 8
33 + 2	37 + 6	37 + 8	39 + 8
153 + 2	277 + 6	487 + 8	719 + 8
2 473 + 2	4 817 + 6	7 137 + 8	4 619 + 8
17 483 + 2	47 807 + 6	24 787 + 8	78 949 + 8

6 Remplace les points de couleur par les symboles +, − ou =.

a) 437 ● 125 ● 220 ● 92

b) 247 ● 125 ● 237 ● 131 ● 228

Les phrases mathématiques doivent être vraies.

7 Résous les problèmes suivants.

a) Liu a 342 macarons dans sa collection. Suzie a 37 macarons de moins que Liu; Paola en a 53 de plus que Liu. Combien de macarons Suzie et Paola ont-elles ensemble?

b)

J'additionne trois nombres et la somme est 19. Deux des nombres sont pairs. La somme d'un des nombres pairs et du nombre impair est 11. Quels peuvent être ces trois nombres?

c) MÉTÉO

Aujourd'hui, il fait 4 degrés de plus qu'hier. Demain, il fera 4 degrés de moins qu'aujourd'hui. Hier, il faisait 12 degrés. Quelle température fera-t-il demain?

d)

Imagine que tu doives additionner cinq nombres, tous compris entre 80 et 100. Entre quels nombres sera comprise la somme que tu obtiendras?

e) Une équipe de soccer a joué 122 matchs. Elle a perdu 28 matchs, fait 35 matchs nuls et gagné les autres matchs. Combien de matchs cette équipe a-t-elle gagnés?

f)

Il y a 57 personnes dans un wagon de métro. Il y a 15 femmes de plus qu'il n'y a d'hommes. Combien y a-t-il d'hommes dans le wagon? Combien de femmes?

8 ▶ Pour acheter la peinture nécessaire pour repeindre la classe, il nous faut les dimensions de chacun des murs.

Estime la longueur et la largeur de chacun d'eux.

Estime aussi la longueur et la largeur de tout ce qui ne doit pas être peint.

Compare tes réponses avec celles de tes camarades. Choisissez la meilleure estimation.

9 ▶ Qui sommes-nous?
Si on nous additionne, notre somme est égale à 170.
Mais, si on nous soustrait, notre différence est égale à 122.
L'un de nous est composé de deux chiffres plus petits que 5.
L'autre est plus petit que 200, mais plus grand que 100.

10 ▶ Complète les phrases mathématiques suivantes:

a) 37 + ■ > 147
b) 147 − ■ < 113
c) 23 + ■ + ■ < 123
d) ■ − ■ > ■ − ■
e) 17 + ■ + 39 > 25 + ■
f) 147 + ■ + ■ < 117 + ■
g) 2 + ■ + ■ > ■ + □ + ■

Remplace les ■ par des nombres. Il faut que l'inégalité soit vraie.

11 ▶ Estime, à la centaine près, le résultat des opérations suivantes:

a) 247 + 39 + 2478 + 179 + 4029   b) 3447 − 139 − 289 − 1146
c) 4789   87   1780   799

PAR
LES RUES
ET LES SENTIERS

2

GÉOMÉTRIE
INTERPRÉTATION
ET
CONSTRUCTION
DE RÉSEAUX

SYSTÈMES
DE REPÉRAGE

Une promenade en forêt

C'est samedi. Le temps est splendide. Marjolaine propose une promenade à sa famille. Elle aimerait visiter le centre écologique Vert-Forêt. On peut y parcourir un réseau de sentiers très intéressants.

Marjolaine, ses parents et son frère Simon se rendent au centre écologique. Avant de commencer sa randonnée, Marjolaine consulte le plan qu'on lui a remis.

Voici le plan du centre écologique Vert-Forêt:

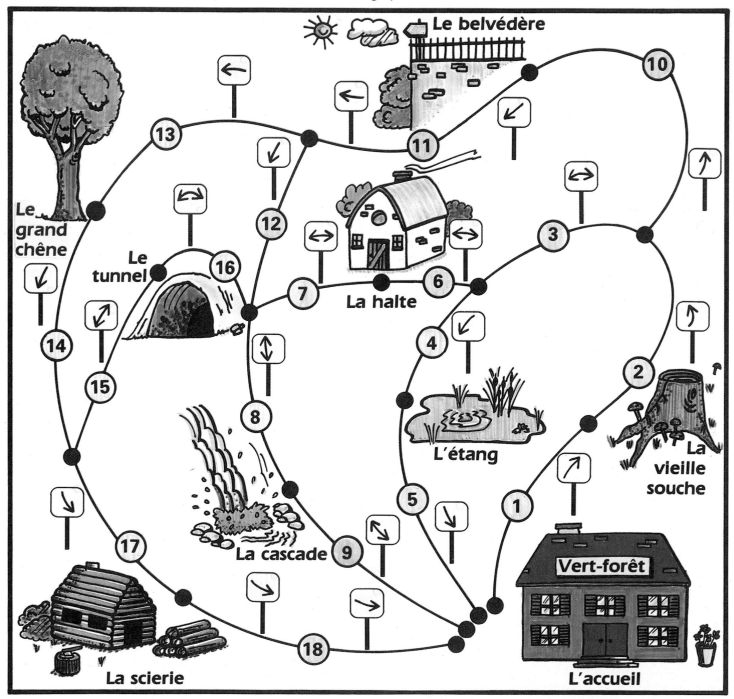

1 Regarde attentivement le plan du centre écologique. Que remarques-tu? Décris à tes camarades tout ce que tu y vois.

2 *a)* Quels sont les seuls sentiers qu'on peut emprunter au départ? Pourquoi?

b) Peut-on partir et revenir par un même sentier? Si oui, lequel ou lesquels? Explique pourquoi.

c) Nomme tous les sentiers sur lesquels on peut circuler dans les deux sens.

Peux-tu expliquer ce qu'est un sentier?

d) Indique où commencent et où se terminent les sentiers suivants:
- le sentier ①
- le sentier ③
- le sentier ⑧

Que remarques-tu?

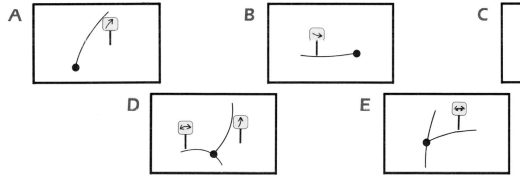

Tu utiliseras maintenant le mot CHEMIN pour identifier une ligne entre deux points.

3 Voici des sections du plan:

A   B   C

D   E

Décris chacune de ces sections à tes camarades. Comment circule-t-on sur ces chemins?

4 Décris des trajets pour se rendre:

a) au **Belvédère**;
b) au **Tunnel**;
c) à la **Vieille souche**;
d) au **Grand chêne**.

Pour décrire mes trajets, j'indique:
- le point de départ;
- les numéros des chemins que j'emprunte;
- les centres d'intérêt que je visite au passage;
- le point d'arrivée.

5 Pour se rendre

a) à la **Halte**,

b) à la **Scierie**,

c) à l'**Étang**,

d) à la **Cascade**,

trouve le trajet qui comporte le moins de chemins.

6 **a)** Imagine que tu te promènes au centre écologique.
Place-toi sur un point, au hasard.
Combien de directions différentes pourrais-tu emprunter?

b) Fais le même travail pour tous les points.
Que remarques-tu?

c) Dis ce que les termes suivants signifient pour toi:
- point terminal;
- point de relais;
- point d'intersection.

Pour décrire un point, je ne tiens pas compte des flèches des panneaux.

7 **a)** À la **Halte**, Marjolaine rencontre son copain Steve.
Lis attentivement ce qu'il lui dit.

Je suis parti par le chemin ①.
Je suis passé par le **Belvédère** avant d'arriver à la **Halte**.

Penses-tu que c'est possible?
Si oui, nomme dans l'ordre tous les chemins que Steve a empruntés.

b) Combien de chemins différents y a-t-il dans le trajet de Steve?

c) Dans le trajet de Steve, combien y a-t-il:
- de points terminaux?
- de points de relais?
- de points d'intersection?

8 ▷ Trouve trois trajets différents qui te font partir par le chemin ① et revenir par le chemin ⑤.
Présente ces trajets dans un tableau comme celui-ci:

TRAJETS	CHEMINS PARCOURUS DANS L'ORDRE	CENTRES D'INTÉRÊT VISITÉS (POINTS DE RELAIS)	NOMBRE DE CHEMINS	NOMBRE DE POINTS D'INTERSECTION
A				
B				
C		La vieille souche L'étang		

Compare tes trajets avec ceux de tes camarades.
Que remarques-tu?

9 ▷ Marjolaine rejoint son frère Simon à l'**Accueil**.
Lis attentivement ce que dit Simon.

Penses-tu que c'est possible?
Si oui, nomme dans l'ordre les chemins empruntés par Simon.

J'ai emprunté 6 chemins différents et je n'ai jamais croisé le même point d'intersection.

10 ▷ Si tu pouvais te promener au Centre écologique, quels centres d'intérêt aimerais-tu visiter? Trouve un trajet pour t'y rendre. Présente-le dans un tableau semblable à celui-ci:

CHEMIN DE DÉPART	NOMBRE DE CHEMINS DIFFÉRENTS PARCOURUS	NOMBRE DE POINTS D'INTERSECTION	CENTRES D'INTÉRÊT VISITÉS (POINTS DE RELAIS)	CHEMIN D'ARRIVÉE

Montre ton tableau à un ou à une de tes camarades.
Demande-lui de décrire ton trajet.

Fais le même travail pour le trajet de ton camarade.

Ton ami-e nomme dans l'ordre les chemins que tu as suivis.

11 ▷ Réalise une des activités suivantes. Tu peux travailler seul-e ou avec des camarades.

A

a) Procure-toi le plan d'un centre forestier ou d'un centre de ski de ta région. Détermine un trajet qui te plaît.

b) Décris ce trajet à l'aide des éléments suivants:
- point de départ;
- chemins parcourus, dans l'ordre;
- nombre de chemins différents;
- nombre de points d'intersection;
- nombre de points de relais;
- point d'arrivée.

B

a) Choisis un endroit de ta région que tu aimerais visiter. Prends une carte routière. Détermine un trajet pour te rendre à cet endroit.

b) Décris ce trajet à l'aide des éléments suivants:
- point de départ;
- point d'arrivée;
- chemins à emprunter;
- points de relais;
- points d'intersection.

c) Fais un schéma de ton trajet à l'aide de lignes et de points.

d) Dans ton schéma, combien y a-t-il:
- de chemins?
- de points d'intersection?

C

a) Imagine un réseau quelconque.

EXEMPLES:
- un circuit d'autobus
- des pistes cyclables
- des sentiers de ski de randonnée
- un circuit pédestre

b) Trace le plan de ton réseau. Indique:
- les points de départ;
- les points d'arrivée;
- les points de relais;
- les points d'intersection;
- les numéros des chemins.

c) Décris deux trajets qu'on peut parcourir sur ton réseau.

Tu peux présenter ta réponse dans un tableau.

d) Compose deux problèmes au sujet de ton réseau. Demande à des camarades ou à tes parents de résoudre tes problèmes.

Une randonnée à bicyclette

Avec ses amis, Kathleen organise une randonnée à bicyclette dans le quartier. Elle doit d'abord rassembler tous ses amis. Pour déterminer son trajet, elle doit connaître l'endroit où habite chacun et chacune. Elle demande donc à ses amis de lui fournir, à partir d'une carte du quartier, toutes les informations nécessaires.

Ses amis lui donnent les indications suivantes:

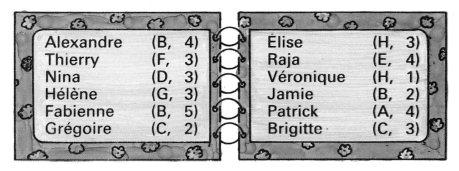

Alexandre	(B, 4)	Élise	(H, 3)
Thierry	(F, 3)	Raja	(E, 4)
Nina	(D, 3)	Véronique	(H, 1)
Hélène	(G, 3)	Jamie	(B, 2)
Fabienne	(B, 5)	Patrick	(A, 4)
Grégoire	(C, 2)	Brigitte	(C, 3)

Kathleen représente sur sa carte les indications données par ses amis.

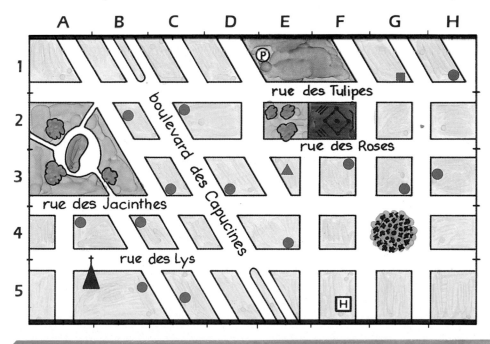

1 Que remarques-tu sur cette carte?
Sais-tu à quoi servent les lettres et les chiffres qui encadrent la carte?
Qu'est-ce que les points rouges représentent?
Comment t'y prends-tu pour repérer un endroit sur une carte comme celle-ci?

2 Prends ta carte du quartier de Kathleen. Trouve l'endroit où chacun et chacune habite.
 Écris à chaque endroit le prénom de l'enfant.

Ce symbole signifie que tu dois te référer à ton cahier d'activités, à la page indiquée. Tu y trouveras le matériel nécessaire pour réaliser l'activité qu'on te propose.

Le point rouge non identifié représente le domicile de Kathleen.

3 Pour réunir tous ses amis, Kathleen doit traverser le boulevard des Capucines. Elle voudrait le traverser une seule fois à partir de chez elle.

a) Nomme les amis que Kathleen réunira avant de traverser le boulevard.

b) Dans quel ordre doit-elle les réunir si elle ne veut pas revenir sur ses pas?

4 Kathleen réunit ensuite les amis qui habitent de l'autre côté du boulevard.

a) Nomme ces amis.

b) Dans quel ordre Kathleen doit-elle les réunir si elle ne veut pas revenir sur ses pas?

c) Prends ta carte du quartier. Trace en rouge le trajet le plus court qui permet à Kathleen de réunir tous ses amis.

5  *a)* Marie-Claude ne peut pas participer à la randonnée. Elle invite ses amis à venir lui dire bonjour au passage.
Marie-Claude habite à l'endroit marqué d'un carré rouge (■) sur la carte.
Quel couple permet de repérer le domicile de Marie-Claude?

b) Philippe, l'enseignant de la classe, aimerait lui aussi que les amis viennent lui dire bonjour au passage.
Philippe habite à l'endroit marqué d'un triangle rouge (▲) sur la carte.
Quel couple permet de repérer le domicile de Philippe?

c) Pour se rendre du domicile de Marie-Claude à celui de Philippe, les amis ont emprunté 6 rues différentes et sont passés par 6 points d'intersection.

• Trouve leur itinéraire. Trace-le en vert sur ta carte.

• Représente les points d'intersection par de gros points verts.

La municipalité de Pointe-aux-Pins offre plusieurs services à sa population. Voici le plan de cette municipalité:

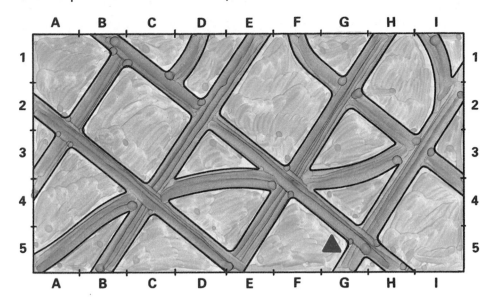

a) Sur le plan, le triangle rouge (▲) représente la bibliothèque municipale.
Quel est le couple correspondant?

b) Il y a une banque dans la zone **(D, 2)**.
Représente cette banque par un carré jaune.

c) Imagine trois autres services offerts par la municipalité. Représente ces services sur ton plan. Donne les informations nécessaires pour qu'on puisse les repérer facilement.

d) Sur ton plan, représente par de gros points verts tous les points d'intersection.

a) Sur ton plan de Pointe-aux-Pins, choisis un emplacement pour ton domicile. Marque cet emplacement d'un ✶.
À partir de chez toi, tu dois pouvoir te rendre à la bibliothèque municipale par 4 chemins différents.

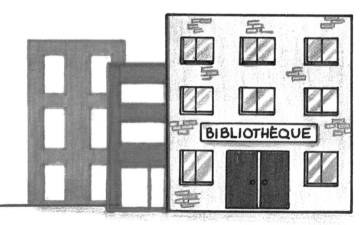

b) Donne le couple correspondant à ton domicile.

c) Sur ton plan, trace en jaune le trajet le plus court pour se rendre de chez toi à la bibliothèque.

d) Compare tes réponses à celles de tes camarades.

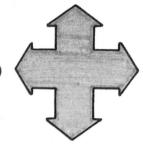

8

2

À partir du plan de Pointe-aux-Pins, construis un réseau routier.
Sur la grille de ton cahier d'activités, reproduis tous les points que tu as tracés à l'activité **6 d**.
Trace ensuite les chemins qui partent de ces points.
Tu obtiendras un réseau routier.

Voici une partie de ce réseau:

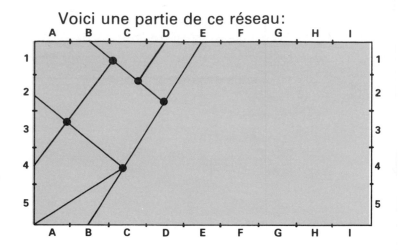

9

Réalise une des activités suivantes. Tu peux travailler seul-e ou avec des camarades.

A

Procure-toi le plan d'une ville que tu aimerais visiter. On doit trouver sur ce plan une liste des rues, des principaux édifices et des centres d'intérêt.

a) Choisis un élément de cette liste. Repère-le sur le plan. Entoure son emplacement.

b) Fais le même travail avec un autre élément de la liste.

c) Détermine un trajet pour te rendre d'un élément à l'autre. Décris ton trajet.

d) Sur une feuille de papier, représente ce trajet à l'aide de points et de lignes.

B

Invente le plan d'un quartier. Trace ton plan sur du papier quadrillé.

a) Situe deux édifices sur ton plan.

b) Donne les couples correspondant à ces édifices.

c) Détermine un trajet pour te rendre d'un édifice à l'autre.

d) Sur une feuille de papier, représente ce trajet à l'aide de points et de lignes.

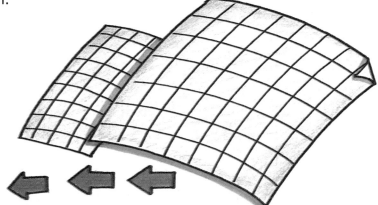

Pour aller chez David

David est malade. Il ne s'est pas présenté à l'école aujourd'hui. Après la classe, Nadia ira lui expliquer ses devoirs et ses leçons. En faisant de grands gestes avec la main, une amie explique à Nadia comment se rendre chez David.

Pour se souvenir des directions à prendre, Nadia trace des flèches sur une bande de papier:

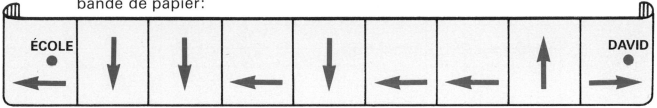

Sur le plan de son quartier, Nadia trace ensuite des flèches pour indiquer la route à suivre.

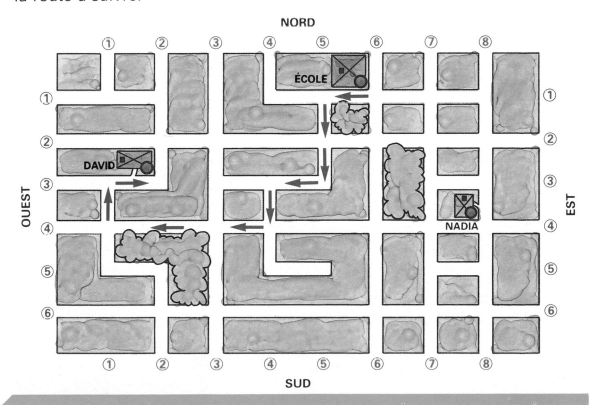

1 Nadia se rendra-t-elle chez David?
A-t-elle bien reporté sur le plan les indications données par son amie?

2 *a)* Que remarques-tu sur le panneau ci-contre?
À quoi servent les flèches sur les panneaux de signalisation? Donne des exemples.

b) Les diagrammes suivants sont tirés de la bande de papier utilisée par Nadia. Explique à tes camarades ce que t'indique chaque diagramme.

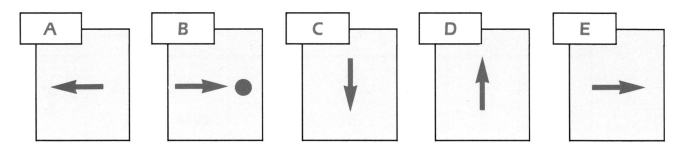

c) Regarde attentivement le plan du quartier de Nadia. Que t'indiquent les flèches?

3

a) Utilise les coordonnées indiquées sur le plan. Nomme, dans l'ordre, tous les points d'intersection que rencontre Nadia sur son trajet.
Voici le premier: **(5, 1)**.

b) Sur ton plan, indique chaque point d'intersection par un gros point rose.

c) Combien de points d'intersection comptes-tu en tout?

d) Combien de chemins différents y a-t-il sur le trajet de Nadia?

Connais-tu la signification du mot «coordonnées»?

Souviens-toi: un chemin, c'est une ligne entre deux points.

4 ▷

 3 ▷a

Nadia doit trouver un trajet pour retourner chez elle. Elle veut que ce trajet soit équivalent à celui qu'elle a suivi pour aller de l'école au domicile de David.

a) Trouve un trajet que Nadia peut suivre. Décris-le à tes camarades en nommant tous les points d'intersection que Nadia rencontrera.

b) Donne le nombre de chemins et le nombre de points d'intersection qu'il y a dans ce trajet.

c) Sur ton plan du quartier de Nadia, trace ce trajet en jaune. Utilise des flèches et des points.

Équivalent veut dire ici qui a le même nombre de chemins et le même nombre de points d'intersection.

5 ▷

3 ▷a

a) Trouve un trajet que Nadia peut emprunter pour se rendre de chez elle à l'école.
Donne des indices en traçant des flèches sur une bande semblable à celle-ci:

NADIA ●					ECOLE ●

b) Demande à un ou à une camarade de vérifier si les directions indiquées par tes flèches conduisent bien Nadia de chez elle à l'école.
Fais le même travail pour ton ou ta camarade.

c) Sur ton plan du quartier de Nadia, marque ce trajet en vert. Utilise des flèches et des points.

1 **a)** Observe attentivement le réseau suivant.

b) Décris ce réseau dans un tableau comme celui-ci:

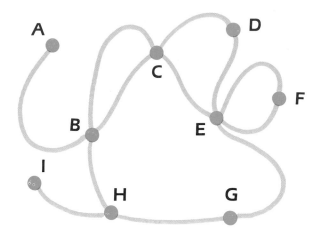

ÉLÉMENTS DU RÉSEAU	NOMBRE
CHEMINS	
POINTS TERMINAUX	
POINTS DE RELAIS	
POINTS D'INTERSECTION	

2 Observe attentivement ces réseaux:

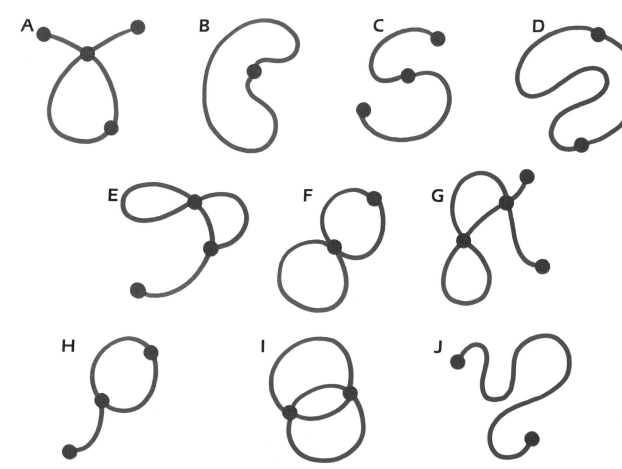

Classe ces réseaux dans les diagrammes de la page suivante.
Utilise les lettres qui identifient les réseaux.

DIAGRAMME A

RÉSEAUX FORMÉS DE				
1 CHEMIN	2 CHEMINS	3 CHEMINS	4 CHEMINS	5 CHEMINS

DIAGRAMME B

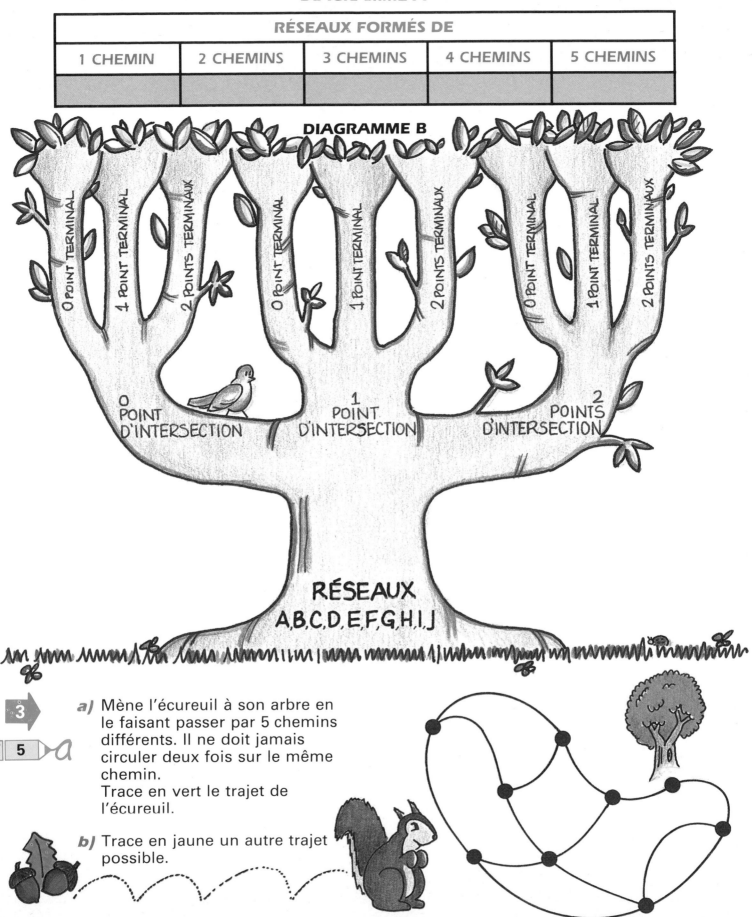

0 POINT TERMINAL · 1 POINT TERMINAL · 2 POINTS TERMINAUX

0 POINT D'INTERSECTION · 1 POINT D'INTERSECTION · 2 POINTS D'INTERSECTION

RÉSEAUX
A,B,C,D, E,F,G,H,I,J

3

5

a) Mène l'écureuil à son arbre en le faisant passer par 5 chemins différents. Il ne doit jamais circuler deux fois sur le même chemin.
Trace en vert le trajet de l'écureuil.

b) Trace en jaune un autre trajet possible.

4 Observe le réseau ci-dessous. Regarde bien le trajet qui est illustré.

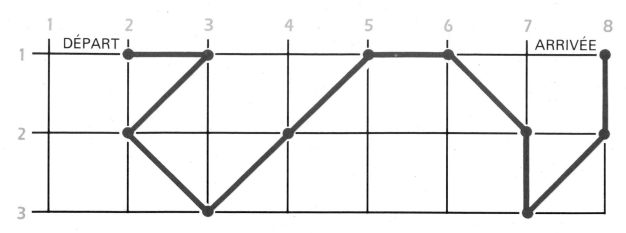

Donne dans l'ordre les coordonnées des points du trajet.
Voici celles du point de départ: (2, 1).

5 Sur la grille, trace le trajet qui relie dans l'ordre les points suivants:

(1, 3) (2, 2) (3, 2) (4, 3) (5, 4) (6, 3) (7, 2) (7, 1)

N'oublie pas de marquer les points du trajet.

Utilise
ton lexique!

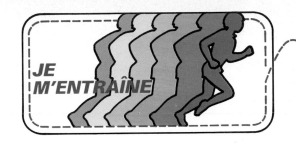

1 Voici le parcours effectué lors d'une excursion:

RÉSEAU 1

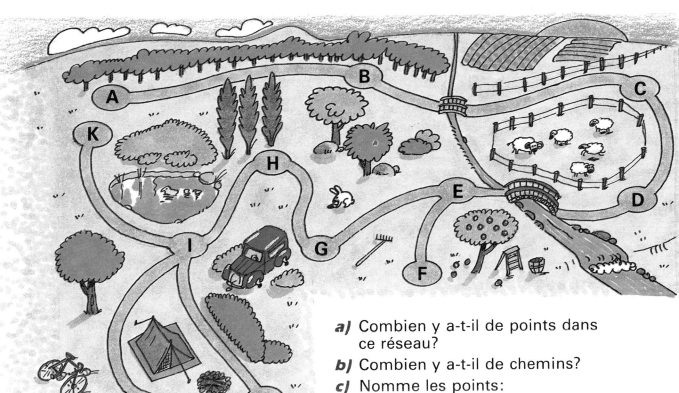

a) Combien y a-t-il de points dans ce réseau?

b) Combien y a-t-il de chemins?

c) Nomme les points:
- terminaux;
- de relais;
- d'intersection.

2 Voici un deuxième parcours:

RÉSEAU 2

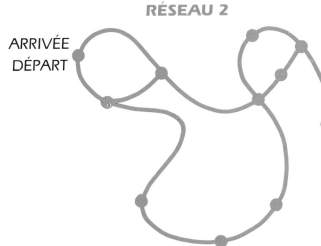

ARRIVÉE
DÉPART

a) Combien y a-t-il de points dans ce réseau?

b) Combien y a-t-il de chemins?

c) Donne le nombre de points:
- terminaux;
- de relais;
- d'intersection.

3 Voici un troisième parcours:

RÉSEAU 3

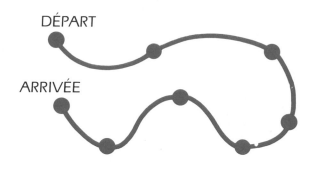

a) Combien y a-t-il de points dans ce réseau?

b) Combien y a-t-il de chemins?

c) Donne le nombre de points:
- terminaux;
- de relais;
- d'intersection.

4 Compare les trois réseaux précédents. Indique les différences entre:

a) le **réseau 1** et le **réseau 2**;

b) le **réseau 1** et le **réseau 3**;

c) le **réseau 2** et le **réseau 3**.

5 Regarde attentivement les réseaux suivants.

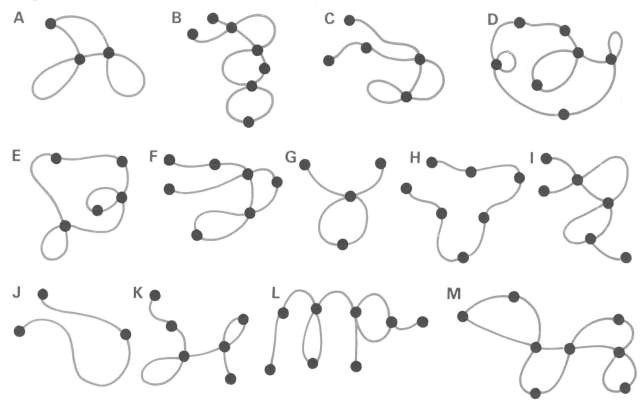

Classe ces réseaux dans les tableaux et les diagrammes de la page suivante.

a)

3 POINTS A,	RÉSEAUX FORMÉS DE	? POINTS

? POINTS

? POINTS ? POINTS

? POINTS

ENSEMBLE DE RÉSEAUX

b)

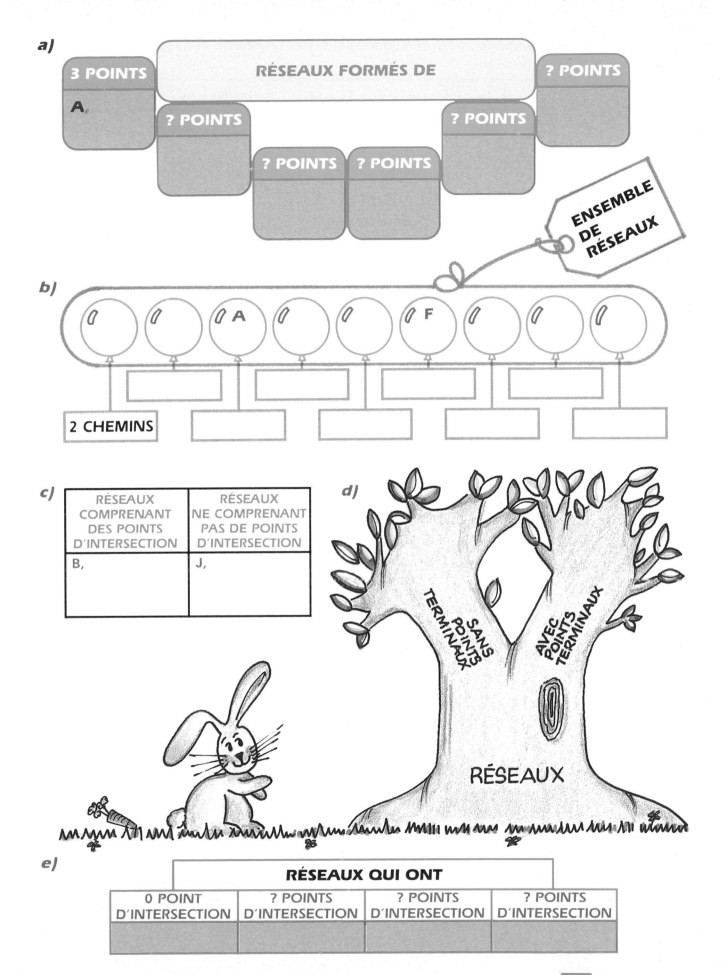

A   F

2 CHEMINS

c)

RÉSEAUX COMPRENANT DES POINTS D'INTERSECTION	RÉSEAUX NE COMPRENANT PAS DE POINTS D'INTERSECTION
B,	J,

d)

SANS POINTS TERMINAUX

AVEC POINTS TERMINAUX

RÉSEAUX

e)

RÉSEAUX QUI ONT			
0 POINT D'INTERSECTION	? POINTS D'INTERSECTION	? POINTS D'INTERSECTION	? POINTS D'INTERSECTION

6 ➤ Identifie les couples correspondant aux points du réseau.
Suis la direction des flèches.

	A	B	C	D	E	F	G	H	I	J	K	L	M	N	O	P
1	(A,1)															
2											(K,2)					
3																

7 ➤

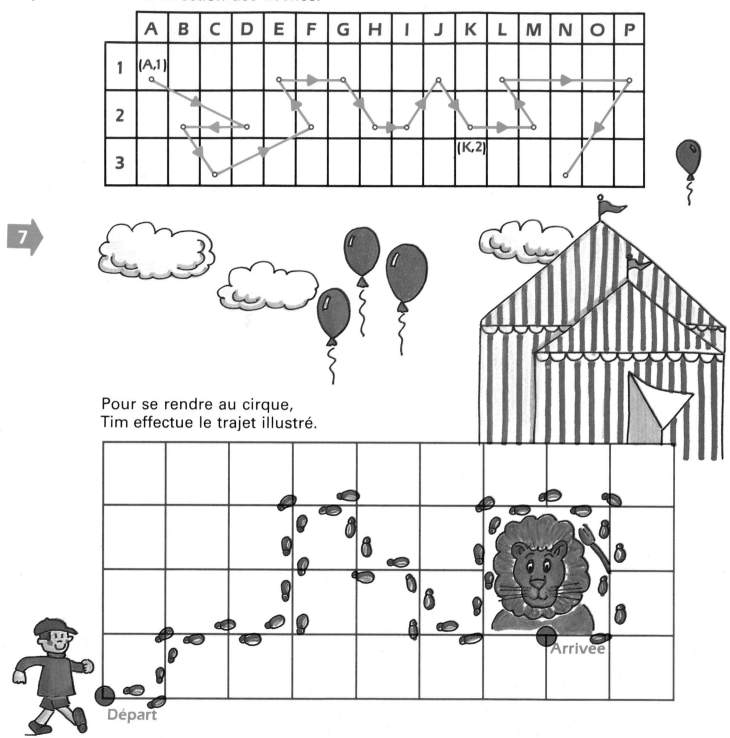

Pour se rendre au cirque,
Tim effectue le trajet illustré.

Représente le trajet de Tim à l'aide de flèches. Voici les deux premières:

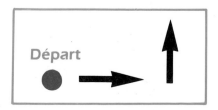

1 Dessine les réseaux suivants:

a) deux réseaux qui ont le même nombre de points mais un nombre différent de chemins;

b) deux réseaux qui ont le même nombre de points d'intersection mais un nombre différent de chemins;

c) deux réseaux qui ont le même nombre de chemins mais un nombre différent de points.

2 **a)** Joue à la BATAILLE AÉRIENNE avec un ou une camarade.

> Utilise un tableau de jeu semblable à celui de Sophie.

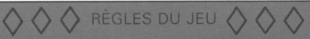

◇ ◇ ◇ RÈGLES DU JEU ◇ ◇ ◇

- Chaque enfant utilise un tableau de jeu et 10 avions de papier;
- ton ou ta camarade dispose ses avions sur les points de son tableau sans que tu regardes;
- tu fais la même chose sur ton tableau;
- ton ou ta camarade énonce les coordonnées d'un point; si l'un de tes avions se trouve sur ce point, il est abattu et tu dois le remettre à ton adversaire;
- si aucun de tes avions ne se trouve sur ce point, c'est à ton tour d'énoncer des coordonnées;
- la partie se poursuit ainsi jusqu'à ce que tous les avions d'un joueur ou d'une joueuse aient été abattus.

b) Sophie et Stéphane jouent à la bataille aérienne.
Voici le tableau de Sophie:

Cinq des avions de Sophie ont déjà été abattus. Elle les a remis à Stéphane.
Donne les coordonnées qui permettront à Stéphane d'abattre les avions qui restent.

3 Il y a un terrain vacant près de chez toi. Le conseil municipal décide d'y aménager un parc récréatif. Pour mieux satisfaire les besoins des jeunes, la municipalité lance un concours dans les écoles. Tous les élèves sont invités à présenter un plan de développement.

AMÉNAGEMENT D'UN PARC RÉCRÉATIF
RÈGLES DE PARTICIPATION

1° Le projet peut être réalisé en équipe.

2° On doit pouvoir visiter tous les centres d'intérêt en circulant sur les sentiers du parc.

3° Le point de départ et le point d'arrivée doivent être différents. Ces points doivent être marqués «ENTRÉE» et «SORTIE».

4° Le plan de développement doit avoir:
- au moins trois points terminaux;
- au moins deux points de relais;
- au moins un point d'intersection.

5° On doit pouvoir se repérer facilement dans le parc.

6° Le plan doit être présenté sur une grande feuille ou un grand carton. On doit pouvoir l'afficher.

7° Une légende doit accompagner le plan. Elle doit contenir les indications qui permettront de s'orienter facilement dans le parc.

8° Le plan de développement suggéré doit être signé.

9° Le plan doit comprendre tous les centres d'intérêt suivants:

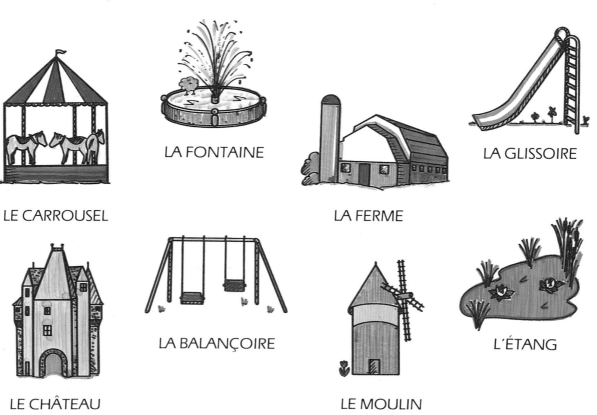

LA FONTAINE

LA GLISSOIRE

LE CARROUSEL

LA FERME

LE CHÂTEAU

LA BALANÇOIRE

L'ÉTANG

LE MOULIN

BONNE CHANCE!

LA PETITE HISTOIRE DES NOMBRES

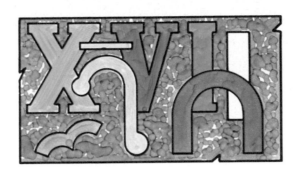

3

Lorsqu'on regarde l'histoire de l'humanité, on s'aperçoit que les êtres humains ont toujours eu besoin de communiquer. On a inventé un alphabet pour écrire les mots. Pour écrire les quantités, on a inventé des symboles. Cela ne s'est pas réalisé d'un coup. Les chiffres que nous utilisons aujourd'hui (0, 1, 2, 3, 4, 5, 6, 7, 8, 9) sont assez récents et nous viennent des Arabes.
Tu verras, dans les pages qui suivent, comment procédaient d'anciennes civilisations pour écrire les quantités.

Les symboles égyptiens

Tu connais sans doute l'Égypte ancienne: pense aux pharaons et aux pyramides.

Le peuple égyptien a une histoire très ancienne. On a retrouvé des temples, des peintures et des sculptures que les Égyptiens réalisèrent il y a des milliers d'années.

Des symboles y étaient gravés. Certains de ces symboles exprimaient des quantités. En voici quelques-uns:

Peux-tu trouver les nombres qui sont représentés?

a) Que remarques-tu dans chacun des ensembles de symboles? Qu'est-ce qui est pareil? Qu'est-ce qui est différent?

b) Énumère les symboles utilisés. Reproduis chacun dans ton cahier.

c) Un de ces ensembles représente 3. Peux-tu trouver lequel?

d) D'après toi, de quelle façon les Égyptiens représentaient-ils:
- 1?
- 2?
- 4?
- 5?

2

6 ▸ a

Après avoir effectué des recherches, on a découvert que:

58 s'écrivait

et que 167 s'écrivait

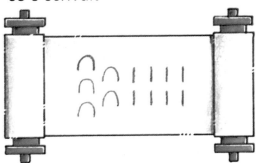

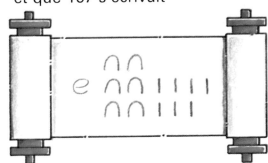

À partir de ces indices, complète le tableau suivant.
Compte de 1 jusqu'à 99.

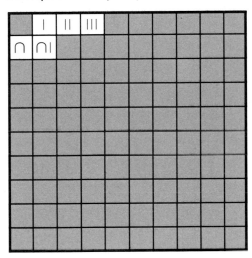

Tu trouveras
ce tableau
dans ton
cahier
d'activités.

3

Si ton quadrillage était construit pour compter jusqu'à 1000, comment écrirais-tu les nombres suivants?

a) 100   **b)** 110   **c)** 301

4

Reproduis puis complète le tableau suivant.
Il te présente les symboles qu'utilisaient les Égyptiens pour écrire des quantités.

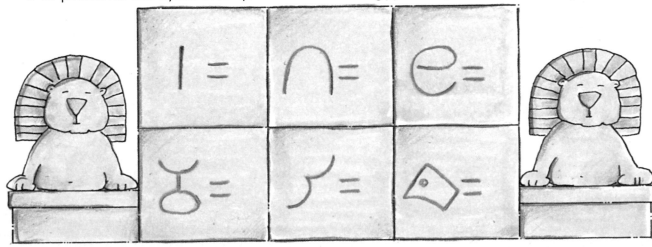

Tu connais maintenant les symboles que les Égyptiens utilisaient pour écrire les quantités.
Trouve le nombre représenté par chaque ensemble.

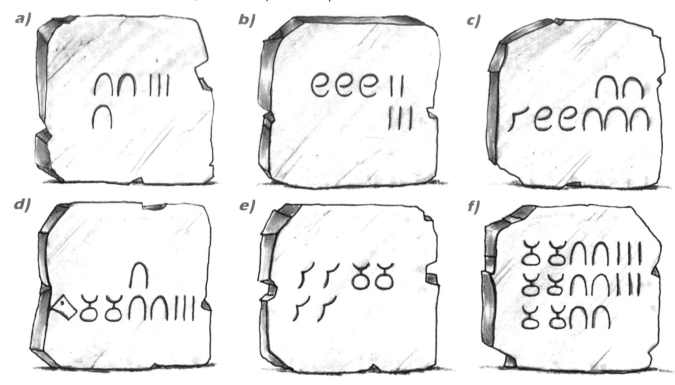

a)   b)   c)

d)   e)   f)

6 Écris les nombres suivants à l'aide des symboles égyptiens.

a) 63   b) 247   c) 4897   d) 87 899

7 a) Compare, dans le système égyptien et dans notre système actuel, la façon de représenter:
   - les unités;   - les dizaines;
   - les centaines.

   Trouves-tu des ressemblances? des différences?
   Exprime-les à tes camarades.

   b) Trouves-tu facile d'écrire des nombres avec les symboles égyptiens? Pourquoi?
   Par exemple, comment écrirais-tu 9999?

8 Utilise les symboles égyptiens. Illustre la valeur des chiffres soulignés.

EXEMPLE: 3471 = ℓℓℓℓ

a) 4789   b) 78 946
c) 2478   d) 2347
e) 23 458   f) 5634

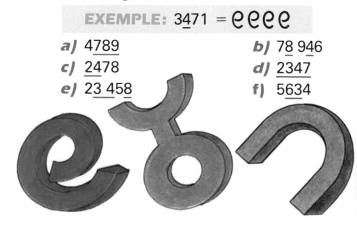

9 Décompose les nombres suivants.

EXEMPLE: 342 = ℓℓℓ∩∩II = 100 + 100 + 100 + 10 + 10 + 10 + 10 + 1 + 1

a) 407   b) 1320   c) 2222   d) 40 702

Les symboles romains

Tu connais sans doute les anciens Romains: pense à Astérix ou à certains films que tu as vus.

Les Romains jugeaient les symboles égyptiens peu commodes à utiliser. Ils développèrent donc une autre façon d'écrire les quantités.

En effectuant des fouilles, on a trouvé une pierre décrivant les biens d'un fermier. Voici ce qui était gravé sur la pierre:

Selon toi, combien d'animaux de chaque espèce ce fermier possédait-il?

a) Énumère les symboles utilisés. Reproduis chacun dans ton cahier.

b) Peux-tu trouver ce que représente chaque symbole?

PISTES:

- Ce fermier a quatre animaux d'une même espèce.
- La quantité de moutons qu'il possède est comprise entre 10 et 20.
- Trois des nombres illustrés sont plus petits que 10.

c) Combien d'animaux de chaque espèce ce fermier possédait-il?

Après avoir effectué des recherches, on a découvert que:

XXIII	= 23
XV	= 15
VIIII	= 9
LIIII	= 54
LXXXVIII	= 88

À partir de ces indices, complète le tableau ci-contre. Compte de 1 jusqu'à 99.

Tu trouveras ce tableau dans ton cahier d'activités.

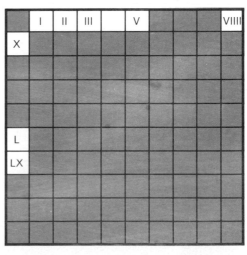

	I	II	III		V				VIIII
X									
L									
LX									

3 Si ton quadrillage était construit pour compter jusqu'à 1000, comment écrirais-tu les nombres suivants?

a) 110   **b)** 350   **c)** 683   PISTES:

100 s'écrit C
500 s'écrit D
1000 s'écrit M

4 Reproduis puis complète le tableau suivant.
Il te présente les symboles qu'utilisaient les Romains pour écrire des quantités.

I	=	
V	=	
X	=	
L	=	
C	=	
D	=	
M	=	

5 Tu connais maintenant les symboles que les Romains utilisaient pour écrire les quantités.
Écris les nombres suivants dans notre système actuel.

a) VIIII   **b)** CV

c) MCCIIII   **d)** XXXXVIII

e) CCCLXII   **f)** MDCCCCLXXXV

g) LXXIIII   **h)** DXXXX

 6 Écris les nombres suivants en chiffres romains.

a) 42   **b)** 454

c) 777   **d)** 1111

 7 **a)** Écris le nombre 999 à l'aide des symboles romains et à l'aide des symboles égyptiens. Quel système préfères-tu utiliser? Pourquoi?

b) Compare, dans le système romain et dans notre système actuel, la façon de représenter:

- les unités;
- les dizaines;
- les centaines.

Trouves-tu des ressemblances? des différences? Exprime-les à tes camarades.

8 Par la suite, les Romains décidèrent de raccourcir l'écriture des nombres. Ils trouvaient trop long d'écrire, par exemple:

XXXXIIII   (pour 44)
ou   LXXXXVIIII   (pour 99).

À la place de:	ils écrivirent:
IIII	IV
VIIII	IX
XXXX	XL
LXXXX	XC
LXXXXVIIII	XCIX
CCCC	CD
DCCCC	CM

a) Décris ce que les Romains ont fait.

PISTES:

- Les symboles VI et IV représentent-ils la même quantité?
- Les symboles XI et IX représentent-ils la même quantité?
- Les symboles XL et LX représentent-ils la même quantité?

b) Dans notre système, le chiffre 1 représente-t-il la même quantité dans le nombre 1 et dans le nombre 10?
Que vaut le chiffre 1 dans chacun de ces nombres?

c) Dans le nombre 222, que vaut le chiffre 2?
Explique ta réponse à un ou à une camarade.

9 Les chiffres romains sont encore utilisés aujourd'hui.

a) Lis les nombres illustrés sur le cadran.

b) As-tu remarqué qu'à la fin d'un film, ou d'une émission de télévision, l'année de production est souvent écrite en chiffres romains?
Trouve l'année dont il s'agit:

MCMLXXXV

c) Écris ton année de naissance en chiffres romains.

10 Reproduis le diagramme.
Trace des flèches pour illustrer la relation:
«. . . est plus grand que . . .»

LXVI

XXXII   CXL

CLXXXIII

11 Trouve la relation illustrée par les flèches.

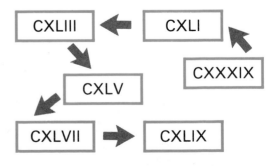

CXLIII ⬅ CXLI

CXLV

CXXXIX

CXLVII ➡ CXLIX

47

12 Remplace les points de couleur par les symboles < ou >.

a) CMXXIV • CMXLII   *b)* DCCLXXXVI • DCCLXVIII   *c)* DCCCVI • DCCCLX

13 *a)* Illustre, à l'aide de flèches, la relation:

«. . . est plus petit que . . .»

DCXXXVII   DCXLVI

DCXXVIII   DCXV

b) Place en ordre croissant les nombres de l'ensemble de l'activité *a*.

14 *a)* Illustre, à l'aide de flèches, la relation:

«. . . est plus grand que . . .»

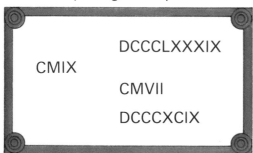

DCCCLXXXIX

CMIX

CMVII

DCCCXCIX

b) Place en ordre décroissant les nombres de l'ensemble de l'activité *a*.

15 *a)* Place dans chaque case un nombre qui se situe entre D et M.

⟶ : «. . . est plus grand que . . .»

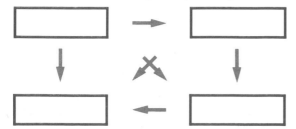

b) Place dans chaque case un nombre qui se situe entre D et M.

⟶ : «. . . est plus petit que . . .»

16 Reproduis les diagrammes. Trace les flèches de la relation indiquée.

a) ⟶ : «. . . vient immédiatement avant . . .»

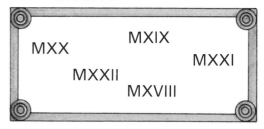

MXX   MXIX   MXXI

MXXII   MXVIII

b) ⟶ : «. . . vient immédiatement après . . .»

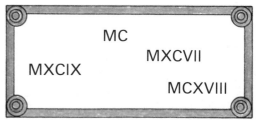

MC   MXCVII

MXCIX   MCXVIII

Les symboles asiatiques

Plus près de nous dans l'histoire, certains peuples asiatiques utilisaient des symboles particuliers pour écrire les quantités. Ces symboles étaient différents des nôtres mais s'en rapprochaient quelque peu.

Voici ces symboles:

I = 1	II = 2

III = 3	४ = 4	⊃ = 5

६ = 6	৲ = 7

৭ = 8	℧ = 9	O = 0

Les nombres suivants s'écrivaient ainsi:

34	III ४
205	II O ⊃
333	III III III
4044	४ O ४ ४

Peux-tu expliquer ces symboles?

Explique ce que représente chacun des symboles dans les nombres suivants:

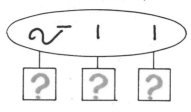 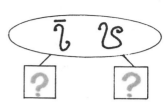 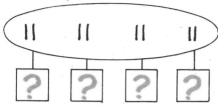

2 a) Quelles sont les ressemblances et les différences avec notre façon d'écrire les quantités?

b) Est-ce la même façon que chez les Égyptiens et chez les Romains? Qu'y a-t-il de différent? Explique ta réponse.

c) Compare, dans le système asiatique et dans notre système actuel, la façon de représenter:

- les unités;
- les dizaines;
- les centaines.

3 Imagine qu'on invente une nouvelle façon d'écrire les nombres. À l'aide de ces symboles:

i = 1	x = 3	c = 5	o = 0	e = 8
v = 2	l = 4	d = 6	m = 7	a = 9

décode les nombres suivants:

SECRET   cave   dix   maladie

4 Invente une autre façon d'écrire les nombres. Explique ton système. Compose quelques problèmes.

JE FAIS LE POINT

1 Donne, en relation avec l'unité, la valeur des chiffres soulignés.

a) 47<u>2</u>9 b) 4<u>2</u>78
c) <u>2</u>346 d) 787<u>2</u>

2 Donne, en relation avec l'unité, la valeur des groupes de chiffres soulignés.

a) 3<u>478</u> b) <u>47</u>23 c) 78<u>47</u>

3 Décompose les nombres suivants. Tiens compte de la position qu'occupe chaque chiffre.

a) 478 b) 2371

4 Écris le nombre qui est composé de:

a) 4 dizaines et 7 centaines;
b) 2 unités, 3 unités de mille et 4 centaines;
c) 200 + 4 + 3000 + 70.

5 Dans le nombre 47 891, donne la position qu'occupe:

a) le chiffre 7; b) le chiffre 9;
c) le chiffre 4; d) le chiffre 8.

6 Reproduis puis complète le tableau suivant. Utilise les symboles <, > ou =.

➤	2073	2370	2307	2037	2074
2307	>				
2037					
2370					
2074					
2073					

7 Reproduis les diagrammes. Trace les flèches de la relation indiquée.

a) + 5

1035 1025
1030 1045 1040

b) + une dizaine

6920 6930 6940
6830 6840

51

 1 Représente, dans notre façon d'écrire les nombres, chaque ensemble de symboles égyptiens.

EXEMPLE:

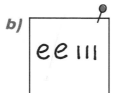 = 10 + 10 + 10 + 10 + 1 + 1 + 1
= 43

a)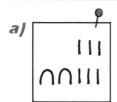

b) ⌒⌒ III

c)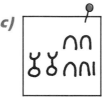

d) II ⌒⌒ II

 2 Décompose chacun des nombres suivants.

EXEMPLE: 34 = 10 + 10 + 10 + 1 + 1 + 1 + 1

a) 51   **b)** 22   **c)** 233   **d)** 1111

3 Représente, dans notre façon d'écrire les nombres, chaque ensemble de symboles romains.

EXEMPLE:

| XXVII | = 10 + 10 + 5 + 1 + 1
= 27 |

| XIX | = 10 + 9
= 19 |

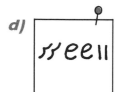

a) XXXIX   **b)** CCXXII   **c)** LXVI   **d)** MCIII

4 **a)** Donne la position qu'occupe chaque chiffre dans le nombre 42 579.
Présente ta réponse dans un tableau semblable à celui-ci:

CHIFFRES	DIZAINES DE MILLE	UNITÉS	CENTAINES	DIZAINES	UNITÉS DE MILLE
4					
2					
5					
7					
9					

b) Compose un problème semblable.
Demande à un ou à une camarade de le résoudre.

a) Reconstruis les nombres représentés dans le tableau.

	CENTAINES	UNITÉS	DIZAINES DE MILLE	DIZAINES	UNITÉS DE MILLE
A	0	2	4	7	1
B	7	0	2	4	0
C	0	0	1	0	2
D	2	0	0	7	0
E	0	7	4	9	9

b) Compose un problème semblable.
Demande à un ou à une camarade de le résoudre.

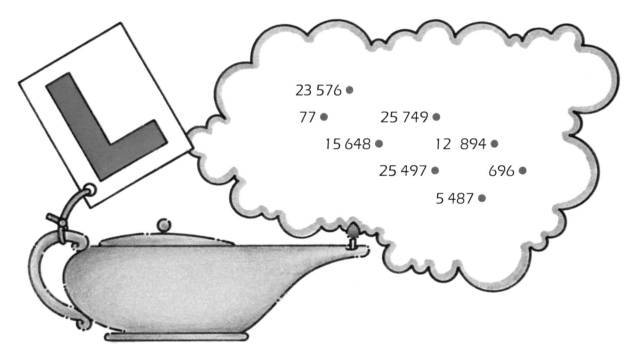

6

23 576 •

77 •   25 749 •

15 648 •   12 894 •

25 497 •   696 •

5 487 •

Utilise les éléments de L. Forme l'ensemble des nombres:

a) dans lesquels le chiffre 2 occupe la position des dizaines de mille;

b) dans lesquels le chiffre 6 occupe la position des unités;

c) dans lesquels le chiffre 9 occupe la position des dizaines;

d) dans lesquels le chiffre 5 occupe la position des unités de mille;

e) dans lesquels le chiffre 7 occupe la position des centaines.

Donne, en relation avec l'unité, la valeur des chiffres soulignés.

EXEMPLE: 4<u>5</u>32   500

a)   3 <u>6</u>24

b) 31 0<u>2</u>7

c)   4 9<u>7</u>3

d) <u>5</u>8 961

e)   <u>8</u> 034

f) 92 <u>6</u>53

g)   6 596<u> </u>

h) 6<u>5</u> 692

i) 12 <u>0</u>25

8 ➤ Donne, en relation avec l'unité, la valeur des groupes de chiffres soulignés.

> **EXEMPLE:** 8<u>64</u>3   600 + 40 = 640

a) 9 0<u>41</u>

b) 1<u>2 4</u>51

c) 5 <u>960</u>

d) <u>34</u> 695

e) 4 <u>5</u>83

f) <u>96 0</u>32

9 ➤ Reproduis puis complète les tableaux suivants. Trace des X dans les cases appropriées.

a) ➤: «. . . est plus grand que . . .»

➤	14	40	21	36	29
56	X				
15					
25					
45					
34					

b) ➤: «. . . est plus grand que . . .»

➤	443	961	704	629	956
700					
631	X				
346					
819					
624					

c) ➤: «. . . est plus petit que . . .»

➤	748	653	866	901	792
551					
843					
974					
785				X	
654					

d) ➤: «. . . est plus petit que . . .»

➤	761	832	924	719	606
751					
832			X		
918					
703					
459					

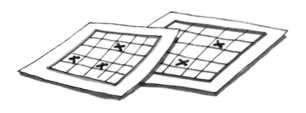

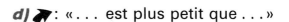

1 Trouve le résultat des opérations suivantes.

a)

b)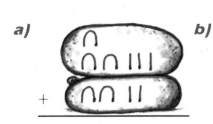

c)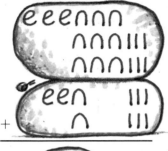

d)

e)

f)

Je sais additionner et soustraire des nombres égyptiens!

2 Trouve le résultat des opérations suivantes.

a) VII
 + XI

b) XXIII
 + LII

c) CXXII
 + CCXXXVI

d) Penses-tu être capable d'effectuer une soustraction? Réfléchis bien!

LXVI
 − XXIII

Je sais additionner et soustraire des nombres romains!

3 Que donne trois fois le nombre

Ce problème n'est pas facile. Sauras-tu le résoudre?

4 Écris, dans notre système actuel, trois nombres différents qui ont:

a) 45 dizaines;   b) 22 centaines;   c) 18 unités de mille;   d) 215 dizaines.

5 Compose deux problèmes semblables à celui de l'activité 4.
Demande à un ou à une camarade de les résoudre.

6 a) Donne le plus petit nombre de 4 chiffres dont un des chiffres est 3.
b) Donne le plus grand nombre de 4 chiffres dont un des chiffres est 3.
c) Donne le plus petit nombre de 4 chiffres dont deux des chiffres sont 1 et 7. Tous les chiffres doivent être différents.
d) Donne le plus grand nombre de 4 chiffres dont deux des chiffres sont 1 et 7. Tous les chiffres doivent être différents.

7 Écris, à l'aide de symboles romains, les nombres suivants:

a) [symboles]

b) [symboles]

c) [symboles]

d) [symboles]

e) [symboles]

f) [symboles]

8 Complète le tableau ci-dessous. Trace des X dans les cases appropriées.

↗ : «... est plus grand que...»

↗	∩∩III ∩ II	⊖∩II ⊖∩I	℧℧∩∩	⟩ ⊖⊖∩II ⊖ ∩I
CCLXVI				
MMDC				
LXXVIII				

9 Reproduis le diagramme suivant. Complète-le en écrivant des nombres dans le système de ton choix.

→ : «... a dix unités de moins que...»

DCXXXVI

DCXXVI

⊖⊖∩∩∩III / ⊖⊖∩∩∩III

℧ I ℧

10 Invente un diagramme semblable à celui de l'activité 8. Choisis une relation. Demande à un ou à une camarade de le compléter.

11 Que donne quatre fois le nombre:

a) ∩∩∩∩∩IIII

b) LXXIII

c) II℧

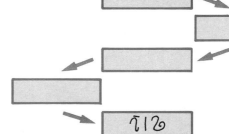

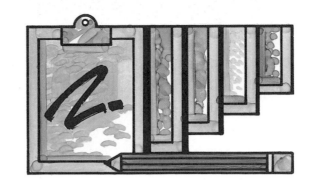

UN RECENSEMENT SCOLAIRE

4

NOMBRES NATURELS
ADDITION ET SOUSTRACTION:
SENS, ALGORITHMES, ASSOCIATIVITÉ, TERMES MANQUANTS, PROBLÈMES

MESURE
LECTURE DE TABLEAUX ET DE GRAPHIQUES

Une commission scolaire, c'est un groupe d'écoles réparties sur un certain territoire.

Connais-tu le nom de ta commission scolaire? Combien d'écoles regroupe-t-elle? Combien d'élèves compte-t-elle au total? Est-ce une grande ou une petite commission scolaire?

Le tableau ci-dessous te présente des informations au sujet de la commission scolaire Bellevue. En apprenant à connaître cette commission scolaire, tu développeras certaines habiletés. Tu pourras ensuite réaliser une recherche sur ta propre commission scolaire ou sur ton école.

COMMISSION SCOLAIRE BELLEVUE

ÉCOLES

		de la Falaise	du Gouffre	de la Source	du Bocage	du Ruisseau	du Plateau	du Coteau	de la Montagne	du Rivage	de l'Étang	du Cap	TOTAL
M	5 ans	16		49	52	33		47	34	35		35	301
1er CYCLE	6 ans	24		56	63	56		55	39	69		42	?
	7 ans	28		65	66	57		50	43	65		45	?
	8 ans	26		71	71	52		54	46	66		48	?
2e CYCLE	9 ans	23	79			56	65		64	54	51		392
	10 ans	27	76			53	67		63	51	47		?
	11 ans	22	74			47	63		59	49	44		358
TOTAL au 1er octobre de cette année		?	229	?	252	354	?	206	162	?	154	312	?

(PRIMAIRE comprend le 1er CYCLE et le 2e CYCLE)

a) Quels types d'écoles trouve-t-on dans cette commission scolaire?

b) Combien d'écoles le secteur primaire comprend-il? Nomme ces écoles.

c) Combien d'écoles offrent le 1er cycle du primaire, y compris la maternelle? Nomme ces écoles.

d) Combien d'écoles offrent le 2e cycle du primaire? Nomme ces écoles.

En observant le tableau, tu as sans doute remarqué qu'on n'a pas inscrit le nombre total d'élèves qui fréquentent chacune de ces écoles.

a) Fais une estimation, à la centaine près, du nombre total d'élèves qui fréquentent chacune de ces écoles.

b) Raconte à un ou à une camarade la façon dont tu as procédé. Comparez vos estimations.

c) Donne des exemples de la vie courante où il est utile d'estimer le résultat d'une addition.

> Pour faire une estimation, je peux arrondir les nombres.

Des enfants de la classe d'Abel ont calculé le nombre exact d'élèves qui fréquentent les écoles dont le total n'était pas indiqué.
Chacun et chacune a procédé à sa manière.

école du Rivage

$$
\begin{array}{r}
\overset{4}{3}5 \\
69 \\
65 \\
66 \\
64 \\
63 \\
+\ 59 \\
\hline
421
\end{array}
$$

école de la Falaise

$$
\begin{array}{r}
16 \\
24 \\
28 \\
26 \\
23 \\
27 \\
+\ 22 \\
\hline
36 \\
+\ 130 \\
\hline
166
\end{array}
$$

école du Plateau

$$
\begin{array}{r}
65 \\
67 \\
+\ 63 \\
\hline
180 \\
+\ 15 \\
\hline
195
\end{array}
$$

école de la Source

$$
\begin{array}{rcl}
49 & \rightarrow & 40 + 9 \\
56 & \rightarrow & 50 + 6 \\
65 & \rightarrow & 60 + 5 \\
+\ 71 & \rightarrow & 70 + 1 \\
\hline
& & 220 + 21 = 241
\end{array}
$$

a) As-tu bien saisi la façon de procéder de chaque enfant?
Choisis quelques nombres de 2 chiffres. Additionne tes nombres:

- à la façon d'Abel;
- à la façon d'Ève;
- à la façon de Mia;
- à la façon de Tim.

b) As-tu remarqué des ressemblances et des différences entre ces façons de procéder?
Discutes-en avec tes camarades.

c) Utilise quelques nombres de 3 chiffres.
Choisis, parmi les méthodes utilisées par Abel, Ève, Mia et Tim, les trois qui te plaisent le plus.
Additionne tes nombres de ces trois manières différentes.

4 Lorsqu'il cherche une somme, Abel effectue beaucoup de calculs dans sa tête. Il écrit d'abord les nombres qu'il doit additionner:

Ensuite, il effectue mentalement les calculs suivants:

a) Raconte à tes camarades chacune des étapes suivies par Abel.

b) Utilise les étapes suivies par Abel. Trouve le résultat de cette addition:

34 + 25 + 75 + 86 + 50

5 **a)** Fais une estimation, à la centaine près, de la population totale de toutes les écoles primaires.
Note ton estimation.

b) Calcule, de façon exacte, la population totale de toutes ces écoles.

c) Comparez, tes camarades et toi, vos estimations et vos calculs.
Que remarquez-vous?

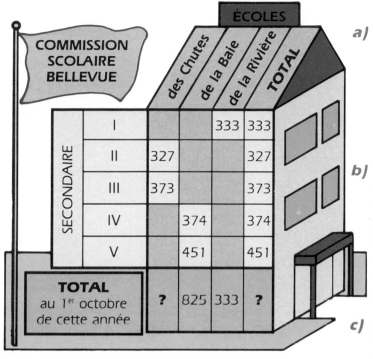

6 La commission scolaire Bellevue comprend aussi quelques écoles secondaires. Observe le tableau suivant:

ÉCOLES

SECONDAIRE	des Chutes	de la Baie	de la Rivière	TOTAL
I			333	333
II	327			327
III	373			373
IV		374		374
V		451		451
TOTAL au 1er octobre de cette année	?	825	333	?

a) Fais une estimation, à la centaine près, du nombre total d'élèves qui fréquentent l'école des Chutes.
Calcule ensuite, de façon exacte, ce nombre total. Utilise la méthode de ton choix.

b) Fais une estimation, à la centaine près, de la population totale de toutes les écoles secondaires.
Calcule ensuite, de façon exacte, la population totale de toutes ces écoles. Utilise la méthode de ton choix.

N'oublie pas de noter tes estimations.

c) Comparez, tes camarades et toi, vos estimations et vos calculs. Que remarquez-vous?

7 Une fois complété, le tableau suivant permettra de comparer la population totale de chacune des écoles.

	des Chutes 700	de la Falaise 166	du Gouffre 229	de la Source 241	de la Baie 825	du Bocage 252	du Ruisseau 354	du Plateau 195	du Coteau 206	de la Montagne 162	de la Rivière 333	du Rivage 421	de l'Étang 154	du Cap 312
des Chutes 700				X										
de la Falaise 166			X											
du Gouffre 229	X													
de la Source 241														
de la Baie 825														
du Bocage														

a) Trouve la relation établie par la flèche.

b) Complète le tableau en traçant des X dans les cases appropriées.

c) Place les écoles en ordre croissant selon leur population.

Au cours des années, la population d'une commission scolaire peut augmenter ou diminuer.
Le tableau suivant te présente l'ensemble des écoles de la commission scolaire Bellevue.

ÉCOLES

COMMISSION SCOLAIRE BELLEVUE

			des Chutes	de la Falaise	du Gouffre	de la Source	de la Baie	du Bocage	du Ruisseau	du Plateau	du Coteau	de la Montagne	de la Rivière	du Rivage	de l'Étang	du Cap	TOTAL	
PRIMAIRE	M	5 ans		16		49		52	33		47	34		35		35	301	NOMBRE TOTAL D'ÉLÈVES AU SECTEUR PRIMAIRE
	1ᵉ CYCLE	6 ans		24		56		63	56		55	39		69		42	?	
		7 ans		28		65		66	57		50	43		65		45	?	
		8 ans		26		71		71	52		54	46		66		48	?	?
	2ᵉ CYCLE	9 ans		23	79				56	65				64	54	51	392	
		10 ans		27	76				53	67				63	51	47	?	
		11 ans		22	74				47	63				59	49	44	358	
SECONDAIRE		I											333				333	NOMBRE TOTAL D'ÉLÈVES AU SECTEUR SECONDAIRE
		II	327														327	
		III	373														373	
		IV					374										374	?
		V					451										451	
TOTAL au 1ᵉʳ octobre de cette année			700	166	229	241	825	252	354	195	206	162	333	421	154	312	?	
TOTAL au 30 juin de l'an dernier			?	?	?	?	?	?	?	?	?	?	?	?	?	?	?	
DIFFÉRENCE			−17	+15	−5	+13	−9	+8	+15	−8	+16	+17	+18	+19	−9	+14	?	

9 ▷ₐ Tu trouveras ce tableau dans ton cahier d'activités. Utilise-le pour réaliser les activités qui suivent.

1 Tu as sans doute remarqué que ce tableau est incomplet.

a) Trouve, pour le secteur primaire, le total de chaque groupe d'âge.

b) Raconte à tes camarades de quelle façon tu as procédé.

c) Es-tu certain-e de tes résultats? Comment peux-tu vérifier s'ils sont exacts?

2 Fais une estimation, à la centaine près, du nombre total d'élèves qui fréquentent les écoles:

a) primaires;

b) secondaires;

c) de la commission scolaire Bellevue au complet.

Raconte à tes camarades de quelle façon tu as procédé.

3 Trouve le nombre exact d'élèves qui fréquentent les écoles:

a) primaires;

b) secondaires;

c) de la commission scolaire Bellevue au complet.

Utilise la méthode de ton choix.

4 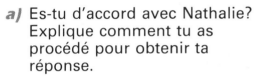 Nathalie estime que la différence entre la population des écoles primaires et celle des écoles secondaires est d'environ 800.

a) Es-tu d'accord avec Nathalie? Explique comment tu as procédé pour obtenir ta réponse.

b) Compare ton résultat avec ceux de tes camarades. Est-il le même? Comment tes camarades ont-ils procédé? Quelle estimation vous semble la plus adéquate?

5 Complète la partie inférieure du tableau:

TOTAL au 1er octobre de cette année	700	166	229	241	825	252	354	195	206	162	333	421	154	312	4550
Nombre d'élèves de plus ou de moins que l'année dernière	17 de moins	15 de plus	5 de moins	13 de plus	9 de moins	8 de plus	15 de plus	8 de moins	16 de plus	17 de plus	18 de plus	19 de plus	9 de moins	14 de plus	?
TOTAL au 30 juin de l'année dernière	?	?	?	?	?	?	?	?	?	?	?	?	?	?	?

Raconte à tes camarades de quelle façon tu as procédé.

6 **a)** Énonce une règle qui te permet de trouver le terme manquant dans une opération d'addition et dans une opération de soustraction.

b) La règle que tu as trouvée est-elle valable dans tous les cas? Vérifie en trouvant le terme manquant dans chacune des opérations suivantes.

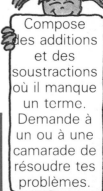

Compose des additions et des soustractions où il manque un terme. Demande à un ou à une camarade de résoudre tes problèmes.

A 28
   + ■
   ──
   56

B 324
   + ■
   ──
   512

C ■
   + 37
   ──
   62

D 412
   + ■
   ──
   713

E ■
   − 45
   ──
   64

F ■
   − 219
   ──
   348

G 24
   − ■
   ──
   17

H 685
   − ■
   ──
   413

7 Des élèves de la classe comparent la population actuelle de secondaire I à celle qu'il y aura probablement l'an prochain.

IL Y AURA, L'AN PROCHAIN, 25 ÉLÈVES DE PLUS QUE CETTE ANNÉE.

IL Y A, CETTE ANNÉE, 25 ÉLÈVES DE MOINS QU'IL Y EN AURA L'AN PROCHAIN.

IL Y A UNE DIFFÉRENCE DE 25 ÉLÈVES ENTRE CES DEUX POPULATIONS.

CATHERINE

HUGO

JENNIFER

a) Écris l'opération que Catherine, Hugo et Jennifer ont effectuée pour obtenir ces réponses.

b) Que remarques-tu? Que peux-tu en conclure?

8 Pour chacun des problèmes qui suivent:

a) fais une illustration (ensembles, machines, flèches);

b) écris l'équation;

c) trouve le résultat;

d) vérifie ce résultat.

Raconte ensuite à tes camarades de quelle façon tu as procédé à chaque étape.

A | Parmi les 358 élèves de 11 ans, 214 sont des filles. Combien sont des garçons?

B | À tous les élèves qui ne circulent pas en autobus, la commission scolaire Bellevue distribue un feuillet sur les règles de sécurité à suivre. À l'école de l'Étang, 128 élèves circulent en autobus. Combien de feuillets devra-t-on distribuer dans cette école?

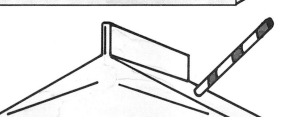

C | À l'école de la Falaise, Frédéric distribue chaque jour un berlingot de lait à chaque enfant. Aujourd'hui, 127 berlingots de lait ont été bus; les autres ont été remis au réfrigérateur. Combien de berlingots ont été remis au réfrigérateur aujourd'hui?

9 ▷ Andreas fréquente l'école de la Falaise. Il se demande combien d'élèves il faut ajouter à son école pour égaler la population de l'école du Ruisseau.
Il pose ainsi son problème: 166 + ? = 354
Quelle opération lui suggères-tu d'effectuer? Explique ta réponse. Montre-lui que tu as raison.

10 ▷ Andreas peut effectuer ses calculs de différentes façons:

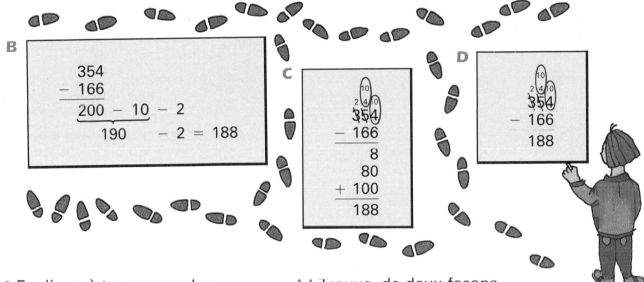

a) Explique à tes camarades chacune des méthodes d'Andreas.

b) Trouve, de deux façons différentes, le résultat de cette soustraction:

465 − 278 = ?

Raconte à un ou à une camarade comment tu as procédé.

c) Effectue les opérations suivantes en utilisant la méthode **B**:
- 469 − 234 = ?
- 246 − 163 = ?

d) Utilise les nombres de ton choix et effectue trois soustractions. Emploie la méthode que tu préfères.
Raconte ensuite à un ou à une camarade comment tu as procédé. Demande-lui de vérifier tes résultats.

11 Un spectacle de marionnettes est présenté dans les écoles de la commission scolaire Bellevue.

Combien d'élèves ont assisté au spectacle le mardi après-midi? Quelle école ces élèves fréquentent-ils?

a) Illustre cette situation.

b) Effectue les opérations mathématiques qui correspondent à tes illustrations.

THÉÂTRE BELLEVUE

Lundi matin, le spectacle est présenté aux 241 élèves de l'école de la Source.

Lundi après-midi, il est présenté aux 252 élèves de l'école du Bocage.

Mardi matin, il est présenté aux 206 élèves de l'école du Coteau.

Mardi après-midi, il est présenté aux élèves d'une autre école.

Au total, 853 élèves ont assisté au spectacle.

12 **a)** Nomme les trois écoles de la commission scolaire Bellevue qui comptent le plus d'élèves.

b) Nomme les trois écoles qui comptent le moins d'élèves.

c) Considère le nombre total d'élèves. Indique le rang qu'occupe l'école du Coteau parmi les écoles de la commission scolaire Bellevue.

d) Quelle école compte plus d'élèves que l'école du Cap, mais moins que l'école du Ruisseau?
Présente ta réponse comme ci-dessous. Remplace les ▨ par les nombres appropriés.

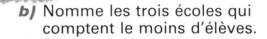

e) À l'aide de flèches, compare la population des écoles du Gouffre, de la Baie, du Plateau, de la Montagne et du Cap.
: «... compte moins d'élèves que ...»

13 Compose une courte histoire pour chacune des situations suivantes.

a)
195 | AJOUTE 15 | ?

b)
252 − 229 = ?

c)

d)

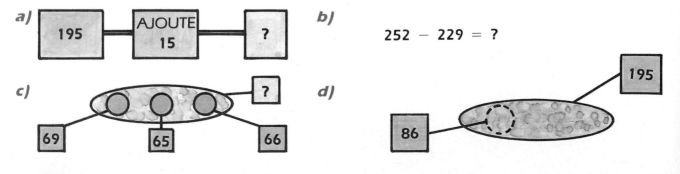

Tu connais bien maintenant les écoles de la commission scolaire Bellevue. Connais-tu celles de ta propre commission scolaire? Aimerais-tu présenter ton école pour la faire mieux connaître?

Dresse un tableau pour présenter la population de ton école. Où trouveras-tu les renseignements dont tu as besoin? Quels éléments feras-tu figurer dans ton tableau? Quelle forme aura-t-il?

1

a) Recueille les informations dont tu as besoin pour construire ton tableau.
De quelle façon procéderas-tu?

b) Comment classeras-tu les informations recueillies?
PISTES:

- nombre total d'élèves
- nombre d'élèves par degré
- nombre d'élèves par classe
- nombre d'élèves par groupe d'âge
- nombre d'élèves par cycle
- nombre de filles et de garçons

c) Combien de sections ton tableau aura-t-il?
Explique ta réponse en traçant une esquisse.

d) Compare ta méthode avec celle de tes camarades.
Vos tableaux seront-ils semblables?

2

a) Fais une estimation de la population scolaire:
- de chaque classe;
- de chaque degré;
- de chaque cycle;
- de l'école entière.

b) Compare tes estimations avec celles de tes camarades. Lesquelles ont été faites à la dizaine près? à la centaine près?

3

a) Combien y a-t-il de garçons dans ton école? Quelle opération te permet de le calculer?

b) Combien y a-t-il de filles? Montre-le par une opération mathématique.

c) Quelle différence y a-t-il entre le nombre de filles et le nombre de garçons? Montre-le par une opération mathématique.

d) Compare tes résultats avec ceux de tes camarades. Y a-t-il des différences? Explique pourquoi.

Y a-t-il plus ou moins d'élèves au premier cycle qu'au deuxième cycle? Quelle est la différence?

4

a) Résous ce problème.

b) Compare ton résultat avec celui de tes camarades. Est-ce le même? Tes camarades ont-ils procédé de la même manière que toi?

5 Compose un problème pour chacune des situations ci-dessous. Utilise les données de ton tableau.

Pour chaque situation:

- écris une courte histoire,
- illustre ton histoire,
- estime le résultat,
- écris l'équation qui te permet de résoudre le problème.

a) On doit réunir deux ou plusieurs quantités.

b) On doit ajouter une quantité à une autre quantité.

c) On doit retirer une quantité d'une autre quantité.

d) On doit établir une différence entre deux quantités.

e) On doit trouver la quantité qui complétera une autre quantité.

6 **a)** Feuillette des journaux et des revues.
Trouve d'autres exemples de recensement de population.

b) Analyse avec tes camarades les tableaux que tu as trouvés.

Que signifie le mot «recensement»?

7 Si tu le désires, dresse le tableau des écoles de ta commission scolaire. Travaille avec des camarades.

Inspire-toi du tableau de la commission scolaire Bellevue.

1 Arrondis, à la dizaine près, les nombres suivants:

a) 776 *b)* 2102

2 Arrondis, à la centaine près, les nombres suivants:

a) 921 *b)* 1063

3 Arrondis, à l'unité de mille près, les nombres suivants:

a) 2973 *b)* 2080

4 Remplace les points de couleur par les symboles <, > ou =.

a) 123 + 456 ● 987 − 321
b) 789 − 654 ● 78 + 57

5 Reproduis puis complète le tableau suivant.
Trouve la relation illustrée. Trace des X dans les cases appropriées.

↱	892 − 619	206 + 167	95 + 178	511 − 138	139 + 707	2545 − 2172
191 + 182				X		X
846 − 573	X					

6 Trouve le terme manquant dans les opérations suivantes.

a) ▢ + 135 = 346 *b)* ▢ − 144 = 543 *c)* 534 + ▢ = 756

7 Estime, à la dizaine près, le résultat des opérations suivantes:

a)
```
  146
+ 133
```

b)
```
  267
- 151
```

8 Estime, à la centaine près, le résultat des opérations suivantes:

a)
```
  415
+ 384
```

b)
```
  888
- 444
```

9 Effectue les opérations suivantes.

a) 124 + 69

b) 16 + 885 + 2130 + 44

c) 4360 + 2049

d) 730 − 241

e) 903 − 258

f) 6004 − 3215

10 Utilise les nombres suivants: et écris l'équation qui correspond à chaque situation.

| 123 | 654 | 432 | 567 | 980 |

a) Quelle est la somme des deux plus petits nombres?

b) Quelle est la différence entre les deux plus grands nombres?

c) Quel est le total lorsqu'on ajoute le dernier nombre au premier nombre?

d) Que manque-t-il au troisième nombre pour égaler le quatrième nombre?

e) Quel nombre vaut 87 de moins que 654?

f) Lequel de ces nombres a-t-on enlevé de 980 pour qu'il reste 548?

1 Arrondis, à la dizaine près, les nombres suivants.

a) 374　　　　b) 1219　　　　c) 3235　　　　d) 4816

370　　　　*1220*　　　　*3230*　　　　*4820*

2 Arrondis, à la centaine près, les nombres suivants.

a) 896 *900*　　　b) 447 *400*　　　c) 4438 *400*

d) 5899 *900*　　　e) 8762 *700*　　　f) 1365 *300*

3 Arrondis, à l'unité de mille près, les nombres suivants.

a) 1438　　　　b) 6876　　　　c) 5010　　　　d) 9891

4 Estime le résultat des opérations suivantes.

a) 480 − 79
c) 244 − 203
e) 1918 − 400
g) 5333 − 2567

Arrondis chaque terme à la centaine près.

b) 267 − 136
d) 411 − 177
f) 2896 − 1527
h) 1104 − 1098

5 Reproduis et complète le tableau suivant. Trace des X dans les cases appropriées.

⌐ : « . . . est égal à . . . »

⌐	72 + 35	157 + 149	255 + 206	695 − 646	475 − 424
49					
27 + 24					
98 + 9					
194 + 267					

6 Voici six nombres:

a) La différence entre deux de ces nombres est 44. Quels sont ces nombres?

b) La somme de deux de ces nombres est 860. Quels sont ces nombres?

c) Que faut-il ajouter au plus petit de ces nombres pour égaler le plus grand?

d) Le nombre 328 vaut 44 de plus qu'un de ces nombres. Lequel?

e) Après avoir enlevé 428 d'un de ces nombres, il reste 284. Quel est ce nombre?

7 Trouve le terme manquant dans chacune des additions suivantes.

a) 715 + ☐ = 908

b) ☐ + 402 = 615

c) ☐ + 402 = 445

d) 292 + 318 = ☐

e) 606 + ☐ = 706

f) 587 + 136 = ☐

8 Trouve le terme manquant dans chacune des soustractions suivantes.

a) ☐ − 48 = 28

b) 64 − 20 = ☐

c) 78 − ☐ = 60

d) 86 − ☐ = 62

e) ☐ − 40 = 36

f) 364 − 52 = ☐

9 Effectue les additions suivantes.

a) 145 + 579

b) 421 + 296

c) 1525 + 766

d) 868 + 1304

e) 4939 + 873

f) 2810 + 4688

g) 1599 + 1001

h) 2945 + 5496

i) 323 + 355 + 184 + 9 + 34

j) 247 + 191 + 5 + 15

10 Effectue les soustractions suivantes.

a) 435 − 284

b) 12 876 − 6 433

c) 25 436 − 18 218

d) 4326 − 2483

e) 8630 − 6785

f) 28 608 − 9 749

g) 406 − 290

h) 4005 − 3638

i) 11 547 − 5778

j) 6321 − 4536

11 Remplace chaque lettre du diagramme par le nombre qui convient.

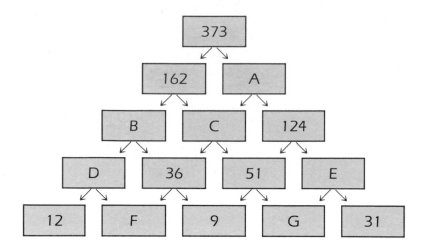

12 Utilise l'une ou l'autre de ces opérations:

$$28 + 15 \qquad 28 - 15$$

pour résoudre chacun des problèmes suivants.

a) Une classe de 4ᵉ année compte 28 élèves. 15 de ces élèves sont à la bibliothèque; les autres sont dans la classe. Combien d'élèves y a-t-il dans la classe?

b) La bibliothèque d'une classe renferme habituellement 28 bandes dessinées. En ce moment, 15 des bandes dessinées sont à la reliure. Combien de bandes dessinées reste-t-il dans la bibliothèque?

c) Une commission scolaire offre des cours d'initiation aux micro-ordinateurs. 28 filles et 15 garçons se sont inscrits à ce cours. Combien de filles de plus que de garçons se sont inscrites?

d) Il y a une épidémie de varicelle à l'école de la Sapinière. Hier, 28 enfants ont dû rester à la maison. Aujourd'hui, 15 autres enfants ont aussi dû rester à la maison. Quel est le nombre total d'enfants absents aujourd'hui?

1 Remplace les points de couleur par les symboles <, > ou =.

Estime d'abord le résultat de chaque opération.

a) 222 + 484 ● 345 + 607

b) 867 + 645 ● 2166 − 654

c) 1598 + 871 ● 1985 + 718

d) 4710 + 229 ● 4910 + 29

e) 680 − 330 ● 678 − 332

f) 590 − 210 ● 775 − 490

g) 940 − 479 ● 927 − 466

h) 454 + 1215 ● 1544 + 1125

2 Complète les opérations d'addition ou de soustraction. Respecte la relation donnée.

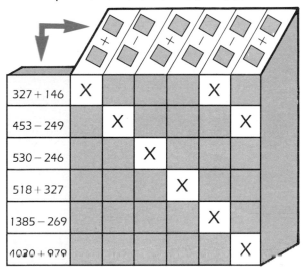

3 Complète le tableau par des opérations d'addition ou de soustraction.

▸ : «. . . est égal à . . .»

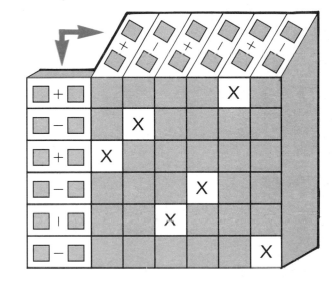

4 Relie tous les groupes de trois nombres dont la somme est 1000.
Ces nombres peuvent être placés à l'horizontale (↔), à la verticale (↕) ou en diagonale (↘ ↗).

426	381	193	111	458	180
163	75	27	320	192	200
217	862	430	222	350	450
482	320	456	960	583	367
301	322	82	480	672	195
146	789	65	140	380	184
129	369	468	163	390	140

5 ➤ Trouve le terme manquant dans chacune des égalités suivantes.

a) $1221 + \blacksquare = 1313$ b) $\blacksquare + 1981 = 2000$ c) $1464 + \blacksquare = 1506$

d) $\blacksquare + 800 = 1230$ e) $692 - \blacksquare = 680$ f) $2658 - \blacksquare = 1340$

g) $5678 - 2567 = \blacksquare$ h) $\blacksquare - 583 = 1208$ i) $3342 + \blacksquare = 3607$

6 ➤ Effectue les soustractions suivantes.

a) $\begin{array}{r} 54\,000 \\ -\ 36\,043 \\ \hline \end{array}$ b) $\begin{array}{r} 26\,000 \\ -\ 19\,461 \\ \hline \end{array}$

c) $\begin{array}{r} 32\,000 \\ -\ 19\,003 \\ \hline \end{array}$ d) $\begin{array}{r} 34\,016 \\ -\ 18\,698 \\ \hline \end{array}$

7 ➤ Trouve les termes manquants. Effectue des additions ou des soustractions.

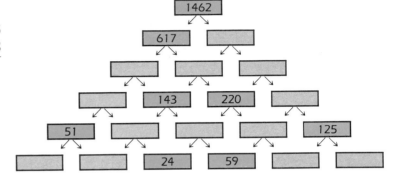

8 ➤ En décomposant les nombres suivants, on a omis certaines données. Trouve les valeurs manquantes.

a) $2222 = 2000 + 200 + 2 + \blacksquare$

b) $33\,333 = 30\,000 + 300 + 30 + 3 + \blacksquare$

c) $72\,272 = 60\,000 + 12\,000 + 200 + 60 + 2 + \blacksquare$

d) $93\,993 = 20\,000 + 20\,000 + 20\,000 + 20\,000 + 900 + 80 + 13 + \blacksquare$

e) $\blacksquare = 80\,000 + 16\,000 + 660 + 16$

9 ➤ Pour chacune des situations ci-dessous:

● compose deux problèmes;

● puis écris l'équation qui te permet de résoudre chaque problème.

a) Dans une classe de 4ᵉ année, il y a 13 garçons et 15 filles.

b) Il y a 380 élèves à l'école Lajoie. Au premier cycle, il y a 240 élèves. 108 élèves du premier cycle sont des garçons.

c) Le livre que Jonathan a choisi de lire a 52 pages. Dimanche, il a lu 24 pages. 36 des pages de ce livre contiennent des illustrations.

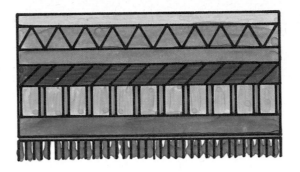

UN SPECTACLE FOLKLORIQUE

5

NOMBRES NATURELS

RÉVISION:
ADDITION ET SOUSTRACTION

MULTIPLICATION:
SENS,
ESTIMATION,
ALGORITHMES,
DISTRIBUTIVITÉ,
PROBLÈMES

Par ses danses folkloriques, la troupe Mexicana fait connaître les traditions et les coutumes de son pays. Les élèves de la classe de Stéphane aimeraient assister à ce spectacle. Pour limiter les coûts du transport, ils se joindront aux élèves d'une autre 4e année, eux aussi fort intéressés par cette sortie culturelle.

La compagnie de transport leur propose un choix de deux véhicules:

AUTOBUS A

AUTOBUS B

Les deux classes de 4e année comptent 28 élèves chacune. Deux enseignants ou enseignantes, ainsi que deux parents, accompagneront ce groupe d'élèves.

Le comité de planification, dont Stéphane fait partie, regarde attentivement le plan des autobus. On ne veut pas payer des places qui seront vacantes mais il faut aussi qu'il y ait suffisamment de bancs pour tous. Quel autobus faut-il choisir?

Stéphane veut connaître le nombre précis de participants et participantes à cette sortie.

a) Suggère une façon de procéder pour trouver ce nombre.

b) Compare ta méthode à celle de tes camarades.

 Pour occuper tous les bancs à deux places de l'**AUTOBUS A**, combien de passagers ou passagères faut-il?

Illustre ta façon de trouver la solution à ce problème:
- par un graphique;
- par une phrase mathématique.

 a) Combien de fois faut-il placer 2 passagers ou passagères pour occuper tous les bancs à deux places de l'**AUTOBUS A**?

b) Lis ces expressions:
27 × 2 ou (14 × 2) + (13 × 2)

c) Quel est le nom de l'opération mathématique qu'on représente par le signe ×?

 Écris chacune des situations suivantes sous forme d'équation.

Combien de passagers ou passagères faut-il pour occuper:

a) 1 banc à 2 places?

b) 6 bancs à 2 places?

c) 2 bancs à 2 places?

d) 8 bancs à 2 places?

e) 4 bancs à 2 places?

 Pour occuper tous les bancs à trois places de l'**AUTOBUS B**, combien de passagers ou passagères faut-il?

a) Illustre ta façon de trouver la solution à ce problème:
- par un graphique;
- par une phrase mathématique.

b) Pourrais-tu procéder autrement et obtenir le même résultat? Si oui, illustre ta façon de procéder:
- par un graphique;
- par une phrase mathématique.

6 Quelle est la différence entre le nombre de places nécessaire pour tous les participants et participantes à la sortie et le nombre de places dans l'**AUTOBUS A**?

Représente cette situation par une équation.

7 Véra et Christian font aussi partie du comité de planification. Tous deux doivent vérifier si l'**AUTOBUS B** peut transporter tous les participants et participantes à la sortie.

Véra procède ainsi:

Christian procède ainsi:

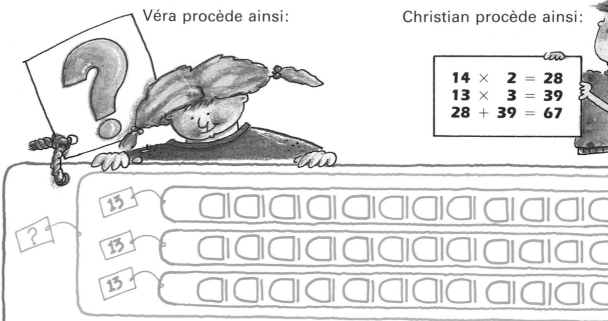

$$14 \times 2 = 28$$
$$13 \times 3 = 39$$
$$28 + 39 = 67$$

a) Observe le graphique de Véra. Écris toutes les opérations qu'elle devra effectuer pour trouver le nombre total de places dans l'**AUTOBUS B**.

b) Compare les étapes suivies par Véra et par Christian pour trouver la solution au problème.

8 **a)** Quelle est la différence entre le nombre de places nécessaire pour tous les participants et participantes à la sortie et le nombre de places dans l'**AUTOBUS B**? Écris une équation pour représenter cette situation.

b) Quel autobus le comité de planification devrait-il choisir, **A** ou **B**? Pourquoi?

A   B

9 Reproduis et complète le tableau suivant.

NOMBRE TOTAL DE PLACES		
ILLUSTRATION	ADDITION	MULTIPLICATION
a)		$3 \times 2 = \square$
b)	$2+2+2+2+2+2+2 = \square$	
c)	$2+2 = \square$	$2 \times 2 = \square$
d)		
e)	$3+3 = \square$	
f)		
g)		$4 \times 3 = \square$
h)		

10 Lorsque tu multiplies deux nombres, par exemple 2 et 3, tu peux dire:

$$3 \times 2$$
ou
$$2 \times 3.$$

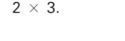

Lis ainsi:
3 fois 2
ou 2 fois 3.

a) Illustre les deux phrases précédentes. Que remarques-tu?

b) Compare ces multiplications:

- 2×4 et 4×2
- 3×4 et 4×3
- 4×5 et 5×4

Que peux-tu en conclure?

c) Complète les égalités.

- Si $34 \times 2 = 68$
  alors $2 \times 34 = \square$
- Si $36 \times 12 = 432$
  alors $12 \times 36 = \square$

11 Stéphane n'arrive pas à trouver le résultat de la multiplication suivante:

$$9 \times 4$$

Indique diverses façons de trouver ce résultat. Illustre-les. Compare tes méthodes à celles de tes camarades.

12 Le comité de planification doit prévoir les coûts du transport pour la sortie culturelle.
La compagnie de transport propose les tarifs suivants:

	AUTOBUS A		AUTOBUS B	
1re	3,00 $	par siège occupé	3,00 $	par siège occupé
2^e	75,00 $	pour l'aller	85,00 $	pour l'aller
	75,00 $	pour le retour	85,00 $	pour le retour
3^e	160,00 $	pour la journée	175,00 $	pour la journée

Quel mode tarifaire serait le plus avantageux:

a) pour l'**AUTOBUS A**?

b) pour l'**AUTOBUS B**?

13 Les membres du comité ont calculé, chacun à leur manière, le coût total que représente la 2e proposition pour l'**AUTOBUS A**.

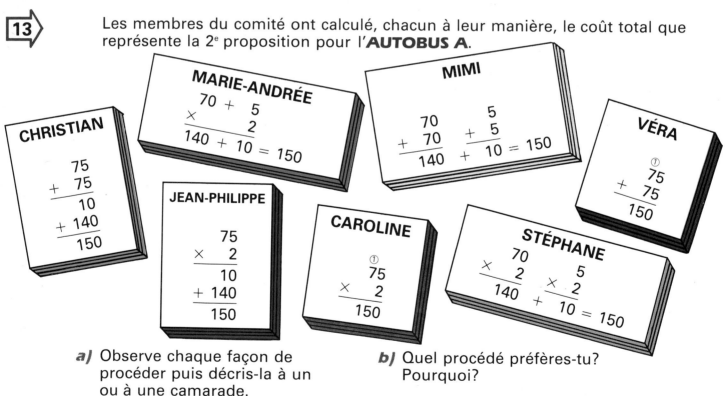

a) Observe chaque façon de procéder puis décris-la à un ou à une camarade.

b) Quel procédé préfères-tu? Pourquoi?

c) Utilise ces procédés pour trouver le coût total que représente la 2e proposition pour l'**AUTOBUS B**.

d) Choisis quatre procédés. Utilise-les pour trouver le coût total que représente la 1re proposition pour l'**AUTOBUS A**.

e) Choisis deux procédés. Utilise-les pour trouver le coût total que représente la 1re proposition pour l'**AUTOBUS B**.

14 Compose deux situations problématiques où, pour résoudre le problème, il faut effectuer une multiplication. Demande à un ou à une camarade de résoudre tes problèmes.

Le spectacle de danses folkloriques sera présenté dans une petite salle. Le comité de planification doit s'assurer que chacun et chacune aura un siège.

Stéphane s'occupe donc de recueillir les renseignements pertinents, qu'il note ainsi:

DISPOSITION DES SIÈGES DANS LA SALLE		
SECTION	NOMBRE DE RANGÉES DANS LA SALLE	NOMBRE DE SIÈGES PAR RANGÉE
A	6	5
B	4	12
C	5	6

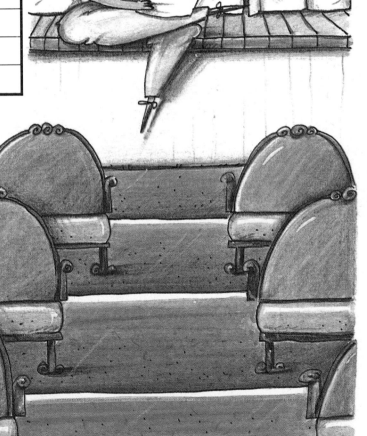

1 Dessine un plan de la salle de spectacle. Prévois un système de repérage pour chacun des sièges.
Compare ton plan à celui de tes camarades. Avez-vous tous représenté de la même façon les renseignements recueillis par Stéphane?

2 *a)* Observe le tableau suivant puis reproduis-le.
Complète la colonne des illustrations.

b) Écris les opérations correspondant aux illustrations. Trouve le résultat de chacune par le procédé de ton choix.

NOMBRE DE SIÈGES DANS LA SALLE DE SPECTACLE			
SECTION	ILLUSTRATION	ADDITION	MULTIPLICATION
A			
B			
C			

3 Résous les problèmes suivants. Raconte ensuite à tes camarades de quelle façon tu as procédé.

a) Combien de sièges y a-t-il dans la salle de spectacle?

b) 60 spectateurs ou spectatrices viendront de l'école de Stéphane. Combien de sièges vacants restera-t-il dans la salle?

4 Chaque billet pour le spectacle coûte 4,00 $. Quelle somme le comité de planification devra-t-il débourser pour le coût total des billets?
Explique à tes camarades de quelle façon tu procéderas pour résoudre ce problème. Trouve ensuite la solution.

5 Pendant l'entracte, on offre une collation aux spectateurs et spectatrices. Chacun et chacune choisit une boisson puis un aliment parmi les suivants:

Stéphane aime beaucoup le jus de raisin. Il cherche toutes les possibilités de le jumeler à un aliment.

a) Combien d'aliments ont été jumelés au jus de raisin?

b) Combien de couples sont ainsi produits?

EXEMPLE:  est un couple possible.

c) Illustre ces couples.

6 Jean-Philippe aime les pommes. Lui aussi cherche à connaître tous les choix possibles pour sa collation.

a) À l'aide d'illustrations et de flèches, représente les choix qui s'offrent à Jean-Philippe.

b) Illustre ces choix possibles à l'aide de couples.

Souviens-toi: Jean-Philippe veut une pomme!

c) Combien de couples as-tu produits?

7 Marie-Andrée aime autant le lait au chocolat que le jus de framboise. Elle n'arrive pas à fixer son choix. Pour se représenter les collations qu'elle préfère, elle a réalisé l'illustration suivante:

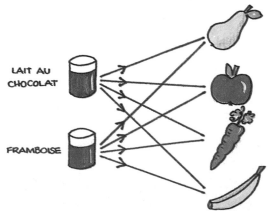

a) Combien y a-t-il de boissons?

b) Combien y a-t-il d'aliments?

c) Combien de fois chaque aliment est-il utilisé?

d) Estime le nombre de couples qui peuvent être produits.

e) Vérifie ton estimation en illustrant tous les couples possibles.
Combien de couples as-tu produits?

f) Peux-tu représenter cette situation par une équation mathématique? Laquelle?

8

a) Combien de boissons différentes seront offertes à la collation?

b) Combien d'aliments différents seront offerts?

c) Quelle opération te permet de trouver le nombre total de couples possibles?

d) Écris une équation pour représenter ce nombre de choix possibles.

e) Peux-tu écrire une autre équation pour représenter la même situation? Explique pourquoi.

9

À la fin du spectacle, la directrice de la troupe remet quelques prix de présence. Chaque gagnant ou gagnante reçoit deux articles fabriqués au Mexique: un article de la catégorie **A** et un article de la catégorie **B**.

La directrice remettra autant de prix qu'il y a de possibilités de combiner ces articles.

a) Combien de prix la directrice de la troupe remettra-t-elle?

b) Illustre par un dessin ta façon de procéder. Compare-la à celles de tes camarades.

10

a) Quelle opération permet de trouver combien de couples différents on peut obtenir en combinant les éléments de deux ensembles?

b) Compose une situation problématique où tu utiliseras cette opération.

c) Illustre cette situation.

d) Écris l'équation correspondante.

11

Voici le plan d'une salle de spectacle:

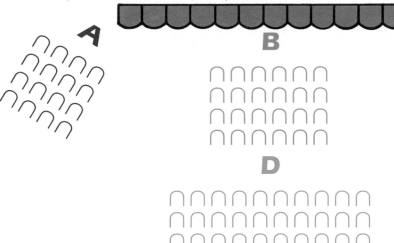

A   B   C

D

a) Indique une façon de trouver le nombre total de sièges sans les compter un par un.
Présente à tes camarades ta façon de procéder.

b) Indique deux autres façons de trouver le nombre total de sièges.
Écris les équations correspondantes.

12

a) Fais le plan d'une salle de spectacle où il y a 100 sièges. Ces sièges doivent être répartis dans différentes sections. Prévois un système de repérage pour chacun des sièges.

b) Présente différentes façons de calculer le nombre total de sièges dans la salle. Écris les équations correspondantes.

Afin d'accélérer le service au moment de la collation, le comité de planification a remis à chacun et chacune deux billets: un pour le breuvage choisi et un pour l'aliment choisi. Le comité a noté tous les choix. On pourra ainsi prévoir à l'avance la quantité exacte de chaque breuvage et de chaque aliment nécessaires.

En comptant les billets, on a constaté que pour chaque 🍌 choisie, on avait choisi 🥕🥕.
6 élèves ont choisi une 🍌.
Le tableau suivant représente cette situation. Complète-le.

	BANANES	CAROTTES	NOMBRE DE CAROTTES
a)	🍌	(🥕🥕)	$1 \times 2 = 2$
b)	🍌🍌	(🥕🥕) (🥕🥕)	$2 \times 2 = \square$
c)	🍌🍌🍌		
d)	🍌🍌🍌🍌		
e)	🍌🍌🍌🍌🍌		
f)	🍌🍌🍌🍌🍌🍌		

g) Combien de bananes ont été choisies?
Combien de carottes?
Compare ces deux quantités.
Que remarques-tu?

h) Il y a donc 2 fois plus de carottes que de bananes.
On peut illustrer ainsi cette situation:

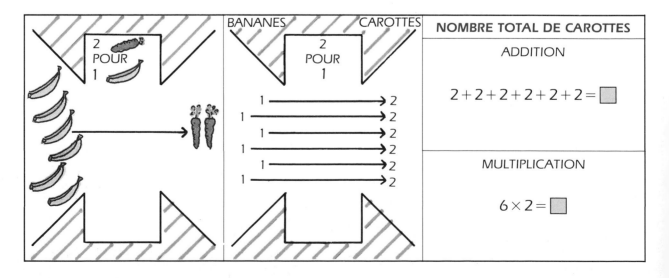

Explique ce diagramme à tes camarades.

2 En comptant les billets, on a constaté que pour chaque pomme choisie, on avait choisi 6 poires.
Si 7 pommes ont été choisies, combien de poires l'ont été?

a) Illustre ce problème.

b) Écris deux équations différentes qui te permettront de le résoudre.

3 En comptant les billets, on a aussi constaté que les élèves ont choisi 3 fois plus de jus de raisin que de jus d'orange.
Si 10 jus d'orange ont été choisis, combien de jus de raisin devra-t-on prévoir pour la collation?

a) Illustre ce problème.

b) Écris deux équations différentes qui te permettront de le résoudre.

4 *a)* Quelle est l'opération qui convient à une situation où l'on établit un rapport entre deux groupes d'éléments différents?

b) Compose une situation problématique où tu utiliseras cette opération.

c) Illustre cette situation.

d) Écris deux équations différentes qui te permettront de résoudre le problème.

5 Le spectacle présente 9 danses qui durent environ 25 minutes chacune. Combien de temps durera approximativement ce spectacle?

a) Illustre cette situation.

b) Écris l'addition et la multiplication qui permettent de résoudre le problème.

c) Trouve le résultat de chaque opération.

d) Vérifie si tes résultats sont exacts.

e) Raconte à un ou à une camarade comment tu as procédé.

6 La troupe folklorique donnera 6 représentations. Environ 55 personnes assisteront à chacune d'elles. Une représentation dure environ 3 heures.
Environ combien de personnes verront ce spectacle?

a) Fais une estimation à la centaine près. Note ton estimation.

b) Trouve un résultat plus précis que l'estimation.

c) Raconte à tes camarades de quelle façon tu as procédé.

Tu te souviens qu'à la fin de chaque spectacle, on distribue des prix de présence. Calcule la valeur totale des objets qui seront distribués. Utilise les données du tableau suivant.

OBJET		VALEUR	NOMBRE D'OBJETS DISTRIBUÉS
ÉVENTAIL		5 $	7
POUPÉE		7 $	13
SOMBRERO		8 $	14
PONCHO		9 $	16
LIVRE		6 $	24
COFFRET		4 $	26

Raconte à tes camarades de quelle façon tu as procédé.

 Pour la collation, la troupe s'est procuré les articles suivants:

a) 3 boîtes de 125 serviettes de papier
b) 4 paniers de 25 pommes
c) 5 paniers de 20 poires
d) 7 douzaines de bananes
e) 8 paquets de 6 carottes
f) 2 caisses de 55 berlingots de lait
g) 5 boîtes de 15 contenants de jus d'orange
h) 45 cartons de 4 contenants de jus de raisin
i) 9 boîtes de jus de framboise surgelé
j) 3 caisses de 45 berlingots de lait au chocolat

Combien de pommes en tout? Combien de poires? Combien de . . .

Trouve le nombre total d'articles de chaque sorte. Compare tes résultats à ceux de tes camarades.

 1

Dans une classe, on compte 6 rangées de 5 pupitres chacune.

a) Dessine le plan de cette classe.

b) Écris l'équation qui te permet de trouver le nombre total de pupitres dans la classe.

Quelle opération utiliseras-tu?

 2

Dans la classe de Jehan, 4 élèves ont les cheveux blonds. Pour chaque élève aux cheveux blonds, on compte 3 élèves aux cheveux châtains.

a) Illustre cette situation.

b) Écris l'équation mathématique qui te permet de trouver combien d'élèves ont les cheveux châtains.

3

Maryse reçoit des camarades pour la collation. Elle dispose sur la table des verres de deux couleurs différentes et des serviettes de papier de trois couleurs différentes. Elle reçoit autant de camarades qu'il y a de possibilités de combiner les verres et les serviettes.

a) Illustre toutes les combinaisons possibles de verres et de serviettes.

b) Écris l'équation mathématique qui te permet de trouver le nombre d'invités de Maryse.

4

Pour chaque illustration, compose une situation où il faut multiplier pour résoudre le problème.

a)

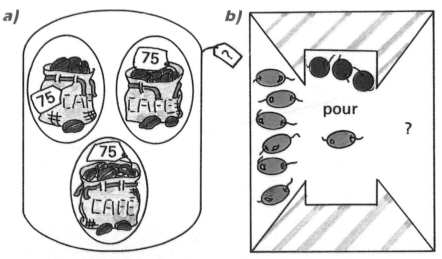

b)

pour

?

c)

5 Parmi les situations suivantes, indique celles où il faut multiplier pour résoudre le problème.

a) David a 4 ans et son frère Jonathan a 12 ans. Quelle est la somme de ces deux âges?

b) Hier, Jacquelin a réussi 4 problèmes de multiplication. Aujourd'hui, il en a réussi 12. Combien de problèmes Jacquelin a-t-il réussis en tout?

c) Le père de Jany est 4 fois plus âgé que sa fille, qui a 12 ans. Quel âge a le père de Jany?

d) Claudine veut échanger sa collection de macarons contre une collection de timbres. Pour chaque macaron qu'elle échange, elle reçoit 4 timbres. Si la collection de Claudine compte 12 macarons, combien de timbres recevra-t-elle en échange?

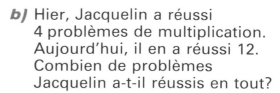

e) Aldo a 4,00 $. Il veut s'acheter un livre qui coûte 12,00 $. Combien d'argent lui manque-t-il pour acheter ce livre?

6 Construis ta table de multiplication.
Utilise le matériel de ton choix pour t'aider à remplir les cases rouges et la moitié inférieure de la table.
Sers-toi ensuite de ces résultats pour remplir la moitié supérieure.

×	0	1	2	3	4	5	6	7	8	9
0										
1										
2										
3										
4										
5										
6										
7										
8										
9										

7 Effectue les multiplications suivantes. Utilise la méthode de ton choix.

a) 23 × 3

b) 56 × 6

c) 70 × 8

d) 89 × 9

e) 64 × 5

f) 43 × 7

g) 91 × 2

h) 230 × 4

i) 345 × 3

j) 406 × 2

8 Résous les problèmes suivants. Écris les équations qui te permettent de trouver les solutions.

a) Martin a fabriqué un collier de perles de bois. Il a utilisé 12 perles rouges, 12 bleues, 12 jaunes et 12 vertes. Combien de perles le collier de Martin contient-il?

b) À l'école Laurier, il y a:

2 classes de 1re année de 27 élèves chacune;
4 classes de 2e année de 23 élèves chacune;
3 classes de 3e année de 25 élèves chacune.

Combien d'élèves y a-t-il dans chacun des degrés?
Combien d'élèves y a-t-il au total?

c) Guylaine a choisi au hasard des étiquettes numériques.
5 étiquettes bleues représentent des dizaines:

1	3	7	5	9

4 étiquettes jaunes représentent des unités:

8	4	6	2

Guylaine combine les étiquettes bleues et les étiquettes jaunes pour former des nombres de deux chiffres. Combien de nombres peut-elle former en tout?

d) David a rédigé une histoire de 25 lignes. Son ami Alex en a rédigé une qui compte 3 fois plus de lignes. Combien de lignes l'histoire d'Alex compte-t-elle?

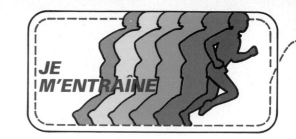
1 Effectue les multiplications suivantes. Utilise le procédé de ton choix.

a)   12
   × 3

b)   24
   × 5

c)   56
   × 7

d)   12
   × 2

e)   32
   × 3

f)   43
   × 4

g)   201
   × 3

h)   312
   × 4

i)   243
   × 5

2 Écris les équations qui te permettent de résoudre les problèmes suivants. Discute avec tes camarades des méthodes que tu as employées.

a) Anne a 8 bandes dessinées dans sa bibliothèque. Alain en a 3 fois plus dans la sienne. Combien de bandes dessinées y a-t-il dans la bibliothèque d'Alain?

b) Doris pèse 42 kilos. Évelyne pèse 6 kilos de plus que Doris. Si Doris et Évelyne prennent ensemble le même ascenseur, quelle masse celui-ci devra-t-il transporter?

c) Francis utilise des pailles pour fabriquer 4 mobiles. Il lui faut 15 pailles pour chacun des mobiles. Dans une boîte, il y a 50 pailles. Est-ce qu'une boîte de pailles sera suffisante pour construire les mobiles?

d) Catherine est au magasin de jouets avec ses parents. Elle peut acheter un modèle réduit à construire et un jeu de société. Elle a le choix entre 4 modèles réduits et 3 jeux. Parmi combien de combinaisons possibles Catherine devra-t-elle choisir?

3 Lis attentivement chaque situation.
S'il faut multiplier pour résoudre le problème, écris l'équation nécessaire.
Sinon, indique l'opération qu'il faut effectuer.

a) Cette semaine, Jean-Marc a gardé son petit frère 3 fois. À chaque fois, il s'en est occupé pendant 75 minutes. Combien de temps Jean-Marc a-t-il gardé son petit frère?

b) La grand-mère de Pascale a 65 ans. Son grand-père a 3 ans de plus que sa grand-mère. Quelle est la somme de l'âge des grands-parents de Pascale?

c) Ali consulte un livre de 76 pages sur les oiseaux. Dans ce livre, 8 pages ne contiennent que des textes; les autres pages sont abondamment illustrées. Combien de pages illustrées y a-t-il dans ce livre?

d) Nadine veut échanger ses cartes de hockey contre des affiches d'animaux. Mélanie lui propose l'entente suivante: «Tu me donnes 4 cartes et en échange je te donne 1 affiche.» Si Mélanie donne 8 affiches à Nadine, combien de cartes Nadine doit-elle donner à Mélanie?

N'oublie pas de vérifier tes résultats.

4 Pour chaque illustration, compose une situation problématique. Demande à un ou à une camarade de résoudre tes problèmes.

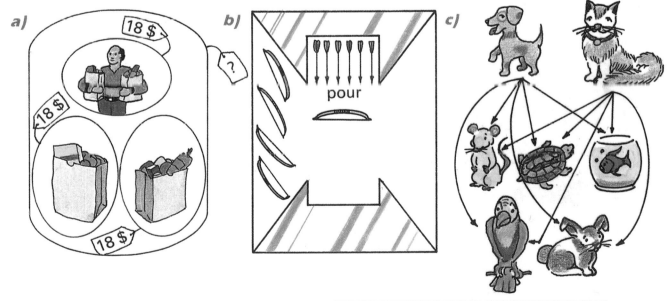

5 Remplis la table de multiplication ci-contre. Explique pourquoi tu n'as pas besoin de calculer les produits des cases rouges.

×	0	1	2	3	4	5	6	7	8	9
5										
6										
7										
8										
9										

1 Dans la grille suivante, encercle deux à deux les nombres dont le produit est 48. Ces deux nombres peuvent être placés à l'horizontale (↔), à la verticale (↕) ou en diagonale (↘, ↗).

2	6	8	4	5	12	9	6	16
3	4	5	24	1	20	7	3	5
5	3	5	2	6	1	48	12	2
(12	4)	8	1	7	16	0	24	4
3	7	3	2	9	3	8	6	3

2 Écris une multiplication dans chaque case. Respecte la relation indiquée.

a) ↩ : «...vaut moins que...»   b) ↪ : «...vaut plus que...»

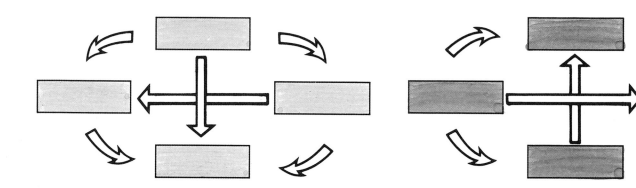

3 Trouve la valeur de chaque symbole.

a)

→ signifie ▢.
⇒ signifie ▢.
⇛ signifie ▢.

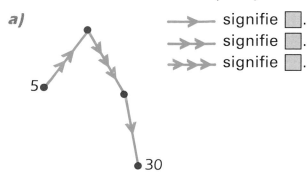

b)

→ signifie ▢.
⇒ signifie ▢.
⇛ signifie ▢.

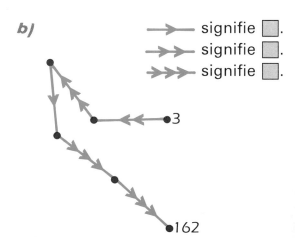

4 Pendant une semaine, on a noté les présences dans la classe de guitare de Dominique.

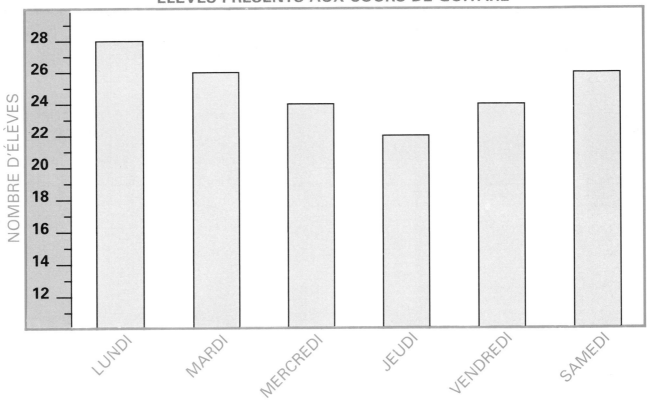

ÉLÈVES PRÉSENTS AUX COURS DE GUITARE

Utilise les informations contenues dans le graphique. Compose 4 problèmes. Pour résoudre tes problèmes, tu devras utiliser les opérations suivantes:

- premier problème: une soustraction;
  - deuxième problème: une addition suivie d'une soustraction;
    - troisième problème: une multiplication;
      - quatrième problème: une multiplication et une addition.

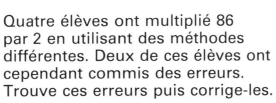

5 Quatre élèves ont multiplié 86 par 2 en utilisant des méthodes différentes. Deux de ces élèves ont cependant commis des erreurs. Trouve ces erreurs puis corrige-les.

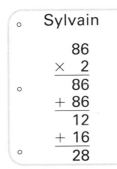

Sylvain	Josée	Marie	Piotr

Sylvain

```
    86
×    2
    86
+   86
    12
+   16
    28
```

Josée

```
  80 + 6
×      2
160 | (10 + 2)
(160 + 10) + 2
     170 + 2
        172
```

Marie
⑩
```
  80 + 6
×     2
      2
+  160
   172
```

Piotr

```
    86
×    2
    12
+  160
   172
```

6 Trouve la règle qui a permis de construire cette suite, puis ajoute 4 termes à la suite.

2, 4, 12, 24, ▨, ▨, ▨, ▨.

7 Trouve le facteur qui manque dans chacune des multiplications suivantes. Vérifie ensuite ton travail.

a)
```
        ①①
       732
   ×    ▨
    ─────────
      3660
```

b)
```
       675
   ×    ▨
    ─────────
         5
         5
        70
        70
       600
   +   600
        10
       140
   +  1200
    ─────────
      1350
```

c)
```
       318
   ×    ▨
         ③
       318
       318
       318
   +   318
    ─────────
      1272
```

d)
```
       403
   ×    ▨
         9
   +  1200
    ─────────
      1209
```

8 Lis attentivement les problèmes suivants. Écris, dans l'ordre, les équations nécessaires pour les résoudre.
Compare ensuite ta façon de procéder avec celle d'un ou d'une camarade.

a) La collection de papillons de Kathy est répartie ainsi:

3 boîtes contiennent 8 papillons chacune;

4 boîtes contiennent 6 papillons chacune.

Combien de papillons y a-t-il dans la collection de Kathy?

b) Chaque jour de classe, Ludovic consacre 55 minutes à ses devoirs et ses leçons. Martine y consacre 10 minutes de moins. Après 6 jours de classe, combien de minutes Ludovic et Martine ont-ils consacrées à leurs devoirs et à leurs leçons?

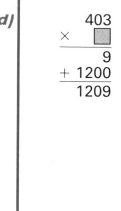

c) Odette a neuf ans. Son père a cinq fois son âge. Sa mère a quatre ans de moins que son père. Quelle est la somme de l'âge des parents d'Odette?

LA CONSTRUCTION D'UNE MAQUETTE

6

GÉOMÉTRIE
SOLIDES:
IDENTIFICATION,
CONSTRUCTION,
DÉCOMPOSITION,
RECOMPOSITION

MESURE
LONGUEURS

**NOMBRES
NATURELS**
OPÉRATIONS:
MULTIPLICATION

Aimerais-tu construire la maquette d'un quartier? C'est une activité fort intéressante, même si elle pose quelques difficultés.
Voici la maquette qu'un groupe d'élèves a réalisée. Tous les édifices ont été construits à l'aide de solides géométriques.

Ne tiens pas compte des portes et des fenêtres.

Quels solides ont été utilisés?
De quelle façon les a-t-on assemblés?

Réalise les activités proposées dans les pages suivantes.
Ensuite, toi aussi tu seras capable de construire une maquette!

1

D'après toi, qu'est-ce qu'un **solide**?
Écris ce que signifie ce mot.

Donne aussi des exemples de solides.

2

Choisis deux édifices de la maquette.

a) Comment t'y prendrais-tu pour construire ces deux édifices?

b) Examine la collection de solides de ta classe.
Repère ceux qui pourraient servir à la construction de ces édifices.

3 Compare deux à deux les édifices de la maquette.
Indique les ressemblances et les différences que tu remarques
dans un tableau semblable à celui-ci:

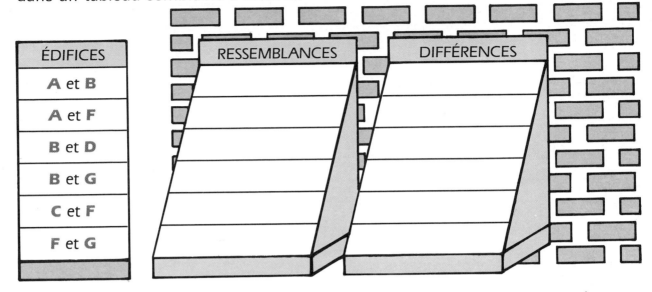

ÉDIFICES	RESSEMBLANCES	DIFFÉRENCES
A et **B**		
A et **F**		
B et **D**		
B et **G**		
C et **F**		
F et **G**		

4 Nomme les édifices de la maquette dans lesquels on trouve les solides suivants.

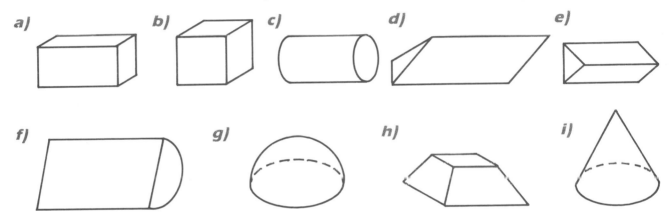

a) b) c) d) e)

f) g) h) i)

5 a) Quel édifice de la maquette peux-tu construire avec les pièces suivantes?

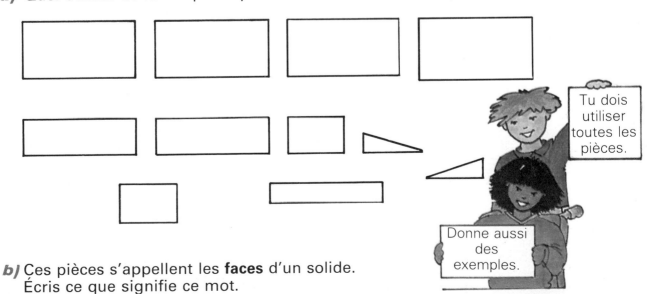

Tu dois utiliser toutes les pièces.

Donne aussi des exemples.

b) Ces pièces s'appellent les **faces** d'un solide.
Écris ce que signifie ce mot.

6 *a)* Quel édifice de la maquette peux-tu construire avec les deux patrons suivants?

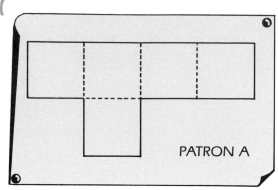

PATRON A

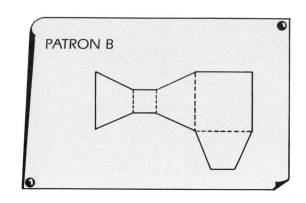

PATRON B

b) Ces patrons s'appellent des **développements** de solides. Il manque une face à chacun des développements ci-dessus. Ajoute à chacun la face qui manque.

c) Compare tes développements avec ceux de tes camarades. Comment pouvez-vous montrer que vos résultats sont exacts?

7 *a)* Pour construire l'édifice ci-contre, combien de solides utiliseras-tu?

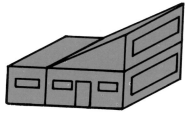

b) Groupe les faces qui serviront à construire chaque solide de l'édifice.

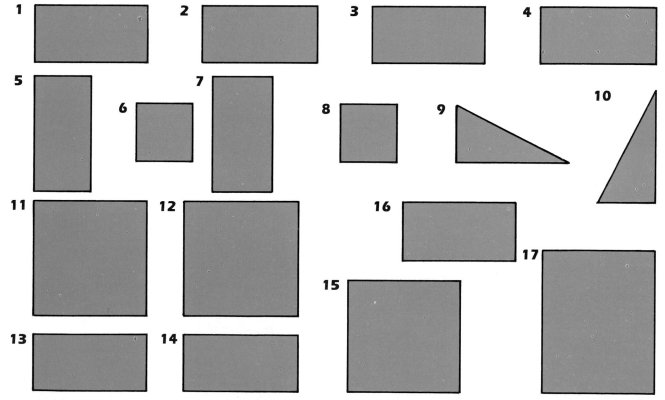

c) Combien de faces chaque solide a-t-il?

8 Pour construire de nouveaux édifices, tu peux utiliser plusieurs solides différents.
Nicole a découpé les figures suivantes.

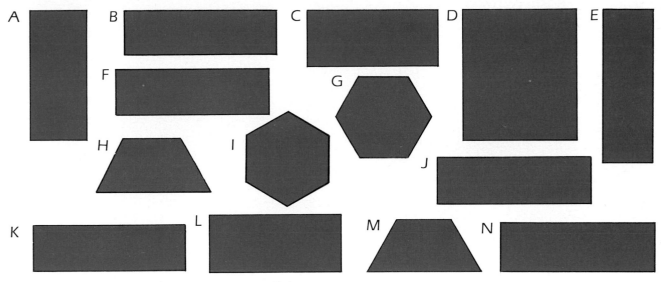

A B C D E

F G

H I J

K L M N

Elle veut construire ces deux solides:

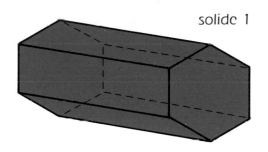

solide 1

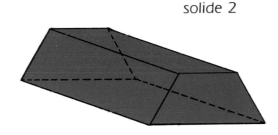

solide 2

a) Indique les figures que Nicole doit utiliser pour construire
  • le solide 1;
  • le solide 2.

b) Combien de faces chaque solide a-t-il?

9 Guillaume veut construire ce solide:

11

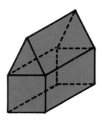

Il pense utiliser le développement suivant.

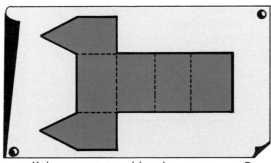

a) Guillaume réussira-t-il à construire le solide avec ce développement? Pourquoi?

b) Complète le développement.
Vérifie s'il te permet de construire le solide de Guillaume.

c) Combien de faces ce solide a-t-il?

Tu veux construire
ce solide:

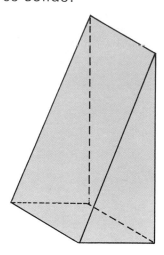

Tu as le développement
suivant:

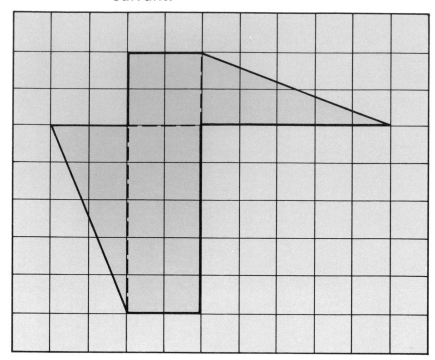

a] Ce développement te permettra-t-il de construire le solide? Pourquoi?

b] Si nécessaire, corrige ce développement.

c] Combien de faces ce solide a-t-il?

Choisis deux solides dans ta classe.

a] Sur du papier quadrillé ou pointé, dessine le développement de chaque solide.

b] Indique, sur chaque solide, le nombre de faces qu'il a.

c] Présente tes résultats à tes camarades.

Utilise du papier quadrillé.

Si tu le désires, construis un des édifices de la maquette. Tu peux aussi construire l'édifice de ton choix. Travaille avec des camarades. Disposez ensuite vos édifices sur un grand carton. Décorez la maquette.

Maintenant que tu sais construire différents solides, aimerais-tu édifier le château suivant?

Tu dois d'abord construire tous les solides nécessaires.
Suis les étapes qu'on te suggère ci-après.

1 Dresse la liste de tous les solides dont tu auras besoin pour construire le château.

Ne tiens pas compte des portes et des fenêtres.

2 Pour construire tes solides, utilise un squelette fait de pailles et de petites boules de pâte à modeler.

a) Quels solides peux-tu construire avec ce matériel?

b) Quels solides sont impossibles à construire avec ce matériel? Pourquoi?

3 Les solides que tu peux construire avec des pailles s'appellent des **polyèdres**. Les autres s'appellent des **non polyèdres**.

Cherche dans un dictionnaire la signification de polyèdre. Écris ensuite dans tes mots ce que signifie ce terme.

Examine les solides suivants:

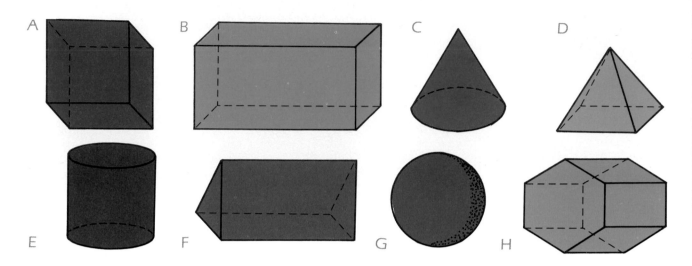

A B C D

E F G H

a) Quels solides sont des polyèdres?

b) Observe les faces des polyèdres. Que remarques-tu?
Peux-tu nommer les figures qui composent ces faces?

c) Les figures fermées et composées uniquement de lignes droites s'appellent
des **polygones**. Les autres s'appellent des **non polygones**.
Dessine 3 polygones et 3 non polygones.

Certains solides du château
sont des non polyèdres.
Remplace-les par des polyèdres.
Choisis, parmi ceux-ci, ceux qui
conviennent:

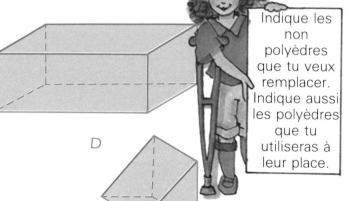

Indique les non polyèdres que tu veux remplacer. Indique aussi les polyèdres que tu utiliseras à leur place.

A

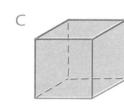

B C D

Pour construire le squelette des divers solides, tu utiliseras des pailles de
différentes longueurs. Chaque paille représente une ligne qu'on appelle **arête**.

a) Écris dans tes mots ce qu'est
une arête.

N'utilise pas le mot «paille» dans ta phrase.

b) Combien d'arêtes y a-t-il dans
chacun des solides suivants?

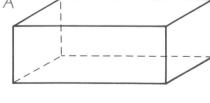

A

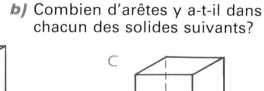

C

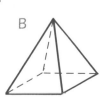

B

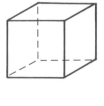

D

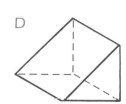

106

7 Pour assembler les pailles (les arêtes), tu utiliseras de petites boules de pâte à modeler. Chaque boule représente un **sommet**.

a) Écris dans tes mots ce qu'est un sommet.

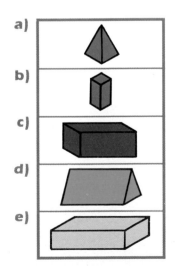

N'utilise pas «boule de pâte» dans ta phrase.

b) Combien de sommets y a-t-il dans chacun des solides suivants?

A

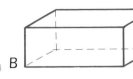
B

C

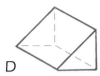
D

8 Complète le tableau ci-dessous. Tu connaîtras la quantité exacte de matériel dont tu as besoin pour construire ce château:

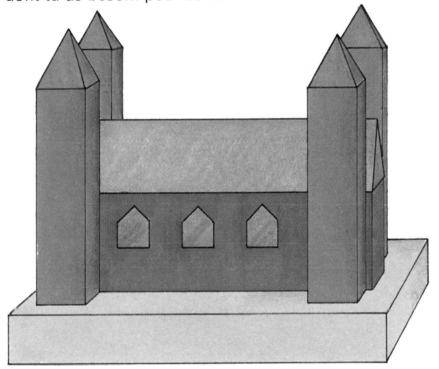

As-tu remarqué que les non polyèdres ont été remplacés par des polyèdres?

	NOMBRE D'ARÊTES (pailles)	NOMBRE DE SOMMETS (boules de pâte)	QUANTITÉ DE SOLIDES SEMBLABLES	NOMBRE TOTAL D'ARÊTES	NOMBRE TOTAL DE SOMMETS
a)					
b)					
c)					
d)					
e)					

Travaille avec des camarades. Construisez tous les solides nécessaires pour édifier le château.

Examine cet ensemble de polyèdres:

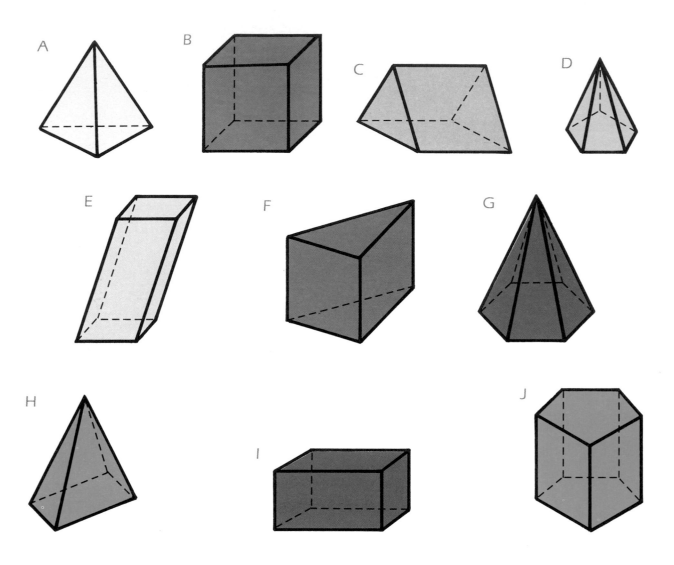

On peut classer les solides dessinés ci-dessus en deux grandes familles:

- la famille des **pyramides**;
- la famille des **prismes**.

a) Essaie de classer chaque polyèdre dans l'une ou l'autre de ces familles.

b) Compare ton classement avec ceux de tes camarades.

c) De quelle façon décrirais-tu
  - la famille des pyramides?
  - la famille des prismes?

d) Trouve, dans ta classe ou chez toi, des objets qui pourraient appartenir
  - à la famille des pyramides;
  - à la famille des prismes.

Suzie et Loïc ont décidé de construire une cabane dans le jardin. Leur mère suggère de construire d'abord un modèle réduit en carton. Elle leur remet le plan suivant en disant: «Voici toutes les informations nécessaires. À vous de jouer maintenant!»

1 ➤ Veux-tu aider Loïc et Suzie à construire leur cabane?

Construis d'abord ce solide avec des pailles et des boules de pâte à modeler. Prévois le matériel nécessaire. Tu auras besoin de:

a) ☐ pailles de 4 cm de longueur;   **b)** ☐ pailles de 5 cm de longueur;

c) ☐ pailles de 8 cm de longueur;   **d)** ☐ pailles de 9 cm de longueur;

e) ☐ boules de pâte à modeler.

a) Dessine maintenant sur une feuille chacune des faces du solide. Respecte les mesures indiquées sur le plan.

b) Combien de faces ce solide a-t-il?

c) Reproduis les faces sur du carton. Découpe-les puis assemble-les pour former le solide. Tu peux ensuite décorer ta cabane si tu le désires.

Utilise du papier quadrillé ou pointé. Ce sera plus facile!

a) Utilise les faces que tu as dessinées à l'activité 2. Places-les de façon à former le développement du solide. Assemble-les avec du ruban adhésif.

c) Compare ton développement à ceux de tes camarades. Sont-ils tous semblables?

b) Présente ton développement à un ou à une camarade. Demande-lui de vérifier s'il permet de construire le solide.

d) Travaille avec tes camarades. Utilisez les développements que vous avez produits. Repérez différents modèles. Tracez chacun sur du papier quadrillé.

Corrige ton développement si c'est nécessaire.

Parmi les mots ci-contre, choisis ceux qui décrivent la cabane.

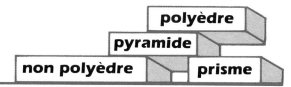

polyèdre

pyramide

non polyèdre

prisme

Certains solides portent des noms particuliers. Examine ceux-ci:

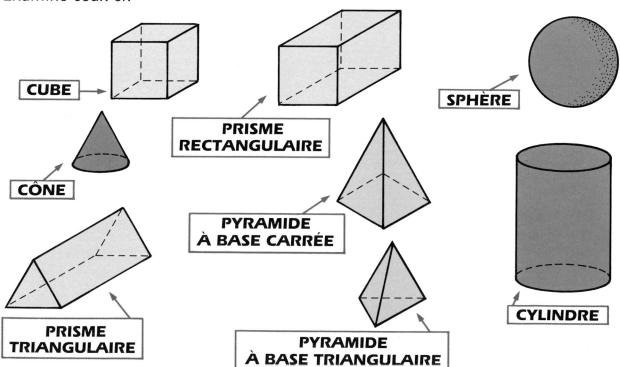

CUBE

PRISME RECTANGULAIRE

SPHÈRE

CÔNE

PYRAMIDE À BASE CARRÉE

CYLINDRE

PRISME TRIANGULAIRE

PYRAMIDE À BASE TRIANGULAIRE

Classe les solides de la page précédente dans le diagramme suivant:

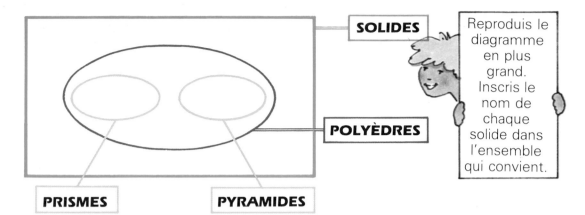

SOLIDES

POLYÈDRES

PRISMES

PYRAMIDES

Reproduis le diagramme en plus grand. Inscris le nom de chaque solide dans l'ensemble qui convient.

6 Complète le tableau suivant. Tu auras une liste du matériel nécessaire pour construire des polyèdres.

Un gros cube a-t-il le même nombre de faces, d'arêtes et de sommets qu'un petit cube?

SOLIDE		DÉVELOPPEMENT	SQUELETTE	
		NOMBRE DE FACES	NOMBRE D'ARÊTES (PAILLES)	NOMBRE DE SOMMETS (BOULES DE PÂTE)
a)	CUBE			
b)	PRISME RECTANGULAIRE			
c)	PRISME TRIANGULAIRE			
d)	PYRAMIDE À BASE CARRÉE			
e)	PYRAMIDE À BASE TRIANGULAIRE			

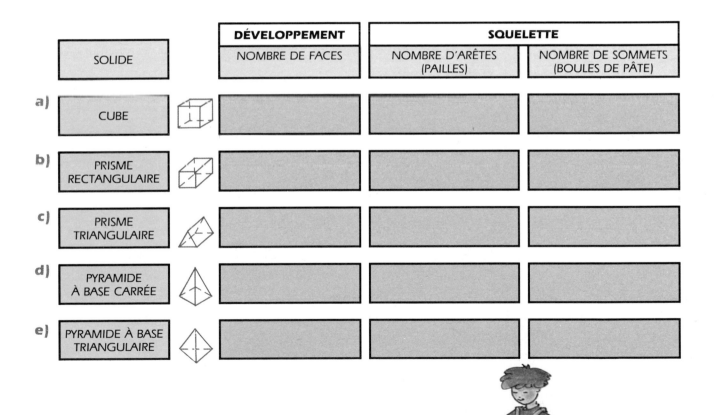

 1 Examine chaque solide du tableau. Indique si c'est un polyèdre (prisme ou pyramide) ou un non polyèdre.

SOLIDE	PRISME	PYRAMIDE	NON POLYÈDRE
a)			
b)			
c)			
d)			
e)			
f)			
g)			

 2 Pour chaque solide du tableau, donne les informations demandées.

SOLIDE	NOMBRE DE FACES	NOMBRE D'ARÊTES	NOMBRE DE SOMMETS
a)			
b)			
c)			
d)			

3 À quel solide chaque illustration te fait-elle penser?

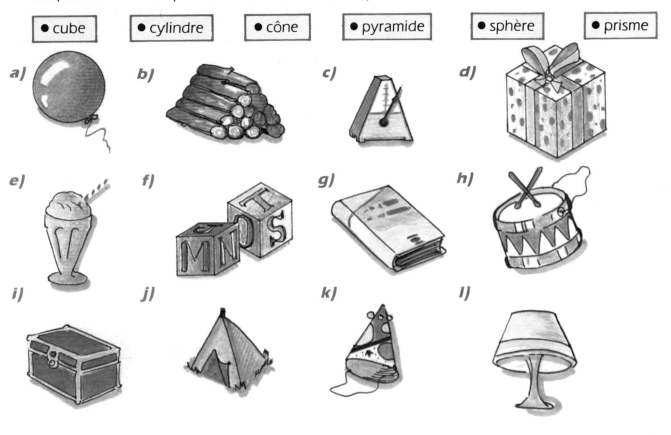

- cube
- cylindre
- cône
- pyramide
- sphère
- prisme

a)
b)
c)
d)
e)
f)
g)
h)
i)
j)
k)
l)

 4 Dessine les pailles qui manquent pour construire ce solide:

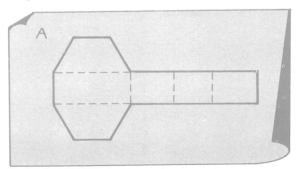

pailles

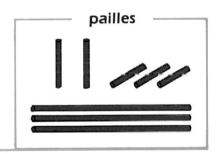

 5 Si tu ouvres ce solide:

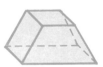

lequel de ces deux développements obtiendras-tu?

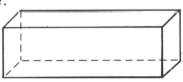

A

B

6 Identifie la ou les faces dont tu n'as pas besoin pour construire ce solide:

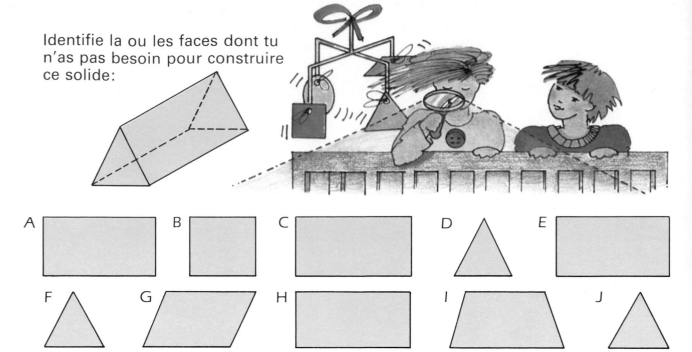

A   B   C   D   E

F   G   H   I   J

7 Associe chaque solide au nom qui lui convient.

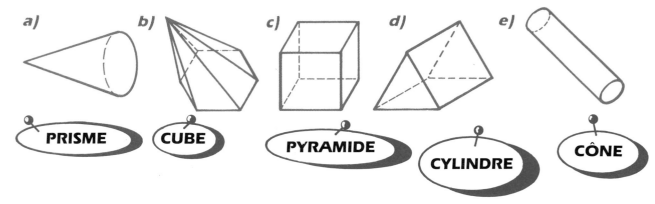

a)   b)   c)   d)   e)

PRISME   CUBE   PYRAMIDE   CYLINDRE   CÔNE

8 Complète les phrases ci-dessous. Utilise les mots suivants:

ARÊTE	FACE	SOMMET
POLYGONE		POLYÈDRE

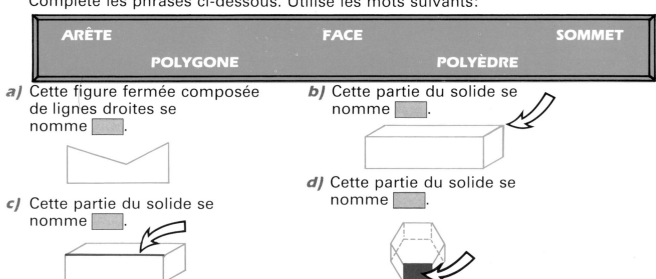

a) Cette figure fermée composée de lignes droites se nomme ▢.

b) Cette partie du solide se nomme ▢.

c) Cette partie du solide se nomme ▢.

d) Cette partie du solide se nomme ▢.

114

1 ➤ Examine chaque solide.
Indique si c'est un polyèdre ou
un non polyèdre.

2 ➤ Examine chaque solide.
Indique si c'est un prisme ou
une pyramide.

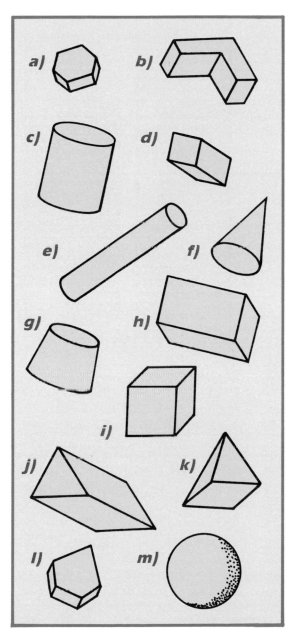

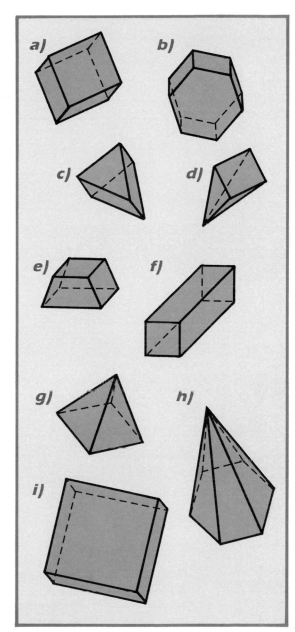

3 ➤ Nomme la partie du solide identifiée par chaque flèche.

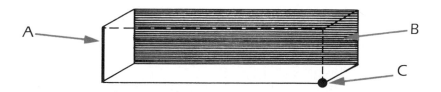

4 Pour chaque solide du tableau, donne les informations demandées.

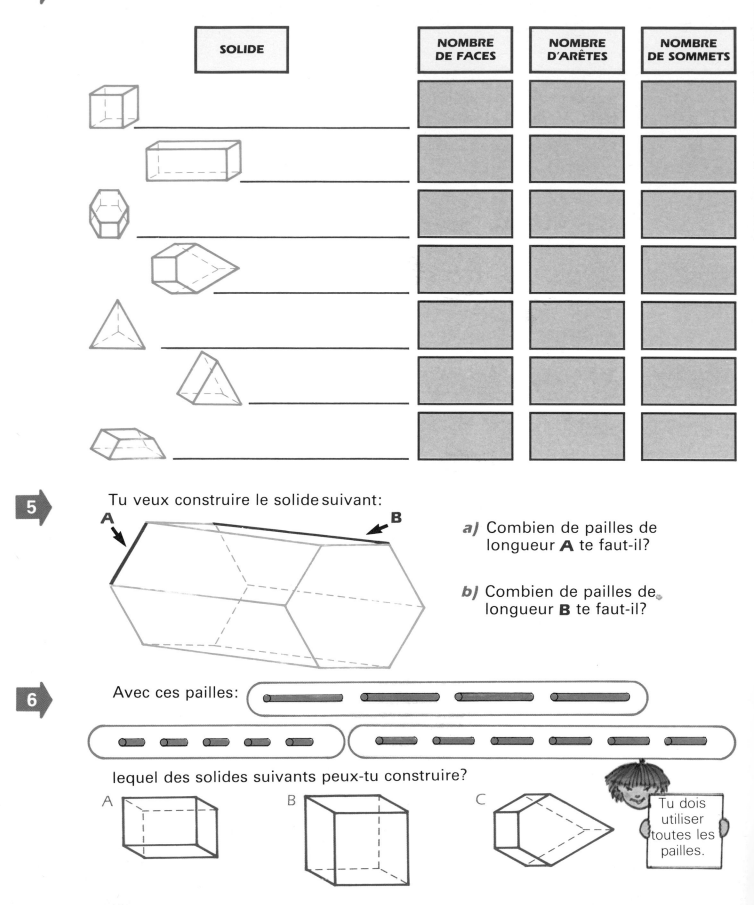

SOLIDE	NOMBRE DE FACES	NOMBRE D'ARÊTES	NOMBRE DE SOMMETS

5 Tu veux construire le solide suivant:

a) Combien de pailles de longueur **A** te faut-il?

b) Combien de pailles de longueur **B** te faut-il?

6 Avec ces pailles:

lequel des solides suivants peux-tu construire?

A   B   C

Tu dois utiliser toutes les pailles.

7 Ludovic veut construire ce solide:

Il a dessiné les faces suivantes:

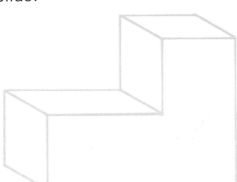

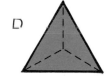

En vérifiant son travail, Ludovic s'aperçoit qu'il lui manque des faces.
Dessine les faces qui manquent pour construire le solide.

> Trace tes figures le plus exactement possible.

8 Avec cet ensemble de figures:

lequel des solides suivants peux-tu construire?

A   B   C   D

9 Regarde bien les développements suivants. Avec lequel (ou lesquels) peux-tu construire un cube?

A

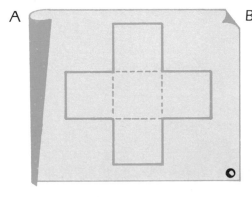

B

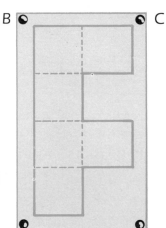

C

> Vérifie ton hypothèse.

117

10 1° Marie-Lan veut construire ce solide:

2° Elle a ce développement:

3° Il manque cette face au développement:

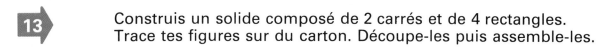

4° À quel côté (A, B ou C) du développement Marie-Lan doit-elle rattacher la face qui manque?

11 Associe chaque phrase au solide correspondant.

a) Je suis un cube. *b)* Je suis un cône. *c)* Je suis un prisme.

d) Je suis un cylindre. *e)* Je suis une pyramide.

A   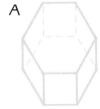   B      C      D      E   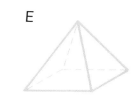

12 Indique les deux solides qui permettent de construire la cabane d'oiseaux.

As-tu bien choisi deux solides?

13 Construis un solide composé de 2 carrés et de 4 rectangles.
Trace tes figures sur du carton. Découpe-les puis assemble-les.

14 Trouve, dans ton entourage, deux objets dont la forme se rapproche:

a) du cube; *b)* du cône; *c)* du cylindre;

d) de la sphère; *e)* de la pyramide; *f)* du prisme.

1 Lina a dessiné les carrés suivants pour construire un dé à jouer.

Il lui reste maintenant à découper et à assembler ces faces.

a) Fais comme Lina. Sur du carton, dessine les faces d'un dé à jouer. Découpe ensuite les faces.

b) Assemble les faces avec du ruban adhésif. Compare ton dé à un dé à jouer réel. Sont-ils semblables?

> Dois-tu apporter des corrections à ton dé?

c) Ouvre ton dé. Reproduis ce développement sur une feuille de papier.

d) Compare ton développement à ceux de tes camarades. Que remarquez-vous?

e) Patrick a produit le développement suivant:

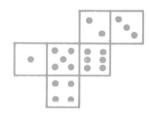

Selon toi, pourra-t-il construire son dé? Pourquoi?

f) Affichez au babillard de la classe tous les développements qui permettent de construire un dé à jouer.

2 Tu dois construire un solide. On te remet le développement suivant:

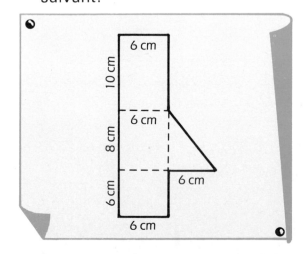

a) Reproduis le développement sur du papier pointé ou quadrillé. Respecte les mesures indiquées.

b) Pour construire le solide, penses-tu que tu peux utiliser ce développement tel qu'il est? Pourquoi?

c) Discute avec tes camarades. Déterminez le développement qui permettra de construire le solide. Vérifiez votre hypothèse.

3 Observe les solides suivants:

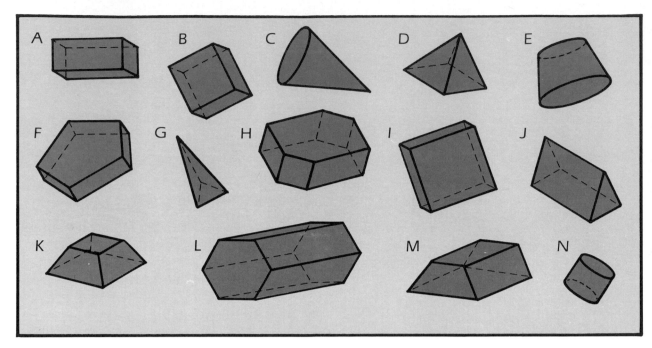

a) Trouve une façon de classer ces solides.

b) Illustre ta classification: place les solides dans le diagramme de ton choix.

c) Compare ton diagramme à celui de tes camarades.

Utilise du papier quadrillé ou pointé.

4 a) Dessine le polyèdre de ton choix: soit un prisme, soit une pyramide.

b) Décris, dans tes mots, le solide que tu as dessiné.

c) Trouve dans ton entourage un objet qui a la forme de ce solide. Dessine cet objet ou colle une illustration de cet objet dans ton cahier.

d) Affiche ton travail au babillard de la classe. Prends le temps de regarder les dessins de tes camarades.

5 Travaille avec des camarades. Construisez des solides. Avec ces solides, vous pouvez bâtir des édifices. Décorez vos constructions.

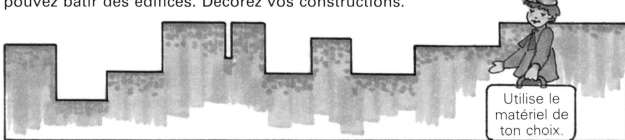

Utilise le matériel de ton choix.

LA CALCULATRICE

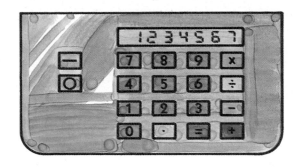

7

De plus en plus de gens utilisent la calculatrice. Tu en possèdes peut-être une toi-même. Connais-tu bien son fonctionnement? Connais-tu ses multiples usages? Si tu sais t'en servir, c'est un outil efficace, précis et rapide.

1

Sais-tu comment mettre ta calculatrice en marche? Repère la touche de mise en marche. Appuie sur cette touche. Que remarques-tu?

Ce symbole, placé sous le numéro de l'activité, indique que tu dois utiliser ta calculatrice.

2 Comment fais-tu apparaître des nombres à l'écran d'affichage? Fais apparaître des nombres composés:

- de 1 chiffre,
- de 2 chiffres,
- de 3 chiffres,
- etc.

Combien de chiffres l'écran peut-il afficher en tout?

3 Comment peux-tu effacer un nombre que tu as fait apparaître?
Dans une case comme celle ci-dessous, dessine la touche qui te permet d'effacer un nombre.

4 Effectue cette addition:

$$2 + 2$$

Dans des cases, dessine toutes les touches sur lesquelles tu as appuyé pour obtenir la réponse.

5 Effectue les opérations. Dessine toutes les touches sur lesquelles tu as appuyé. Inscris ensuite le résultat qui apparaît à l'écran.

EXEMPLE: $7 + 2$

$$\boxed{7} \quad \boxed{+} \quad \boxed{2} \quad \boxed{=} \quad 9$$

a) $17 - 3$ **b)** 2×3 **c)** $24 - 16$ **d)** 11×5

6 Effectue les opérations suivantes.
Inscris le résultat qui apparaît à l'écran.

a) $47 + 63$
$224 + 570$
$1248 + 2789$
$456\ 786 + 824\ 006$

b) $50 - 12$
$324 - 147$
$5678 - 2430$
$800\ 000 - 467\ 890$

c) 2×2
14×15
1743×1487
4785×2478

d) $47 + 23 + 140$
$409 + 23 + 144 + 56$
$59 - 10 - 3$
$247 \times 2 \times 3$

Comment peux-tu vérifier tes résultats?
Compare-les à ceux de tes camarades.
Raconte comment tu as procédé pour chaque série d'opérations.

7 De quelle façon expliquerais-tu le fonctionnement de ta calculatrice? Fais une démonstration devant tes camarades.

Tu connais maintenant le fonctionnement de ta calculatrice. Tu sais utiliser les touches des chiffres:

et celles des signes:

Réalise les activités qui suivent. Tu constateras que la calculatrice peut te faire découvrir et comprendre des choses nouvelles.

 1 Effectue les opérations suivantes.
Raconte ensuite comment tu as procédé et ce que tu as remarqué.

a)	b)	c)	d)
5 + 6	5 + 7	5 + 8	5 + 9
15 + 6	15 + 7	25 + 8	25 + 9
25 + 6	45 + 7	45 + 8	45 + 9
85 + 6	75 + 7	85 + 8	265 + 9
4335 + 6	4785 + 7	2345 + 8	4715 + 9

e)	f)	g)	h)
6 + 6	6 + 7	7 + 7	8 + 7
16 + 6	36 + 7	27 + 7	38 + 7
46 + 6	66 + 7	57 + 7	58 + 7
376 + 6	466 + 7	477 + 7	248 + 7
4126 + 6	2106 + 7	2787 + 7	3418 + 7

i)	j)	k)	l)
9 + 7	6 + 8	6 + 9	8 + 8
29 + 7	26 + 8	16 + 9	38 + 8
49 + 7	46 + 8	66 + 9	68 + 8
249 + 7	836 + 8	346 + 9	778 + 8
5609 + 7	1246 + 8	2406 + 9	4788 + 8

m)	n)	o)	p)
8 + 9	9 + 9	8 + 4	9 + 4
48 + 9	39 + 9	38 + 4	49 + 4
88 + 9	59 + 9	78 + 4	89 + 4
208 + 9	239 + 9	458 + 4	369 + 4
4768 + 9	4789 + 9	5268 + 4	1559 + 4

2

a) Construis la *suite d'arrivée* en effectuant l'opération indiquée par la flèche.

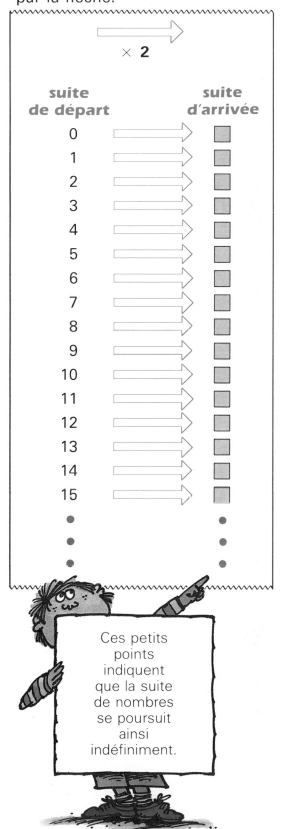

× 2

suite de départ		suite d'arrivée
0	→	☐
1	→	☐
2	→	☐
3	→	☐
4	→	☐
5	→	☐
6	→	☐
7	→	☐
8	→	☐
9	→	☐
10	→	☐
11	→	☐
12	→	☐
13	→	☐
14	→	☐
15	→	☐

Ces petits points indiquent que la suite de nombres se poursuit ainsi indéfiniment.

Que remarques-tu? Fais part de tes observations à tes camarades.

b) Parmi les nombres suivants, lesquels peuvent faire partie de la *suite d'arrivée*? Pourquoi?

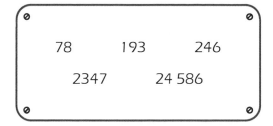

78   193   246

2347   24 586

c) Dans la *suite d'arrivée*, trouve les nombres qui viennent immédiatement après ceux-ci:
- 78
- 20 004
- 4786
- 998
- 472
- 119 110

d) Dans la *suite d'arrivée*, trouve les nombres qui viennent immédiatement avant ceux-ci:
- 84
- 178 476
- 24 782
- 788
- 290
- 880 640

e) Tous les nombres de la *suite d'arrivée* sont des **multiples de deux**.

Selon toi, pourquoi les appelle-t-on ainsi?

f) Tous les nombres de la *suite d'arrivée* sont aussi des **nombres pairs**.

Selon toi, qu'est-ce qu'un nombre pair?

g) Les nombres qui ne sont pas pairs sont appelés **nombres impairs**.

Écris 5 nombres impairs.

Choisis de grands et de petits nombres.

3 ⟶

a) Construis la *suite d'arrivée* en effectuant l'opération indiquée par la flèche.

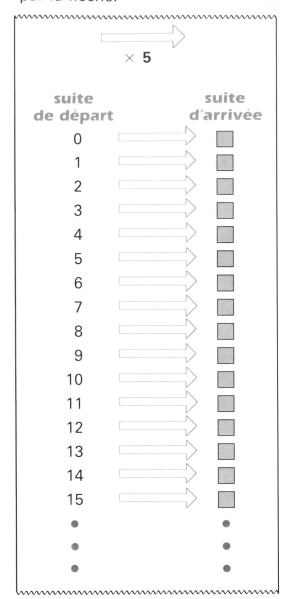

⟶ × **5**

suite de départ		suite d'arrivée
0	⟹	☐
1	⟹	☐
2	⟹	☐
3	⟹	☐
4	⟹	☐
5	⟹	☐
6	⟹	☐
7	⟹	☐
8	⟹	☐
9	⟹	☐
10	⟹	☐
11	⟹	☐
12	⟹	☐
13	⟹	☐
14	⟹	☐
15	⟹	☐
•		•
•		•
•		•

QUE REMARQUES-TU ?

Que remarques-tu? Fais part de tes observations à tes camarades.

b) Parmi les nombres suivants, lesquels peuvent faire partie de la *suite d'arrivée*? Pourquoi?

45   2478   7800

7552   70 045

c) Dans la *suite d'arrivée*, trouve les nombres compris entre 2475 et 2495.
Encercle ceux de ces nombres qui sont pairs.

SUITE D'ARRIVÉE
24-

d) Tous les nombres de la *suite d'arrivée* sont des **multiples de cinq**.

Écris 5 nombres qui ne sont pas des multiples de cinq.
Encercle ceux de ces nombres qui sont impairs.

Choisis de grands et de petits nombres.

4

a) Construis la *suite d'arrivée* en effectuant l'opération indiquée par la flèche.

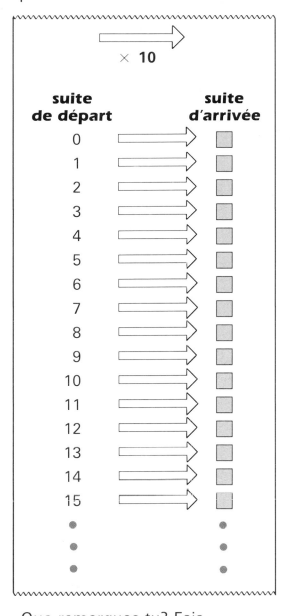

× **10**

suite de départ		suite d'arrivée
0	⟹	☐
1	⟹	☐
2	⟹	☐
3	⟹	☐
4	⟹	☐
5	⟹	☐
6	⟹	☐
7	⟹	☐
8	⟹	☐
9	⟹	☐
10	⟹	☐
11	⟹	☐
12	⟹	☐
13	⟹	☐
14	⟹	☐
15	⟹	☐

Que remarques-tu? Fais part de tes observations à tes camarades.

b) Parmi les nombres suivants, lesquels peuvent faire partie de la *suite d'arrivée*? Pourquoi?

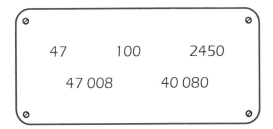

47   100   2450

47 008   40 080

c) Trouve dans la *suite d'arrivée* les nombres qui complètent ce tableau:

	NOMBRE QUI VIENT IMMÉDIATEMENT AVANT	NOMBRE QUI VIENT IMMÉDIATEMENT APRÈS
240		
10 080		
87 250		

d) Quel nom peut-on donner aux nombres de la *suite d'arrivée*?

e) Écris 3 nombres qui ne font pas partie de la *suite d'arrivée*. Quel nom donneras-tu à ces nombres?

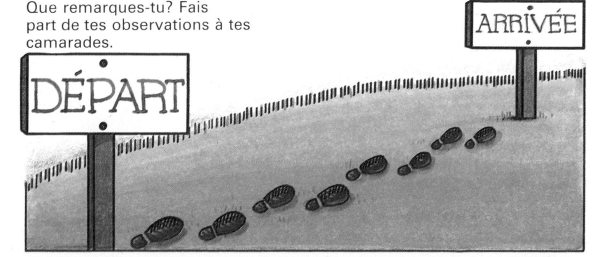

5 Trouve:

a) 15 multiples de trois;

b) 5 non multiples de trois.

6 Trouve:

a) 15 multiples de quatre;

b) 5 non multiples de quatre.

7 Complète chaque égalité à l'aide d'un de ces nombres:

2	5

10

a) $32 \times \square = 64$

b) $324 \times \square = 1620$

c) $26 \times \square = 260$

d) $137 \times \square = 1370$

e) $832 \times \square = 1664$

f) $92 \times \square = 460$

g) $121 \times \square = 242$

h) $473 \times \square = 2365$

8 Sans calculer, indique le produit qui te semble juste. Vérifie ensuite ton choix.

a) $14 \times 5 = \boxed{53} \ \boxed{62} \ \boxed{70}$

b) $28 \times 10 = \boxed{280} \ \boxed{284} \ \boxed{208}$

c) $143 \times 2 = \boxed{285} \ \boxed{287} \ \boxed{286}$

d) $37 \times 5 = \boxed{182} \ \boxed{185} \ \boxed{153}$

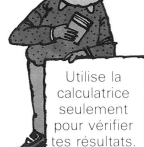

Utilise la calculatrice seulement pour vérifier tes résultats.

9 *a)* Trouve la somme des nombres de chaque ligne: à l'horizontale (↔), à la verticale (↕) et en diagonale (↗, ↘).

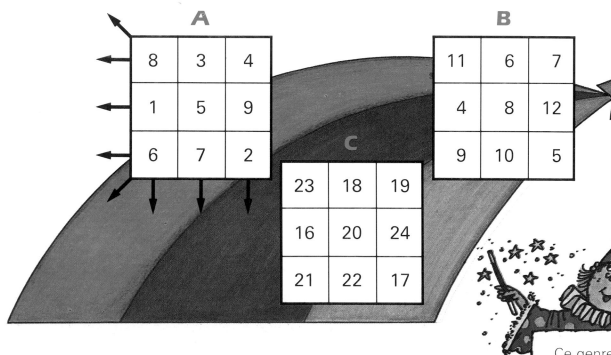

A

8	3	4
1	5	9
6	7	2

B

11	6	7
4	8	12
9	10	5

C

23	18	19
16	20	24
21	22	17

Ce genre de diagramme s'appelle «carré magique».

b) Que remarques-tu au sujet de ces diagrammes? Fais part de tes observations à tes camarades.

c) Invente un carré magique. Présente-le à un ou à une camarade.

10 Trouve la règle de construction de chaque suite.
Ajoute 3 termes à chacune.

a) 17 - 21 - 26 - 30 - 35 - 39 - ☐ - ☐ - ☐
b) 225 - 223 - 228 - 226 - 231 - ☐ - ☐ - ☐
c) 319 - 315 - 312 - 322 - 318 - 315 - 325 - ☐ - ☐ - ☐

11 Construis deux suites de 10 nombres chacune.
Indique la règle que tu as suivie pour chaque suite.

12 Groupe deux par deux les nombres suivants. La somme de chaque groupe
doit être la même.

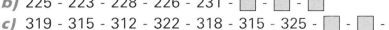

⓪ ① ② ③ ④ ⑤ ⑤ ⑥ ⑦ ⑧ ⑨ ⑩

13 **a)** Écris les nombres pairs de 2 à
20 inclusivement.

b) Groupe ces nombres deux par
deux. La somme de chaque
groupe doit être la même.

14 **a)** Écris les nombres impairs de 3
à 21 inclusivement.

b) Groupe ces nombres deux par
deux. La somme de chaque
groupe doit être la même.

15 Sans calculer, indique les résultats qui ne te semblent pas justes.
Vérifie ensuite tes hypothèses.

a) 34 + 27 = 61
c) 276 + 1489 = 17 065
e) 170 + 2496 = 29 606
g) 147 − 49 = 98
i) 7487 − 234 = 725

b) 189 + 247 = 4360
d) 2478 + 109 = 2587
f) 47 − 12 = 35
h) 278 − 79 = 209
j) 14 780 − 1247 = 13 533

Utilise la
calculatrice
seulement
pour vérifier
tes choix.

16 Tu dois parfois effectuer plusieurs opérations pour résoudre un problème.
Souvent, tu peux trouver une seule opération qui remplace toutes les autres.

Trouve l'opération unique qui permet de résoudre chacun des problèmes
suivants.

a) départ | +4 | +7 | +5 | +9 | arrivée

b) départ | +24 | +36 | +39 | arrivée

c) départ | +69 | +47 | −36 | −72 | arrivée

d) départ | +184 | −237 | +587 | arrivée

Raconte à tes camarades comment tu as procédé.

As-tu toujours une calculatrice à ta disposition? Peux-tu l'utiliser pour résoudre tous les problèmes qui se présentent dans ta vie de chaque jour? Es-tu capable de vérifier les résultats qu'elle affiche?

Tu constates qu'il est important de savoir effectuer toi-même des opérations simples. Vérifie, dans les activités qui suivent, si tu sais bien additionner et multiplier des nombres d'un chiffre.

1
13

a) Complète le plus rapidement possible la table d'addition ci-contre.

+	0	1	2	3	4	5	6	7	8	9
0										
1										
2										
3										
4										
5										
6										
7										
8										
9										

b) Combien d'additions as-tu effectuées en tout?

c) Observe les sommes que tu as inscrites dans les cases rouges. Que remarques-tu?

d) Si tu connais la somme de
2 et **3**,
peux-tu facilement trouver celle de
3 et **2**?
Explique pourquoi.

e) Dans la table, repère la somme de 4 et 5.
Repère ensuite celle de 5 et 4.
Que remarques-tu?
As-tu besoin de connaître les 100 combinaisons par coeur?

f) Biffe la moitié supérieure de la table.
Combien de combinaisons te reste-t-il à apprendre?

g) Dans les combinaisons qui restent, biffe celles que tu connais déjà.
Combien t'en reste-t-il à apprendre?
Écris chacune de ces combinaisons sur un carton.
Trouve un moyen de les mémoriser facilement.

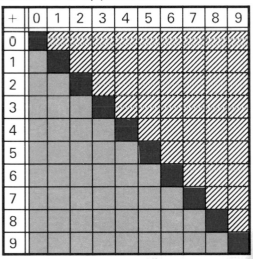

+	0	1	2	3	4	5	6	7	8	9
0										
1										
2										
3										
4										
5										
6										
7										
8										
9										

2
14-15

Découpe les pièces à la page 15 de ton cahier d'activités.
Place-les dans la grille, à la page 14, de façon à reconstituer la table d'addition.

3

13

a) Complète le plus rapidement possible la table de multiplication ci-contre.

×	0	1	2	3	4	5	6	7	8	9
0										
1										
2										
3										
4										
5										
6										
7										
8										
9										

b) Combien de multiplications as-tu effectuées en tout?

c) Observe les produits que tu as inscrits dans les cases rouges. Que remarques-tu?

d) Si tu connais le produit de **2** et **3**, peux-tu facilement trouver celui de **3** et **2**? Explique pourquoi.

e) Dans la table, repère le produit de 4 et 5. Repère ensuite celui de 5 et 4. Que remarques-tu? As-tu besoin de connaître les 100 combinaisons par coeur?

f) Biffe la moitié supérieure de la table. Combien de combinaisons te reste-t-il à apprendre?

×	0	1	2	3	4	5	6	7	8	9
0										
1										
2										
3										
4										
5										
6										
7										
8										
9										

g) Trouve les produits suivants.

```
   2 × 0
   3 × 0
   5 × 0
   8 × 0
  20 × 0
 198 × 0
1478 × 0
 247 × 0 × 2
 237 × 4 × 0
```

JE TE DONNE 3 FOIS ZÉRO POMME.

MERCI! J'AVAIS JUSTEMENT TRÈS FAIM.

Que remarques-tu? Ces produits sont-ils faciles à mémoriser? Dans la table, biffe la colonne et la rangée qui correspondent à la multiplication par zéro.

h) Trouve les produits suivants.

4 × 1   12 × 1   147 × 1   2358 × 1

Que remarques-tu? Ces produits sont-ils faciles à mémoriser? Dans la table, biffe la colonne et la rangée qui correspondent à la multiplication par un.

i) Combien de combinaisons te reste-t-il à apprendre? Biffe celles que tu connais déjà. Écris celles qui restent sur des cartons. Trouve un moyen de les mémoriser facilement.

132

4 Découpe les pièces à la page 15 de ton cahier d'activités.
Place-les dans la grille, à la page 14, de façon à reconstituer la table de multiplication.

14-15

5 Travaille avec des camarades.
Trouve des combinaisons de deux nombres qui ont pour produit:

Trouve, le plus rapidement possible, autant de combinaisons que tu le peux.

a) 9   *b)* 12   *c)* 14
d) 18   *e)* 24   *f)* 36

6 *a)* Reproduis puis complète les deux tables de multiplication suivantes.

TABLE A

×	0	1	2	3	4	5	6	7	8	9
0										
10										
20										
30										
40										
50										
60										
70										
80										
90										

TABLE B

×	0	1	2	3	4	5	6	7	8	9
0										
100										
200										
300										
400										
500										
600										
700										
800										
900										

b) Compare les résultats de la **TABLE A** avec ceux de la **TABLE B**.
Que remarques-tu?

c) Compare ces deux tables avec celle de l'activité 3.
Fais part à tes camarades de tes conclusions.

JE FAIS LE POINT

1 Complète chaque égalité.
Remplace la série d'opérations
par une seule opération.

a) 17 + 14 + 16 + 29 = ▢ + ▢

b) 23 + 17 + 45 + 55 + 39 + 11 = ▢ + ▢

c) 29 − 4 − 12 = ▢ − ▢

d) 234 − 59 − 13 − 39 = ▢ − ▢

2 Trouve quatre multiples:

a) de 2;

b) de 5;

c) de 10.

 Les quatre multiples doivent avoir une quantité différente de chiffres.

3 Observe bien cette règle:

$+3$ ➡ $+2$ ➡ -4 ➡ $\times 3$

Utilise-la pour construire cette suite:

39, ▢, ▢, ▢, ▢, ▢, ▢, ▢, ▢, ▢.

4 Identifie la règle qui a servi à construire cette suite:

49 - 51 - 54 - 53 - 57 - 59 - 62 - 61 - 65 - 67 - 70 - 69 - 73

5 Parmi les nombres suivants, écris ceux qui sont pairs.

244   7893   44 801   27 900   357 938   470 002

6 Effectue les additions suivantes.

a) 3 + 4

b) 7 + 2

c) 8 + 5

d) 9 + 7

e) 6 + 8

f) 8 + 7

g) 2 + 3 + 4

h) 5 + 6 + 7

i) 8 + 9 + 4 + 6 + 5

j) 2 + 3 + 4 + 5 + 6

k) 7 + 1 + 2 + 3

l) 7 + 5 + 4 + 8

Trouve les sommes le plus rapidement possible.

7 Estime chaque somme.

a) 347 + 278 + 949

b) 748 + 1234 + 7895 + 234

8 Estime chaque différence.

a) 478 − 134

b) 6040 − 839

9 Effectue les multiplications suivantes.

a) 3 × 4

b) 2 × 7

c) 4 × 8

d) 5 × 9

e) 6 × 7

f) 8 × 8

g) 9 × 7

h) 2 × 3 × 4

i) 4 × 2 × 7

j) 4 × 2 × 9

k) 3 × 0 × 7

l) 2 × 2 × 6

m) 6 × 8

n) 8 × 6

o) 4 × 9

p) 9 × 4

q) 8 × 9

r) 6 × 6

s) 3 × 5

t) 7 × 3

u) 6 × 4

v) 8 × 0 × 9

w) 12 × 1 × 1

x) 7 × 8

 Trouve les produits le plus rapidement possible.

1 Trouve le résultat des opérations suivantes,
puis ajoute deux opérations à chaque suite.

a) 5 + 1
15 + 2
25 + 3
35 + 4
45 + 5
☐ + ☐
☐ + ☐

b) 5 × 5
15 × 5
25 × 5
35 × 5
45 × 5
☐ × ☐
☐ × ☐

c) 2 × 2
12 × 2
22 × 2
32 × 2
42 × 2
☐ × ☐
☐ × ☐

d) 2 × 10
20 × 10
200 × 10
☐ × ☐
☐ × ☐

2 Effectue les opérations suivantes.

a) 75 + 9   *b)* 75 × 5   *c)* 62 × 2   *d)* 200 000 × 10

3 Sans calculer, indique les résultats qui te semblent faux.
Vérifie ensuite toutes les opérations. Donne les résultats exacts.

a) 425 + 278 = 7030

c) 247 − 149 = 98

e) 24 × 100 = 2400

g) 8247 × 0 = 8247

i) 7 × 8 × 2 × 0 × 4 = 448

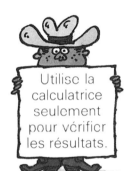

Utilise la calculatrice seulement pour vérifier les résultats.

b) 400 × 10 = 40 000

d) 7240 + 2480 = 972

f) 1240 − 1140 = 1000

h) 742 + 250 = 992

j) 899 − 476 = 423

4 Trouve rapidement les produits suivants.

a) 5 × 3

b) 3 × 6

c) 9 × 2

d) 3 × 9

Pour t'aider, utilise des cubes, des jetons, des bâtonnets, etc.

Observe la grille ci-dessous.
On a compté par bonds de 2
et on a encerclé les nombres obtenus dans
les deux premières rangées.

(0)	1	(2)	3	(4)	5	(6)	7	(8)	9
(10)	11	(12)	13	(14)	15	(16)	17	(18)	19
20	21	22	23	24	25	26	27	28	29
30	31	32	33	34	35	36	37	38	39
40	41	42	43	44	45	46	47	48	49
50	51	52	53	54	55	56	57	58	59
60	61	62	63	64	65	66	67	68	69
70	71	72	73	74	75	76	77	78	79
80	81	82	83	84	85	86	87	88	89
90	91	92	93	94	95	96	97	98	99

a) Que remarques-tu au sujet des nombres encerclés?

b) Vérifie pourquoi les autres nombres
des deux premières rangées n'ont pas été encerclés.

c) Comment nomme-t-on le résultat d'une multiplication?

> Utilise des jetons.

d) Utilise une grille semblable à celle ci-dessus.
Essaie d'encercler tous les multiples de deux sans effectuer de multiplications. Est-ce possible? Pourquoi?

e) Reproduis les nombres suivants.
Entoure les multiples de deux.
Biffe ceux qui ne sont pas des multiples de deux.

703	976	144	201	(468)	517	800	332

f) Trouve 10 multiples de deux compris entre 999 et 9999.

6 Observe la grille ci-dessous.
On a compté par bonds de 3
et on a encerclé quelques-uns des nombres obtenus.

⓪	1	2	③	4	5	⑥	7	8	⑨
10	11	⑫	13	14	⑮	16	17	⑱	19
20	㉑	22	23	㉔	25	26	㉗	28	29
㉚	31	32	㉝	34	35	㊱	37	38	㊴
40	41	㊷	43	44	㊺	46	47	㊽	49
50	(51)	52	53	(54)	55	56	(57)	58	59
60	61	62	63	64	65	66	67	68	(69)
70	71	72	73	74	75	76	77	(78)	79
80	81	82	83	84	85	86	87	88	89
90	91	92	93	94	95	96	97	98	(99)

a) Vérifie si les nombres encerclés contiennent vraiment des groupes réguliers de 3.

b) Pourquoi les nombres 4, 5 et 13 ne sont-ils pas encerclés?

Utilise le matériel de ton choix.

c) Observe dans la grille cette suite de nombres:

③ ⑫ ㉑ ㉚

Que remarques-tu? Fais part de tes observations à tes camarades.

d) Observe dans la grille cette suite de nombres:

⑥ ⑮ ㉔ ㉝ ㊷ (51)

Donne le nombre qui manque pour compléter la suite.

e) Complète cette suite de nombres:

⑨ ⑱ ㉗ ㊱ ㊺ (54)

Explique à tes camarades comment tu as procédé.

f) Quel nom donne-t-on aux nombres encerclés de la grille? Peux-tu expliquer pourquoi?

45
9
3

g) Sur une grille semblable à celle ci-dessus, encercle tous les multiples de trois.

h) Reproduis les nombres suivants.
Entoure les multiples de trois.
Biffe ceux qui ne sont pas des multiples de trois.

192	384	576	701	823	945

i) Trouve 6 multiples de trois compris entre 999 et 9999.

7 *a)* Reproduis le diagramme suivant.
Inscris dans les régions appropriées:
- les multiples de deux compris entre 0 et 50;
- les multiples de trois compris entre 0 et 50.

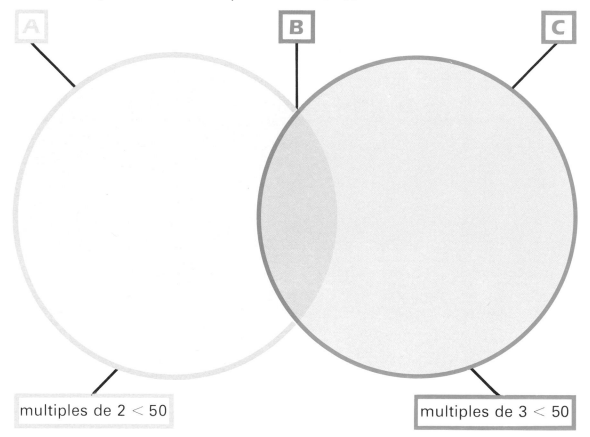

A B C

multiples de 2 < 50

multiples de 3 < 50

b) Observe le diagramme que tu as complété.
Que peux-tu dire au sujet des nombres inscrits:
- dans la région A?
- dans la **région C**?
- dans la **région B**?

c) Selon la région qu'ils occupent,
que peux-tu dire au sujet des nombres suivants?
- 6
- 48

JE VAIS PLUS LOIN

1 Trouve deux nombres dont la somme est 42 et la différence, 14.

2 La somme de deux nombres est 17.
En multipliant ces deux nombres, on obtient 72.
Quels sont ces nombres?

3 Un nombre est multiplié par 5.
On ajoute 4 au produit et on obtient 39.
Quel est ce nombre?

Le nombre de départ est impair et plus petit que 10.

4 Le nombre de départ est 40.
Effectue sur ce nombre les opérations suivantes, dans différents ordres.

$+5$ -5 $\times 5$

$$((40 + 5) - 5) \times 5 = ?$$
$$((40 \times 5) + 5) - 5 = ?$$

a) Trouve le plus petit résultat.
Indique la suite d'opérations que tu as effectuées.

b) Trouve le plus grand résultat.
Indique la suite d'opérations que tu as effectuées.

5 Reproduis puis remplis les tables de multiplication.

TABLE A

✕	10	20	30	40	50	60	70	80	90
10									
20									
30									
40									
50									
60									
70									
80									
90									

TABLE B

✕	10	20	30	40	50	60	70	80	90
100									
200									
300									
400									
500									
600									
700									
800									
900									

Que remarques-tu?

139

6 Complète les diagrammes suivants.

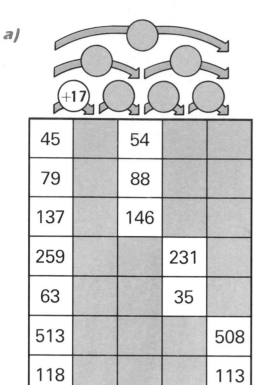

a) (+17)

45		54		
79		88		
137		146		
259			231	
63			35	
513				508
118				113

b) (−29)

75		53		
	47		12	
29	37			
114		92		
83	91			
235			208	
				46
				19
				118

7 Cette table de multiplication a été construite par des élèves de 4ᵉ année.

×	0	1	2	3	4	5	6	7	8	9
0	0	0	0	0	0	0	0	0	0	0
1	0	1	2	3	4	5	6	7	8	9
2	0	2	4	6	8	10	12	14	16	18
3	0	3	6	9	12	15	18	21	24	27
4	0	4	8	12	16	20	24	28	32	36
5	0	5	10	15	20	25	30	35	40	45
6	0	6	12	18	24	30	36	42	48	54
7	0	7	14	21	28	35	42	49	56	63
8	0	8	16	24	32	40	48	56	64	72
9	0	9	18	27	36	45	54	63	72	81

Utilise du papier quadrillé aux 1 cm pour réaliser l'activité 7.

a) Reproduis cette bande puis découpe-la.

Choisis une rangée dans la grille.
Ecris les nombres de cette rangée sur ta bande.
Observe la suite de nombres.
Que remarques-tu?

c) Observe d'autres rangées et d'autres colonnes.
Peux-tu trouver des modèles semblables?

b) Reproduis la bande ci-contre et découpe-la.
Choisis une colonne dans la grille.
Ecris les nombres de cette colonne sur ta bande.
Observe la suite de nombres.
Que remarques-tu?

d) Reproduis ces carrés puis découpe-les.

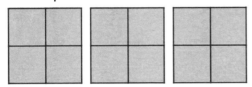

Place chaque carré sur la grille, à l'endroit de ton choix.
Ecris dans le carré les nombres de la grille.
Dans chaque carré, multiplie les nombres placés en diagonale.

EXEMPLE:

4	6
6	9

Inscris tes résultats dans un tableau semblable à celui-ci:

	↙	↘
1er carré		
2e carré		
3e carré		

Que remarques-tu?

e) Reproduis ces quadrillés puis découpe-les.

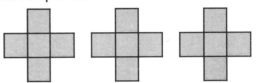

Place chaque quadrillé sur la grille, à l'endroit de ton choix.
Ecris dans le quadrillé les nombres de la grille.

EXEMPLE:

	10	
12	15	18
	20	

Effectue diverses opérations sur ces nombres.
Énonce une hypothèse qui soit vraie pour les trois quadrillés.

f) Observe la diagonale tracée sur la grille.
Choisis cinq nombres situés au-dessus de cette diagonale.
Inscris ces nombres, avec la multiplication correspondante, dans un tableau.

NOMBRE AU-DESSUS DE LA DIAGONALE	MULTIPLICATION CORRESPONDANTE	NOMBRE AU-DESSOUS DE LA DIAGONALE	MULTIPLICATION CORRESPONDANTE

Trouve, par réflexion, les mêmes nombres au-dessous de la diagonale.
Inscris-les dans le tableau, avec la multiplication correspondante.
Que constates-tu? Est-ce vrai pour tous les nombres?

8 ▶ Associe chaque addition à la somme correspondante.

3775 + 2834	8573
4849 + 3724	8506
6093 + 2007	6609
4657 + 3849	8800
6087 + 2713	6348
4339 + 2009	8100

9 ▶ Complète le réseau d'additions.

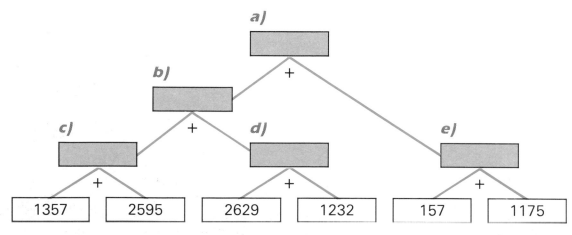

a)

b)   +

c)   +   *d)*   *e)*

+   +   +

1357   2595   2629   1232   157   1175

DE NOUVEAUX VOISINS

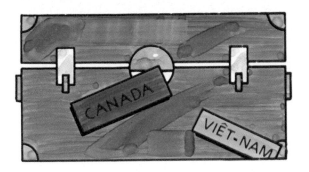

8

NOMBRES
NATURELS

GRANDS
NOMBRES:
LECTURE,
ÉCRITURE,
ORDRE

VALEUR DE
POSITION

PUISSANCES
DE DIX

CALCUL
MENTAL:
ADDITION,
SOUSTRACTION,
MULTIPLICATION

Au Québec, dans la plupart des régions mais surtout dans les grandes villes, nous recevons chaque année des milliers de personnes venues d'autres pays.

M. et Mme Thuong ainsi que leurs enfants, Vy et Baotran, ont quitté le Viêt-nam il y a quelque temps. Ils sont venus s'établir à Montréal.

À son arrivée, la famille Thuong ne possédait que des vêtements, quelques souvenirs personnels et 5000 $ en argent.

Imagine que tu partes avec tes parents pour aller vivre dans un autre pays. Vous n'avez, comme les Thuong, que des vêtements, quelques objets personnels et 5000 $.

Quels seront vos besoins? Que devrez-vous acheter pour vous installer dans votre nouveau pays?

1 ▷ Que signifie le terme
«immigrant»?
Connais-tu des immigrants?
D'où viennent-ils? Pourquoi
ont-ils quitté leur pays?

2 ▷ Dresse une liste des meubles et
des accessoires que tu devrais
acheter si tu émigrais dans un
autre pays.

3 ▷ Avec tes camarades, joue au jeu décrit ci-dessous.
Tu découvriras ce que la famille Thuong a dû se procurer lors de son
installation au Québec.

17-27 ▷ a

 # FABRICATION DU JEU

a) Reproduis le tableau de jeu sur un grand carton.
Respecte les consignes suivantes:

- longueur totale: 46 cm;
- largeur totale: 46 cm;
- trace un carré de 8 cm sur 8 cm à chacun des quatre coins;
- trace cinq cases de 6 cm sur 8 cm sur chacun des quatre côtés.

b) Découpe les vignettes présentées aux pages 17 à 27 de ton cahier d'activités. Colle-les sur ton tableau. Tu peux colorier tes vignettes si tu le désires.

c) Dans le grand carré au centre de ton tableau, inscris le titre du jeu. Tu peux illustrer cette case si tu le désires.

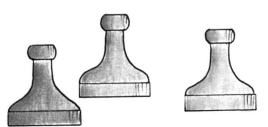

d) Prépare des séries de billets de banque de:
1 $, 10 $, 100 $, 1000 $ et 10 000 $.
Procède ainsi:
Dans du carton mince, découpe des rectangles de 5 cm sur 14 cm.
Inscris sur chaque carton sa valeur.

D'après toi, quelles coupures doivent être en plus grand nombre?

e) Prépare les cartes ACHAT ET VENTE. Détache les pages 23 et 25 de ton cahier d'activités. Colle-les sur un carton. Découpe ensuite chaque carte.

f) Tu as besoin d'un dé à jouer ordinaire, numéroté de 1 à 6. Chaque joueur ou joueuse utilise un pion d'une couleur différente.

g) Lis attentivement les règles du jeu.

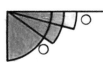 # RÈGLES DU JEU

Ce jeu se joue en équipes formées de 2 à 4 joueurs ou joueuses.
Un ou une élève joue le rôle de banquier. C'est le banquier qui remet et ramasse les cartes ACHAT ET VENTE.
La première personne qui achète un ameublement complet est la gagnante.
Sur le tableau de jeu, cet ameublement est représenté par les cases rouges.
L'achat d'une maison et d'un terrain est facultatif. On détermine, avant la partie, si cet achat est obligatoire ou non.

146

1° Au début de la partie, le banquier remet 5000 $ à chaque joueur et joueuse. Ce montant est réparti ainsi:

10 billets de	1 $	=	10 $
9 billets de	10 $	=	90 $
19 billets de	100 $	=	1900 $
3 billets de	1000 $	=	3000 $

2° La case de départ peut être le **SALAIRE DE MAMAN** ou le **SALAIRE DE PAPA**, selon le choix de chaque joueur ou joueuse.

3° Chaque joueur ou joueuse lance le dé pour déterminer l'ordre du jeu. Celui ou celle qui obtient le plus grand nombre joue le premier ou la première.
Par la suite, chacun et chacune lance le dé à son tour, dans le sens des aiguilles d'une montre. On avance du nombre de cases indiqué sur le dé.

4° Lorsque tu t'arrêtes sur une case rouge:

- Tu dois acheter l'ameublement indiqué, au prix marqué.
Tu dois régler exactement le prix d'achat avec les billets que tu as en main. Le banquier ne peut te rendre ni te faire de monnaie.
Le banquier te remet ensuite la carte ACHAT ET VENTE correspondante.

- Si tu n'as pas en main les billets nécessaires, tu dois vendre au banquier un ou des meubles de ton choix, au prix de vente indiqué sur les cartes ACHAT ET VENTE. Le banquier te remet les coupures de ton choix.
Tu dois ensuite acheter l'ameublement décrit à la case rouge sur laquelle tu viens de t'arrêter.

- Si tu possèdes déjà cet ameublement, tu dois verser une amende de 50 $ au banquier, pour abus de consommation.

5° Lorsque tu passes sur les cases du SALAIRE DE MAMAN et du SALAIRE DE PAPA, le banquier te verse le salaire mensuel indiqué, en coupures de ton choix.
(Il n'est pas nécessaire que tu t'arrêtes sur ces cases.)

6° Lorsque tu t'arrêtes sur les cases TRAVAIL SUPPLÉMENTAIRE et PARTICIPATION À UN CONCOURS, le banquier te verse les sommes indiquées, en coupures de son choix.

7° Lorsque tu t'arrêtes sur une case **BANQUE**, tu peux échanger de l'argent.

8° Lorsque tu t'arrêtes sur la case **MAGASIN GÉNÉRAL**, tu peux acheter l'ameublement de ton choix. Tu ne peux cependant acheter ni la MAISON ni le TERRAIN.

Bonne partie!

As-tu aimé jouer à **INSTALLATION**?
Tu dois connaître maintenant quelques-uns des problèmes que la famille
Thuong a rencontrés lors de son installation au Québec.

Réalise les activités qui suivent en utilisant les informations contenues
dans le jeu **INSTALLATION**.

a) Si la famille Thuong se
procurait tous les biens cités
dans le jeu, en incluant le
terrain et la maison, combien
cela lui coûterait-il en tout?

b) Combien de mois faudra-t-il à
la famille Thuong pour réunir
cette somme?

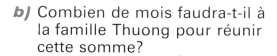

Réfléchis: À son arrivée, la famille
possédait déjà 5000 $. Elle touche maintenant
deux salaires par mois: celui de maman
et celui de papa.

c) En tenant compte des dépenses de la vie courante, la famille Thuong ne peut
économiser que la moitié de l'argent qu'elle gagne.
Combien de mois lui faudra-t-il alors pour réunir la somme nécessaire?

Trouve la valeur de chaque ▢.

a) Il faut ▢ billets de **1 $** pour avoir **10 $**.
b) Il faut ▢ billets de **1 $** pour avoir **100 $**.
c) Il faut ▢ billets de **1 $** pour avoir **1000 $**.
d) Il faut ▢ billets de **1 $** pour avoir **10 000 $**.
e) Il faut ▢ billets de **10 $** pour avoir **100 $**.
f) Il faut ▢ billets de **10 $** pour avoir **1000 $**.
g) Il faut ▢ billets de **10 $** pour avoir **10 000 $**.
h) Il faut ▢ billets de **100 $** pour avoir **1000 $**.
i) Il faut ▢ billets de **100 $** pour avoir **10 000$**.
j) Il faut ▢ billets de **1000 $** pour avoir **10 000 $**.

Que remarques-tu? Discutes-en avec tes camarades.

3 Reproduis et complète le tableau ci-dessous.

	BIENS	PRIX	QUANTITÉ DE BILLETS NÉCESSAIRES POUR RÉGLER LE PRIX				
			BILLETS DE 1 $	BILLETS DE 10 $	BILLETS DE 100 $	BILLETS DE 1000 $	BILLETS DE 10 000 $
a)	**TÉLÉVISEUR**	500 $					
b)	**TERRAIN**	8 000 $					
c)	**MAISON**	40 000 $					

Que remarques-tu? Discute de tes observations avec quelques camarades.

4 **a)** On peut écrire 500 $ de plusieurs façons en indiquant les billets de banque utilisés.

> **EXEMPLE:** 500 $ = 500 billets de | 1 $ | ou 500 × 1 $
> 50 billets de | 10 $ | ou 50 × 10 $
> 5 billets de | 100 $ | ou 5 × 100 $

Observe l'opération suivante: 5 × (10 × 10 $)
Imagine qu'elle représente une certaine quantité de billets de banque disposés sur une table. De quelles façons ces billets pourraient-ils être disposés?

b) Indique différentes façons de régler le prix des biens suivants avec des billets de banque.

RÉFRIGÉRATEUR

800 $

TERRAIN

8000 $

MAISON

40 000 $

Tu peux supprimer les signes de dollars pour effectuer tes calculs.

c) Le mobilier de salon coûte 1300 $.
Indique différentes façons de régler ce prix avec des billets de banque.

d) La lingerie coûte 434 $.
Voici une façon de régler ce prix avec des billets de banque:
(4 × 100 $) + (3 × 10 $) + (4 × 1 $).
Indique d'autres façons.

5 La maison coûte 40 000 $.
Voici différentes façons de régler ce prix avec des billets de banque.
Vérifie si ces façons sont exactes.

a) 4 × (1000 × 10 $)

b) 4 × (100 × 100 $)

c) 4 × (10 × 1000 $)

d) 400 × (10 × 10 $)

e) (40 × 10) × (10 × 10 $)

f) (4 × 10 × 10 × 10) × 10 $

6 ▷

On peut abréger certaines façons d'exprimer les quantités.
Par exemple, écrire $4 \times 10 \times 10 \times 10 \times 10$ pour exprimer 40 000,
c'est très long.

Tu sais que $\quad 10 + 10 + 10 + 10 = 40$
peut être abrégé ainsi: $\quad 4 \times 10 = 40$

L'expression $\quad 4 \times 10 \times 10 \times 10 \times 10$
peut elle aussi être abrégée: $\quad 4 \times 10^4$

a) Que signifie **10^4**?
Explique comment l'expression 4×10^4 représente 40 000.

b) Décompose au long les montants suivants. Écris ensuite la
décomposition de façon abrégée.

Lis ainsi:
dix exposant
quatre.

EXEMPLE:	$200 = 2 \times 10 \times 10 = 2 \times 10^2$

- Le terrain coûte 8000 $.
- Le mobilier de chambre coûte 900 $.

7 ▷

Décompose de trois façons différentes les nombres ci-dessous.

EXEMPLES: $\quad 100 = 1 \times 100 \quad$ ou $\quad 1 \times 10 \times 10 \quad$ ou $\quad 1 \times 10^2$.
$\quad\quad\quad\quad\quad 300 = 3 \times 100 \quad$ ou $\quad 3 \times 10 \times 10 \quad$ ou $\quad 3 \times 10^2$.
$\quad\quad\quad 1000 = 1 \times 1000 \quad$ ou $\quad 1 \times 10 \times 10 \times 10 \quad$ ou $\quad 1 \times 10^3$.

a) 3000 $\quad\quad$ **b)** 10 000 $\quad\quad$ **c)** 50 000 $\quad\quad$ **d)** 100 000 $\quad\quad$ **e)** 800 000

8 ▷

Le coût total de la maison, du terrain, du mobilier de salon, des lampes et des
bibelots est de 49 963 $.
Écris ce montant à l'aide d'exposants.

$49\,963\,\$ = \quad 40\,000 \quad + \quad 9000 \quad + \quad 900 \quad + \quad 60 \quad + \quad 3$

☐ + ☐ + ☐ + $\boxed{6 \times 10}$ + $\boxed{3}$

9 **a)** Regarde attentivement le tableau suivant, puis explique-le à tes camarades.

CENTAINES DE MILLE	DIZAINES DE MILLE	UNITÉS DE MILLE	CENTAINES	DIZAINES	UNITÉS
100 000	10 000	1000	100	10	1
$10 \times 10 \times 10 \times 10 \times 10$	$10 \times 10 \times 10 \times 10$	$10 \times 10 \times 10$	10×10	10	1
10^5	10^4	10^3	10^2	10	1

CENTAINES DE MILLE	DIZAINES DE MILLE	UNITÉS DE MILLE	CENTAINES	DIZAINES	UNITÉS
4×10^5	3×10^4	2×10^3	1×10^2	0×10	5×1
4	3	2	1	0	5

Lis le nombre représenté au bas du tableau.

b) Reproduis puis complète ce tableau. Prends modèle sur le tableau précédent.

Par quoi remplaceras-tu les points d'interrogation?

? MILLION	? MILLION	? MILLION	CENTAINES DE MILLE	DIZAINES DE MILLE	UNITÉS DE MILLE	CENTAINES	DIZAINES	UNITES
2	4	7	2	4	7	2	4	7

Au bas du tableau, le groupe 247 apparaît trois fois.
A-t-il la même valeur partout?
Peux-tu lire le nombre représenté au bas du tableau?

c) Quel nom donne-t-on aux nombres qui viennent après les millions?

10 **a)** Voici une façon de représenter 18 247 $:

1 billet de [10 000 $]

8 billets de [1000 $]

2 billets de [100 $]

4 billets de [10 $]

7 billets de [1 $]

Trouve trois autres façons.

b) Représente chacune de tes façons par deux phrases mathématiques: une qui ne contient pas d'exposants et une qui en contient.

> **EXEMPLE:**
> $(1 \times 10\ 000\ \$) + (8 \times 1000\ \$) + (2 \times 100\ \$) + (4 \times 10\ \$) + (7 \times 1\ \$)$
> $(1 \times 10^4) \qquad + (8 \times 10^3) \qquad + (2 \times 10^2) \quad + (4 \times 10) \quad + 7$

11 *a)* Antoine a 15 400 $ en billets de 100 $.
Combien de billets de 100 $ a-t-il?

b) Chantal a le même montant qu'Antoine, mais en billets de 10 $. Combien de billets de 10 $ Chantal a-t-elle?

c) Compare tes réponses. Que remarques-tu?

12 Trouve le montant total que possède chaque personne.

NOM	DESCRIPTION	MONTANT
CLAUDINE	$(5 \times 10^3) + (2 \times 10^4) + 7$	
GAÉTAN	$(2 \times 10^2) + (3 \times 10^3) + 4$	
GENEVIÈVE	$(5 \times 10^4) + (7 \times 10) + (8 \times 10^3)$	
TOMMY	$8 + (2 \times 10^3) + (7 \times 10) + (4 \times 10^2)$	

Utilise le tableau de jeu **INSTALLATION** que tu as construit précédemment.
Lis attentivement les modifications apportées à ce jeu. Prépare le matériel nécessaire. Joue ensuite quelques parties avec tes camarades. Amuse-toi bien!

1 ▷ ▷a

Remplace les cases PARTICIPATION À UN CONCOURS et TRAVAIL SUPPLÉMENTAIRE par deux vignettes **COURRIER**. Tu trouveras ces vignettes à la page 23 de ton cahier d'activités.

2 ▷

Par le courrier, on peut être avisé d'un gain, mais aussi d'une dette à acquitter.

a) Dresse une liste de gains et de factures à acquitter qu'on peut recevoir par le courrier.

b) Avec tes camarades, trouve des montants raisonnables pour ces gains et ces dépenses.

3 ▷

a) Construis 10 cartes *COURRIER*. Utilise des cartons d'environ 5 cm sur 9 cm.
- 5 cartes représenteront des gains;
- 5 cartes représenteront des dépenses.

b) Sur chaque carte, inscris la raison et le montant du gain ou de la dépense. Respecte les consignes suivantes:

- Pour les **gains**: le montant doit être décomposé à l'aide d'exposants.

EXEMPLE: $(3 \times 10^2) + (4 \times 10) + (5 \times 1)$ représentera 345 $.

- Pour les **dépenses**: le montant doit être décomposé, mais sans exposants.

EXEMPLE: $(8 \times 100) + (6 \times 10) + (9 \times 1)$ représentera 869 $.

Voici deux exemples de cartes *COURRIER*:

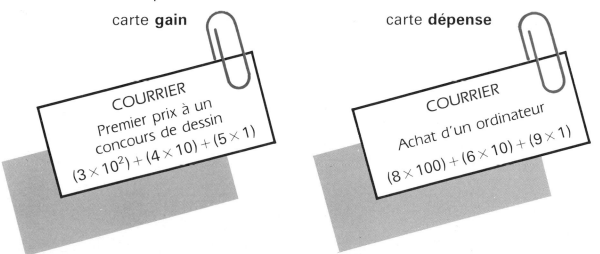

carte **gain**

COURRIER
Premier prix à un concours de dessin
$(3 \times 10^2) + (4 \times 10) + (5 \times 1)$

carte **dépense**

COURRIER
Achat d'un ordinateur
$(8 \times 100) + (6 \times 10) + (9 \times 1)$

4 Ajoute le règlement suivant à ceux du premier jeu.

a) Lorsque tu t'arrêtes sur une case **COURRIER**, tu piges une carte *COURRIER*. Tu lis la carte à voix basse.

b) Tu annonces ensuite aux autres joueurs le montant total du gain ou de la dépense. Procède ainsi:

- S'il s'agit d'un **gain**: indique le montant total que tu dois recevoir du banquier. Indique ensuite la quantité de billets de chaque sorte que tu dois recevoir.

EXEMPLE:

COURRIER
Premier prix à un concours de dessin
$(3 \times 10^2) + (4 \times 10) + (5 \times 1)$

Je gagne 345 $.
Le banquier doit me verser:
3 billets de 100 $,
4 billets de 10 $,
5 billets de 1 $.

- S'il s'agit d'une **dépense**: indique le montant total que tu dois verser au banquier. Indique ensuite la quantité de billets de chaque sorte que tu dois verser.
Si tu ne possèdes pas les billets voulus, tu dois verser au banquier le montant le plus rapproché de la dépense encourue. Ce montant sera toujours supérieur à celui de la dépense.

EXEMPLE:

COURRIER
Achat d'un ordinateur
$(8 \times 100) + (6 \times 10) + (9 \times 1)$

Je dépense 869 $.
Je dois verser au banquier:
8 billets de 100 $,
6 billets de 10 $,
9 billets de 1 $.
Je n'ai pas de billets de 1 $.
Je dois donc verser 7 billets de 10 $.

 5 Avec quelques camarades, joue une partie de ce nouveau jeu. Utilise le tableau de jeu que tu as construit précédemment ainsi que les cartes *ACHAT ET VENTE* et les cartes *COURRIER*. Bonne partie!

1

> ◇ représente **1** unité.
> □ représente **10** unités.
> ○ représente **100** unités.
> △ représente **1000** unités.
> ✳ représente **10 000** unités.

Utilise les symboles du tableau. Illustre la valeur des chiffres soulignés.

a) 4506   **b)** 47 893   **c)** 34 789

d) 3789   **e)** 48 723   **f)** 27 893

2

a) Combien de groupes de 10 y a-t-il au total dans les chiffres soulignés?

- 3478
- 2789
- 40 234
- 78 943

b) Combien de groupes de 100 y a-t-il au total dans les chiffres soulignés?

- 4787
- 24 823
- 27 820
- 79 654

c) Combien de groupes de 1000 y a-t-il au total dans les chiffres soulignés?

- 47 893
- 340 027
- 7 893 482
- 635 421

3

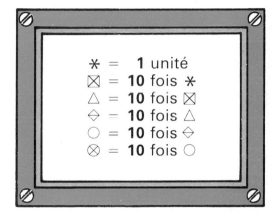

> ✳ = **1** unité
> ⊠ = **10** fois ✳
> △ = **10** fois ⊠
> ⬦ = **10** fois △
> ○ = **10** fois ⬦
> ⊗ = **10** fois ○

Illustre les nombres suivants en te servant des symboles du tableau.

a) 4783   **b)** 23 078

c) 478 203

4

Décompose chaque nombre de cinq façons différentes.

a) 4789   **b)** 34 820

c) 247 078

5

Recompose les nombres.

a) 400 + 1000 + 50 000 + 8 + 10

b) 2000 + 70 + 1000 + 7

c) 60 000 + 4000 + 8 + 80

d) 700 + 4 + 20 000

6

Indique la valeur des chiffres soulignés.
Utilise les exposants: 10^2, 10^3, 10^4, 10^5.

a) 4782   **b)** 2348

c) 47 802   **d)** 234 789

e) 240 078   **f)** 529 637

7

Trouve les produits suivants.

a) 4 × 1000

b) 23 × 100

c) 470 × 10 000

d) 234 × 10

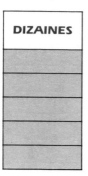 **1** Donne la position qu'occupe chacun des chiffres dans le nombre **73 425**.
Reproduis le tableau et complète-le.

	CHIFFRE	DIZAINES DE MILLE	UNITÉS DE MILLE	CENTAINES	DIZAINES	UNITÉS
a)	5					
b)	2					
c)	4					
d)	3					
e)	7					

 **2** Donne la position qu'occupe chacun des chiffres dans le nombre **26 735**.
Reproduis le tableau et complète-le.

	CHIFFRE	DIZAINES DE MILLE	UNITÉS DE MILLE	CENTAINES	DIZAINES	UNITÉS
a)	5					
b)	3					
c)	6					
d)	2					
e)	7					

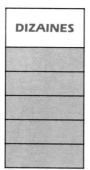 **3** Donne la valeur de chacun des chiffres dans le nombre **26 573**.
Reproduis le tableau et complète-le.

	CHIFFRE	DIZAINES DE MILLE	UNITÉS DE MILLE	CENTAINES	DIZAINES	UNITÉS
a)	5					
b)	2					
c)	3					
d)	6					
e)	7					

 **4** Indique, en relation avec l'unité, la valeur du chiffre souligné.

a) 4̲61   b) 9̲53   c) 1461̲

d) 9̲040   e) 698̲2   f) 16 2̲43

g) 3̲4 167   h) 86 021̲   i) 19 6̲85

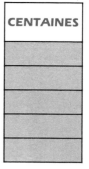 **5** Indique, en relation avec l'unité, la valeur du groupe de chiffres soulignés.

a) 90̲4̲1   b) 5̲9̲60   c) 4̲5̲83

d) 3̲4̲ 695   e) 9̲6̲ 032   f) 103 8̲3̲1

g) 63 08̲1̲   h) 16 5̲4̲3   i) 84̲2̲ 734

6 Dans le nombre **2148**:

a) combien y a-t-il d'unités en tout?

b) combien y a-t-il de dizaines en tout?

c) combien y a-t-il de centaines en tout?

d) combien y a-t-il d'unités de mille en tout?

e) quel chiffre occupe la position des dizaines?

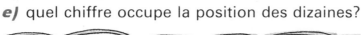

7 Choisis 3 nombres de quatre chiffres. Pour chacun, réponds aux questions de l'activité **6**.

8 Indique, en relation avec les dizaines, la valeur du chiffre souligné.

> **EXEMPLE:** 3764   70 dizaines ou (70 × 10)

a) 4983   *b)* 34 967   *c)* 64 025   *d)* 59 817   *e)* 6841   *f)* 12 435

9 Indique, en relation avec les centaines, la valeur du groupe de chiffres soulignés.

a) 6225   *b)* 4832   *c)* 48 635

10 Décompose les nombres suivants.

> **EXEMPLE:** 2926 = 2000 + 900 + 20 + 6

a) 16 812   *b)* 13 976   *c)* 45 776   *d)* 86 454   *e)* 50 602   *f)* 47 945

11 Écris le nombre qui est formé de:

a) 8 dizaines, 3 unités de mille et 2 centaines;

b) 1 dizaine de mille et 6 unités;

c) 4 centaines, 1 unité de mille, 7 dizaines et 1 dizaine de mille.

12 Compose deux problèmes semblables à celui de l'activité **11**.
Demande à un ou à une camarade de résoudre tes problèmes.

13 Utilise des exposants pour déterminer la valeur de position d'un chiffre dans un nombre.

> **EXEMPLE:** 312
> $300 = 3 \times (10 \times 10)$ ou 3×10^2
> $10 = 1 \times (1 \times 10)$ ou 1×10
> $2 = 2$

a) 413   *b)* 634   *c)* 805

14 Compose deux problèmes semblables à celui de l'activité **13**.
Demande à un ou à une camarade de résoudre tes problèmes.

Recompose les nombres suivants.

EXEMPLE: (1×10^3) + (3×10^2) + (5×10) + 8
(1×1000) + (3×100) + (5×10) + 8
1000 + 300 + 50 + 8 = 1358

a) (8×10^2) + (3×10) + 6

b) (2×10^2) + (4×10^3) + 7 + (9×10)

16 Compose deux problèmes semblables à celui de l'activité **15**. Demande à un ou à une camarade de résoudre tes problèmes.

17 Complète l'arbre de décomposition suivant.

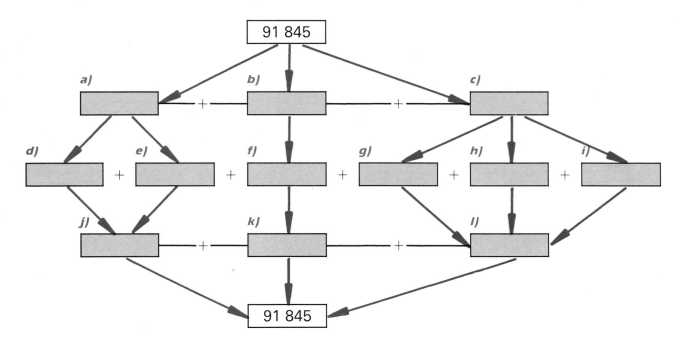

18 Complète l'arbre de décomposition suivant.

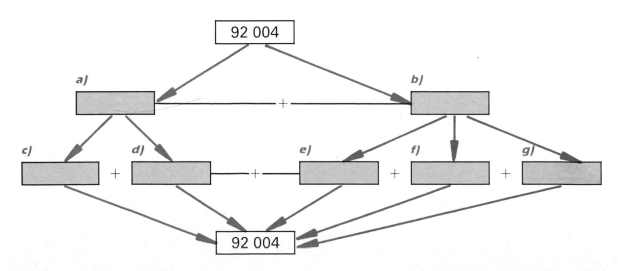

 Associe chaque élément de la colonne **A** à un élément de la colonne **B**.
Respecte la relation «... est égal à...».

A

324
$300 + 5000 + 2$
$(3 \times 10^2) + (4 \times 10)$
$(6 \times 10^3) + 4 + (3 \times 10)$
1546
$(3 \times 100) + 4 + (5 \times 10)$
$540 + 57 + 100$
$(13 \times 10) + 8$
$(23 \times 10^2) + 5$
8743

B

$(5 \times 10^2) + (1 \times 10^3) + 6 + (4 \times 10)$
$(3 \times 10^2) + (5 \times 10) + 4$
$(2 \times 10^3) + (3 \times 10^2) + 5$
$4 + (32 \times 10)$
$(5 \times 1000) + 302$
$(7 \times 10^2) + (4 \times 10) + (8 \times 10^3) + 3$
340
$(6 \times 10^2) + (9 \times 10) + 7$
$(3 \times 10) + 6004$
$(1 \times 10^2) + (3 \times 10) + 8$

 Place dans l'arbre de décomposition les nombres suivants:
439, 400, 100, 100, 39, 330, 30, 300, 5, 4, 9.

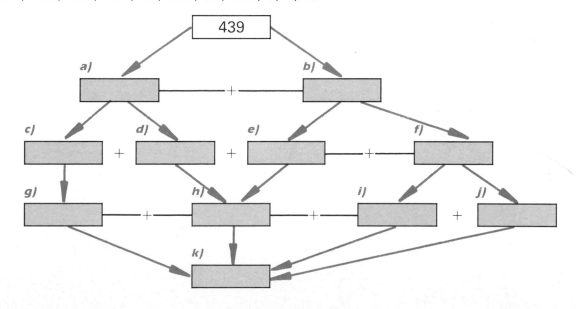

3 Effectue les opérations suivantes:

a) $24 \times 10 \times 100$

c) $10 \times 100 \times 1000$

e) $246 \times 10^4 \times 10 \times 10^2$

Raconte comment tu as procédé.

b) $153 \times 10^2 \times 10^3$

d) $234 \times 1000 \times 1000 \times 10$

f) $343 \times 10^3 \times 1000 \times 10^2$

4 Invente un arbre de décomposition semblable à celui de l'activité **2**. Fais-le compléter par un ou une camarade.

5 Effectue les calculs suivants:

a) $(3 \times 10^2) + (45 \times 10) + (3 \times 10^3)$

c) $(178 \times 10^4) - (23 \times 10^3)$

b) $(156 \times 10^3) + (47 \times 10^4) + (5 \times 10^2)$

d) $(178 \times 10^4) - (23 \times 10^3)$

6 Remplace les ▢ par des puissances de 10.

a) $(3 \times 10^2) + (4 \times 10) + (23 \times ▢) < 26 \times ▢$

b) $(43 \times ▢) + (24 \times ▢) > (13 \times ▢) + (5 \times ▢)$

7 Utilise ta calculatrice pour trouver la valeur de:

a) 3^4

d) 8^5

b) 2^{10}

e) $2^3 + 4^5$

c) 5^6

f) $10^3 + 4^2 + 3^6$

Compare tes réponses avec celles de tes camarades.

DES AGENCEMENTS DE FIGURES

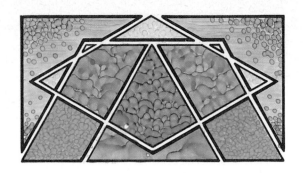

9

GÉOMÉTRIE
FIGURES
PLANES:
POLYGONES

MESURE
AIRE:
cm^2, dm^2

**NOMBRES
NATURELS**
OPÉRATIONS:
MULTIPLICATION

Un patio

Les parents de Marilyne veulent construire un patio à l'arrière de leur maison.

Ils consultent un fabricant qui leur présente ces trois modèles de carreaux:

Avant d'assembler les carreaux qu'ils ont achetés, Marilyne et ses parents se promènent dans leur quartier.
Ils remarquent quatre patios construits à l'aide de carreaux semblables aux leurs.

Au premier endroit, on a groupé les trois modèles de carreaux pour composer un motif. Puis on a répété ce motif sur toute la grandeur du patio.

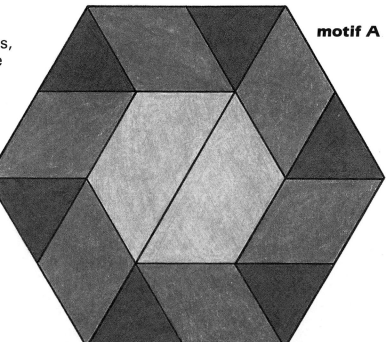

motif A

1 Quelles sont les caractéristiques du **motif A**?

PISTES:

a) Combien y a-t-il de carreaux de chaque sorte?

b) Combien de côtés le motif a-t-il?

c) Combien de côtés chacun des carreaux a-t-il?

2

 27-31 > a

Compose un motif semblable. Utilise les carreaux présentés aux pages 29 et 31 de ton cahier d'activités. Place ces carreaux sur le **motif A**, à la page 27 de ton cahier d'activités.

3

27-31 > a

À chacun des trois autres endroits visités par Marilyne et ses parents, on n'a utilisé que des carreaux d'un seul modèle:

ou   ou

On a disposé ces carreaux pour former une figure semblable à celle-ci:

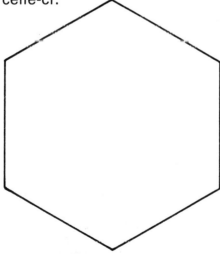

a) Compose trois motifs différents mais de mêmes dimensions. N'utilise qu'un seul modèle de carreau pour chaque motif. Découpe les carreaux présentés aux pages 29 et 31 de ton cahier d'activités. Place-les sur les **motifs B**, **C** et **D**, à la page 27 de ton cahier d'activités.

> N'utilise qu'un seul modèle de carreau pour chaque motif.

b) Indique la quantité de carreaux nécessaire pour composer chacun des motifs.

163

a) Dans un tableau semblable au suivant, indique le nombre de carreaux qui composent chaque motif.

	NOMBRE DE CARREAUX			
	motif A	**motif B**	**motif C**	**motif D**
 △				
◇				
⬠				
NOMBRE TOTAL DE CARREAUX				

b) Pour quel motif a-t-on utilisé le plus de carreaux?

c) Pour quel motif a-t-on utilisé le moins de carreaux?

d) Chacun des motifs a-t-il la même *aire*? Trouve une façon de le montrer.

Que signifie le mot «aire»?

e) Compare ta façon de faire à celle de tes camarades. Avez-vous tous procédé de la même manière? En existe-t-il d'autres?

f) Comment expliques-tu qu'une même aire puisse être recouverte avec différentes quantités de tuiles?

g) Les quatre motifs pourraient-ils être composés chacun de la même quantité de carreaux? Explique ta réponse.

Pourquoi y a-t-il plus de rouges que de gris?

Observe le tableau que tu as construit à l'activité 4. Trouve une façon de comparer l'aire de différentes figures.

PISTES:

a) Combien faut-il de carreaux △ pour construire le carreau ⬠ ?

b) Combien faut-il de carreaux △ pour construire le carreau ◇?

Un plancher de cuisine

Chez Patrice, le plancher de la cuisine est carré. Il est recouvert de 1600 carreaux de 1 décimètre carré chacun.

D'après toi, est-ce une grande ou une petite cuisine?

 Quelles sont les informations contenues dans le texte précédent?

PISTES:

> Le symbole de décimètre est **dm**.

a) D'après toi, qu'est-ce qu'un décimètre?
Trace une ligne droite mesurant 1 décimètre.

b) D'après toi, qu'est-ce qu'un carré?
Dessine un carré.
Comment peux-tu montrer que c'est un carré?

c) Parmi les figures suivantes, trouve celles qui sont des carrés.
Explique pourquoi ce sont des carrés alors que les autres n'en sont pas.

A   B   C   D   E   F   G

H   I   J   K   L   M

d) D'après toi, qu'est-ce qu'un décimètre carré?
Dessines-en un sur un carton puis découpe-le.

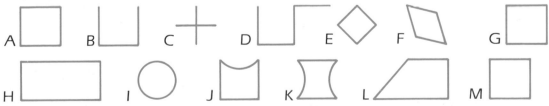

> Chez Patrice, le plancher de la cuisine est recouvert de carreaux de 1 dm² chacun.

> Le symbole de décimètre carré est **dm²**.

Regarde bien le carreau que tu viens de découper.
Combien de carreaux semblables te faudrait-il pour recouvrir le plancher sous ton pupitre?

PISTES:

a) Délimite l'aire sous ton pupitre.

b) Estime la quantité de carreaux nécessaire pour couvrir cette aire.

c) Vérifie ton estimation à l'aide de ton carreau.

Arrondis ta réponse si nécessaire.

3 Chez Patrice, il y a des chaises dans la cuisine.
Une chaise couvre 16 carreaux de 1 dm².
Voici une représentation de l'aire recouverte par une chaise:

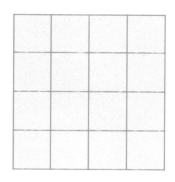

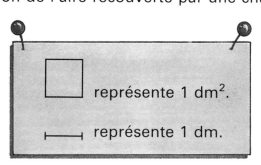

représente 1 dm².

représente 1 dm.

Chaque côté d'un carreau mesure 1 dm.

a) Combien y a-t-il de carreaux dans la figure ci-dessus?

b) Combien y a-t-il de carreaux dans une rangée?

c) Combien y a-t-il de rangées?

d) Indique une façon de trouver le nombre total de carreaux sans tous les compter.

e) Quelle est, en décimètres, la longueur de la figure?

f) Quelle est, en décimètres, la largeur de la figure?

g) Quelle est l'aire de la figure?

À l'aide de ton décimètre carré (dm²), trouve l'aire des éléments suivants:

a) une table;

b) une fenêtre;

c) une porte;

d) un tableau;

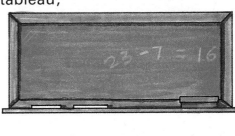

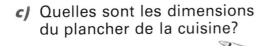

e) le plancher de ta classe.

 5 Quelle est la différence entre l'aire du plancher de ta classe et celle du plancher de la cuisine chez Patrice?

> Souviens-toi:
> Chez Patrice,
> la cuisine
> est carrée.

PISTES:

a) Combien de carreaux de 1 dm² couvrent le plancher de la cuisine?

b) De quelle façon ces carreaux sont-ils disposés? Combien y a-t-il de rangées? Combien y a-t-il de carreaux par rangée?

c) Quelles sont les dimensions du plancher de la cuisine?

d) Quelle est l'aire du plancher de la cuisine?

> Que signifie le mot «dimensions»?

> Sur le plancher de ta classe, tu pourrais tracer le plancher de la cuisine.

e) Quelle est alors la différence entre cette aire et celle du plancher de ta classe?

 6 Chez Patrice, la cuisine est-elle grande ou petite? Compare-la à la cuisine chez toi. Combien de décimètres carrés (dm²) le plancher de ta cuisine mesure-t-il?

 7 Comparez, tes camarades et toi, l'aire du plancher de vos chambres à coucher.

Un album de photos

Militza veut placer trois nouvelles photos dans son album. L'aire de chacune des photos est la suivante:

Les **photos A** et **B** ont une forme carrée.
La **photo C** a une forme rectangulaire.

photo A: 9 cm²

photo B: 100 cm²

photo C: 70 cm²

Les pages de l'album ont les mêmes dimensions que les pages d'ESPACE 4.

Penses-tu que Militza réussira à disposer les trois photos sur la même page de son album?

Le symbole de centimètre carré est **cm²**.

1 *a)* D'après toi, qu'est-ce qu'un centimètre?

b) Qu'est-ce qu'un centimètre carré?

2 Utilise une feuille de papier quadrillé aux 1 cm.
Estime si Militza peut y placer, ou non, ses trois photos.

3 Sur ta feuille quadrillée, dessine le contour de chaque photo. Identifie chaque photo en y inscrivant l'aire.

Prévois un espace entre chaque photo.

1 Découpe les triangles à la page 33 de ton cahier d'activités.
Avec 16 petits triangles, construis un grand triangle.
Trace le contour du grand triangle dans ton cahier.

2 Trouve l'aire de cette figure:

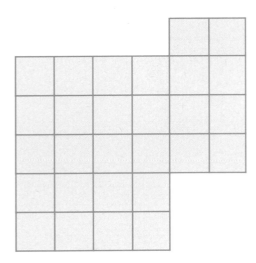

□ représente 1 unité.

3 Utilise le décimètre carré que tu as construit précédemment.

a) Estime l'aire du dessus de ton pupitre.

b) Vérifie ton estimation.

4 Dessine deux figures de forme différente.
Chaque figure doit avoir une aire de 14 cm^2.

Trace tes figures sur du papier quadrillé au cm.

5 Quelle unité convient le mieux pour mesurer l'aire d'une porte:
le centimètre carré ou le décimètre carré?

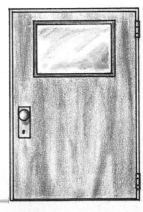

6 Donne la signification des symboles suivants.

a) cm^2

b) dm^2

1 ➤ Découpe les triangles et les losanges à la page 35 de ton cahier d'activités.

 35 ↪ *a*

a) Construis la figure ci-contre en n'utilisant que des △ . Combien en as-tu utilisé?

b) Construis la figure en n'utilisant que des ◇. Combien en as-tu utilisé?

c) Construis la figure en utilisant à la fois des △ et des ◇. Combien de pièces de chaque sorte as-tu utilisées?

2 ➤ Découpe les triangles et les trapèzes à la page 35 de ton cahier d'activités.

35 ↪ *a* **a)** Construis la figure ci-contre en n'utilisant que des ⬜. Combien en as-tu utilisé?

b) Construis la figure en n'utilisant que des △ . Combien en as-tu utilisé?

c) Contruis la figure en utilisant à la fois des ⬜ et des △ . Combien de pièces de chaque sorte as-tu utilisées?

3 ➤ **a)** Sur une grille semblable à celle-ci, trace une figure dont l'aire mesure 27 unités.

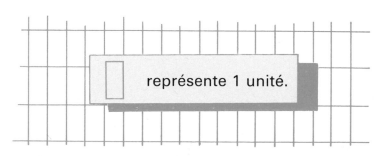

représente 1 unité.

b) Ta figure a-t-elle la même forme que celle de tes camarades?

c) Est-ce que des figures qui ont la même aire peuvent avoir des formes différentes?

4 Mesure l'aire de chacune des figures tracées sur le quadrillage.
Utilise les unités suivantes:

a) △ représente 1 unité.

b) ◇ représente 1 unité.

c) ⏢ représente 1 unité.

5 La figure S est formée de rectangles. Ces rectangles sont identifiés par les lettres A, B, C, D, E et F.

 représente 1 unité.

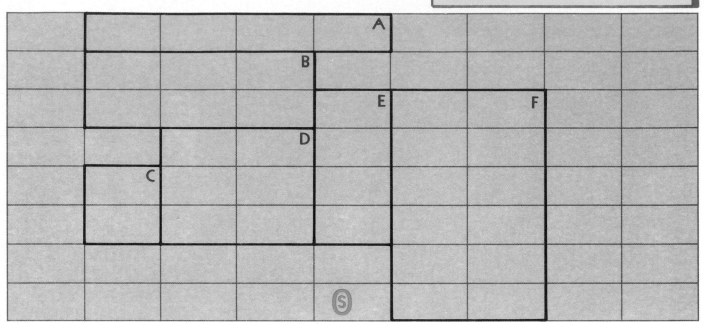

a) Trouve l'aire de chaque rectangle.

> **EXEMPLE:** aire B = 2 × 3
> = ☐ unités

c) Utilise une grille semblable à celle ci-dessus.
Trace une figure complexe.
Trouve l'aire de ta figure.

b) Trouve l'aire de la figure S.

aire S = aire A + aire B + aire C + aire D + aire E + aire F

Comment procéderas-tu pour trouver l'aire de ta figure?

6 Indique l'unité (centimètre carré ou décimètre carré) que tu choisirais pour mesurer l'aire des éléments suivants:

a) une fenêtre;

b) le dessus de ton pupitre;

c) le dessus d'un porte-monnaie;

d) une règle;

e) une photo;

f) une porte.

a) Utilise du papier quadrillé aux 1 cm. Trace les figures suivantes:

- trois figures différentes mesurant 12 cm^2 chacune;
- trois figures différentes mesurant 18 cm^2 chacune.

b) Trouve l'aire des figures que tu as tracées.

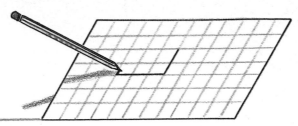

8 Estime puis mesure l'aire des figures suivantes. Utilise l'unité de mesure indiquée.

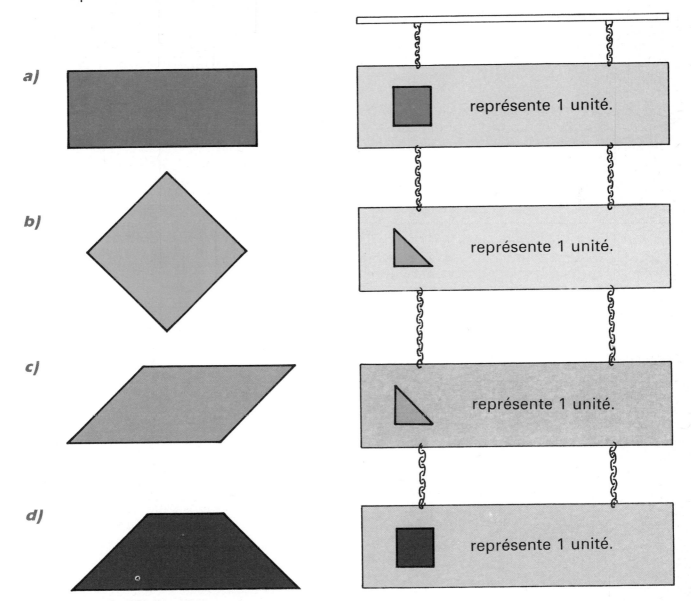

a)

b)

c)

d)

représente 1 unité.

représente 1 unité.

représente 1 unité.

représente 1 unité.

9 Sur du papier quadrillé au cm, dessine:

a) trois figures mesurant moins de 1 dm^2 chacune;

b) trois figures mesurant plus de 1 dm^2 chacune.

1

a) Sur du papier quadrillé au cm, dessine des rectangles qui ont une aire de 36 cm². Dessine autant de rectangles différents que tu le peux.

b) Donne les dimensions de chaque rectangle dans un tableau semblable à celui-ci:

RECTANGLE	LONGUEUR	LARGEUR
A		
B		

2 Combien y a-t-il de centimètres carrés dans un décimètre carré? Montre-le par un dessin.

3 Combien y a-t-il de centimètres carrés dans

a) 2 dm²?

b) 3 dm²?

c) 4 dm²?

4 Combien de carrés y a-t-il en tout dans la figure suivante?

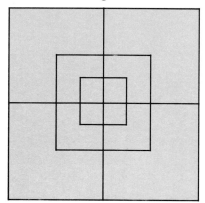

5 Dans le quadrillage suivant, combien y a-t-il de rectangles mesurant 3 cm × 2 cm? Ces rectangles doivent être placés à l'horizontale (↔).

6 Dans le quadrillage suivant, combien y a-t-il de carrés mesurant 2 cm × 2 cm?

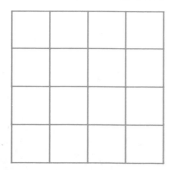

7 Estime, en centimètres carrés, l'aire de la figure ci-dessous. Présente ton estimation de la manière suivante:

L'aire se situe entre ▢ et ▢ cm².

174

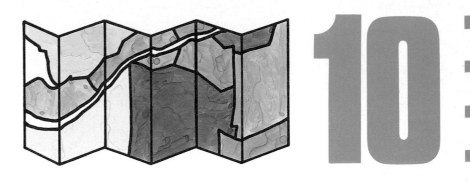

PAR DELÀ MA RÉGION

MESURE
STATISTIQUE:
NOTION DE
POPULATION,
PICTOGRAMME,
TABLEAUX DE
DISTANCES

GÉOMÉTRIE
NOTION DE
RÉGION

NOMBRES NATURELS
GRANDS
NOMBRES:
LECTURE,
ESTIMATION,
VALEUR
DE POSITION,
ORDRE

OPÉRATIONS:
ADDITION
SOUSTRACTION,
MULTIPLICATION

La ville que tu habites fait partie d'une région. Cette région fait partie du Québec. Le Québec est une province du Canada. Le Canada est situé en Amérique du Nord.
Quelle est ta région?
La ville où tu habites est-elle la plus grande de sa région?
Connais-tu ta région? En connais-tu d'autres?

Pour t'aider à mieux connaître les autres régions du Québec, nous te présentons diverses activités qu'il te faudra mener à bien. Les informations que tu obtiendras ainsi pourront te servir à réaliser une exposition, un article de journal ou une conférence sur le sujet.

Commençons par analyser les populations de chacune des régions administratives du Québec.

a) Trouve ta région sur la carte ci-dessous.

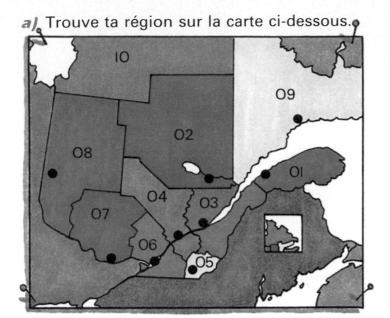

Consulte une carte ou un atlas pour t'aider.

b) Associe chacune des régions aux chiffres qui apparaissent sur la carte.

Voici un tableau des populations des diverses régions administratives du Québec.

Régions administratives	Populations 1981
Bas-Saint-Laurent — Gaspésie	234 011
Saguenay — Lac-Saint-Jean	300 825
Québec	1 032 077
Trois-Rivières	441 408
Estrie	239 136
Montréal	3 631 440
Outaouais	273 683
Abitibi-Témiscamingue	153 083
Côte-Nord	115 163
Nouveau-Québec	12 842
Québec	**6 4__ ___**

Source: Bureau de la statistique du Québec, d'après le recensement du Canada de 1981.

Lis ces populations à un ou à une camarade.

a) • Quelle est la région la moins peuplée? Indique sa population.

• Quelle est la région la plus peuplée? Indique sa population.

b) Quelles régions comptent:
- plus de 500 000 habitants?
- moins de 100 000 habitants?
- entre 200 000 et 500 000 habitants?

Si l'on plaçait les régions selon l'ordre décroissant de leur population, quel rang occuperait ta région?

Trouve un moyen pour justifier ta réponse.

Arrondis la population de chacune des 10 régions administratives à la dizaine de mille près.

5 Le Bureau de la statistique du Québec a calculé la population totale du Québec. Malheureusement, une partie de la réponse inscrite au bas du tableau a été effacée. Pour t'aider à la compléter, on te dit que les chiffres manquants valent:

- $(3 \times 10) \times (10 \times 10 \times 10)$
- 6×10
- $3 \times (10 \times 10 \times 10)$
- $6 \times (10 \times 10)$
- 8

Quel est le nombre total d'habitants du Québec?

6 Pour comparer les populations des régions du Québec, on a construit le tableau suivant. Cependant, on a omis d'y inscrire 3 populations: 239 136, 234 011 et 273 683. Dans quelles cases faut-il les inscrire?

← signifie: «. . . population plus grande que. . .»

Après avoir inscrit les nombres, vérifie si les X sont dans les bonnes cases.

←		441 408	12 842	1 032 077	
153 083	X	X		X	X
3 631 440					
	X	X		X	
300 825		X		X	
115 163	X	X		X	X

7 Voici une carte qui présente les populations des régions du Québec, en 1980.

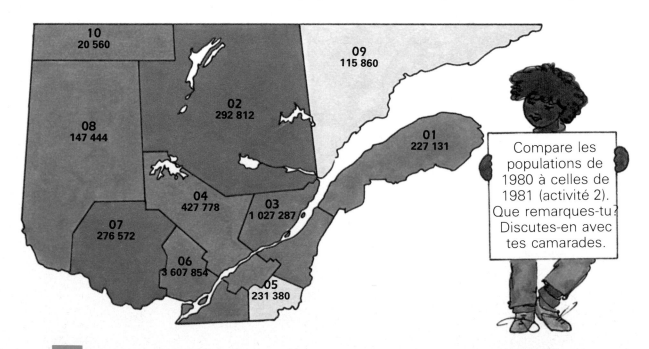

10 — 20 560
09 — 115 860
02 — 292 812
08 — 147 444
01 — 227 131
04 — 427 778
03 — 1 027 287
07 — 276 572
06 — 3 607 854
05 — 231 380

Compare les populations de 1980 à celles de 1981 (activité 2). Que remarques-tu? Discutes-en avec tes camarades.

a) Arrondis, à l'unité de mille près, les populations de 1980 et de 1981. Reproduis le tableau suivant et notes-y tes résultats.

Régions	Populations arrondies à l'unité de mille près • 1980	Populations arrondies à l'unité de mille près • 1981	• différence
01 • Bas-Saint-Laurent – Gaspésie	227 000	234 000	⊕ 7000
02 • Saguenay – Lac-Saint-Jean			
03 • Québec			
04 • Trois-Rivières			
05 • Estrie			
06 • Montréal			
07 • Outaouais			
08 • Abitibi-Témiscamingue			
09 • Côte-Nord	116 000	115 000	⊖ 1000
10 • Nouveau-Québec			

Ajoute un ⊕ si la population a augmenté et un ⊖ si elle a diminué.

b) Calcule, pour chaque région, la différence entre la population arrondie de 1981 et celle de 1980.

8 Voici une partie d'un tableau des populations établi en 1976. D'après toi, que signifient les lettres H, F, T précédant les quantités inscrites? Certaines données ont été effacées. Trouve-les.

Pour chaque terme manquant:
- identifie l'information demandée;
- écris les opérations nécessaires pour trouver l'information;
- effectue ces opérations;
- vérifie ton calcul.

Tableau 16

Population selon la langue maternelle et le sexe, par région administrative, Québec, 1976

Région administrative		Français	Anglais	Autres	Non déclarées	Total
Abitibi-Témiscamingue	H	66 260	●	1328	726	72 061
	F	62 815	3428	1123	765	68 131
	T	●	7185	2461	1492	●
Côte-Nord	H	51 210	4110	●	1140	●
	F	●	3690	2300	1045	55 015
	T	99 185	●	4765	2185	113 940
Nouveau-Québec	H	1 495	540	3920	220	6 175
	F	1 240	500	●	225	●
	T	2 735	1040	7745	445	11 965

Le père de Carole, Jean-Yves, est camionneur. Il a déjà eu l'occasion de se rendre dans les diverses régions administratives du Québec. En parlant avec son père, Carole a appris le nom de plusieurs villes importantes du Québec. Et toi, en connais-tu?

Sur cette carte, les gros points noirs désignent les villes.

Pour t'aider à situer les villes importantes du Québec, tu peux utiliser une carte ou un atlas. Discutes-en avec tes camarades.

1 Les noms des villes les plus importantes du Québec sont:

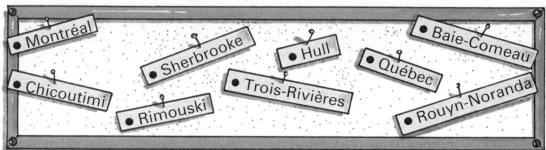

a) Situe ces villes sur la carte qui se trouve dans ton cahier d'activités.

b) Écris le nom de ces villes et le nom de la région administrative correspondante.

2 Carole veut connaître la distance séparant chacune des villes les plus importantes du Québec. Elle consulte alors une table des distances.

Table des distances en kilomètres

	Rouyn-Noranda	Hull	Montréal	Sherbrooke	Trois-Rivières	Québec	Chicoutimi	Rimouski
Baie-Comeau	1316	880	687	661	577	422	316	148*
Rouyn-Noranda		535	638	782	748	882	831	1167
Hull			207	346	331	459	662	746
Montréal				147	142	267	464	552
Sherbrooke					158	241	451	527
Trois-Rivières						135	367	442
Québec							212	372
Chicoutimi								285*

* Par traversier

a)
- Que veut dire kilo?
- Que veut dire mètre?
- Que veut dire kilomètre?

Quel est le symbole de kilomètre?

b) Indique un trajet que tu connais qui représente une distance approximative d'un kilomètre.

Tu trouveras tous les renseignements nécessaires dans la table de l'activité 2.

Pour chacun des problèmes suivants, tu devras:
- écrire la ou les opérations à faire;
- effectuer les opérations;
- vérifier ton résultat.

3 Jean-Yves vient de faire un aller-retour entre Chicoutimi et Montréal. Quelle distance a-t-il parcouru?

4 Demain, Jean-Yves entreprendra un grand voyage. Il partira de Chicoutimi pour aller à Rouyn. Il se rendra ensuite à Montréal en passant par Hull. Quelle distance parcourra-t-il au cours de ce voyage?

5 La tante de Carole conduit un autobus. Elle doit transporter l'équipe de hockey de Sherbrooke au tournoi Pee Wee de Québec. Quelle distance aura-t-elle parcourue lorsqu'elle aura ramené les joueurs chez eux?

6 Josette et Albert, qui vivent à Baie-Comeau, sont invités au mariage de leur oncle qui habite Montréal. Pour s'y rendre, Josette propose le trajet Baie-Comeau, Québec, Montréal. Albert, lui, propose Baie-Comeau, Rimouski, Montréal. Lequel des deux trajets est le plus long? de combien de kilomètres?

7 Deux camarades de Carole vivent l'un à Hull, l'autre à Sherbrooke. Les deux l'ont invitée pour une visite de quelques jours. Disposant de peu de temps, Carole, qui demeure à Chicoutimi, décide d'aller chez celui qui demeure le plus près. Où ira-t-elle?

a) Quelle distance sépare Chicoutimi de Hull?

b) Quelle distance sépare Chicoutimi de Sherbrooke?

c) Quelle distance aura-t-elle ainsi en moins à parcourir?

8 James décide de participer à un concours organisé par sa revue préférée. Il s'agit d'exprimer les distances entre diverses villes du Québec en utilisant des procédés différents. Voici ce qu'il a envoyé.

Distance en kilomètres	Roberval	Québec	Mont-Laurier	Drummondville	Amos
La Malbaie	$200 + 60 + 8$	$(14 \times 10) + 9 \times 1$	$6 \times (10 \times 10) + 3 \times (1 \times 10)$	$3 \times 10^2 + 1$	$90 \times 10 + 9 \times 10 + 1 \times 1$
Gaspé	$7 \times 100 + 5 \times 10 + 7 \times 1$	$6 \times 100 + 4 \times 20 + 13$	$1 \times 10^3 + 1 \times 10^2 + 4 \times 10 + 8$	$(8 \times 100) + (1 \times 10) + 9$	$15 \times 100 + 1 \times 10 + 1 \times 1$
Rivière-du-Loup	$(2 \times 100) + (6 \times 10) + (13)$	$(2 \times 50) + (2 \times 3)$	$6 \times 10^2 + 6 \times 10 + 2 \times 1$	$33 \times 10 + 8 \times 1$	$(10 \times 10 \times 10) + (2 \times 10) + 3$
Sorel	$(3 \times 10^2) + (9 \times 10) + (5)$	$2 \times (10 \times 10) + 8$	$3 \times (10 \times 10) + 1 \times 10 + 6 \times 1$	$6 \times 10 + 4 \times 1$	$6 \times 10^2 + 6 \times 10 + 10 + 7$

a) Que signifie (10^2), (10^3), (10^4)?

b) Reproduis et complète le tableau suivant à partir de celui que James a envoyé au concours.

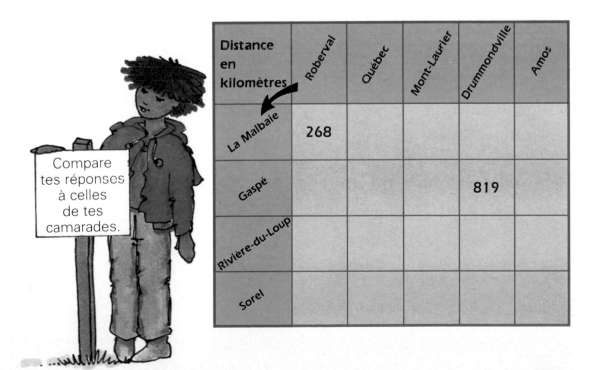

Compare tes réponses à celles de tes camarades.

Distance en kilomètres	Roberval	Québec	Mont-Laurier	Drummondville	Amos
La Malbaie	268				
Gaspé				819	
Rivière-du-Loup					
Sorel					

Carla a plusieurs correspondants à travers le Québec. Ils lui envoient souvent des cartes postales qu'elle épingle autour d'une grande carte où de gros points rouges marquent les villes où ils habitent.

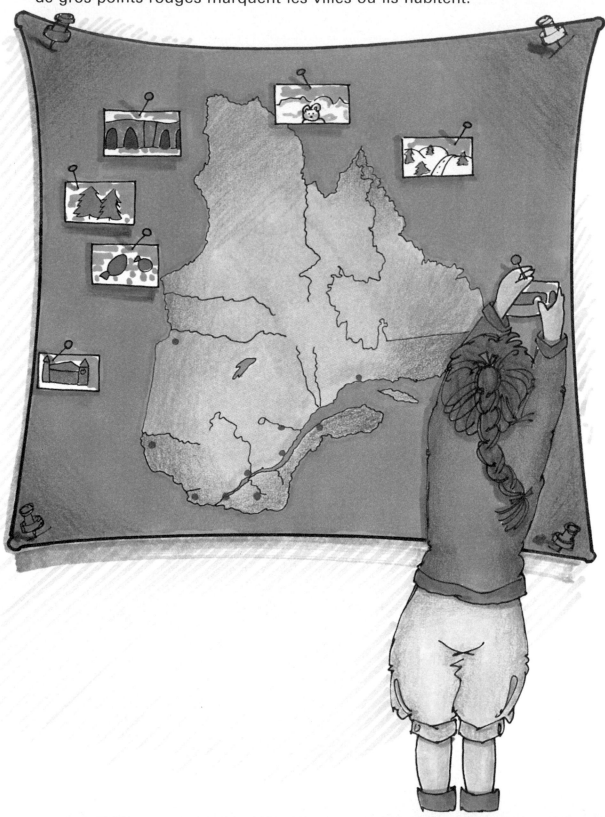

Pour représenter une quantité de façon frappante, on utilise souvent des petits dessins que l'on nomme **pictogrammes**. On s'en sert généralement pour illustrer des quantités arrondies.

● Observe le tableau ci-dessous et dis-nous ce que tu comprends.

	Distance réelle de Sept-Îles à..., en km	Pictogrammes représentant la distance arrondie entre Sept-Îles et...
Gaspé	573	✳ ✳ ✳ ✳ ✳ ✳
Lac Mégantic	831	
La Tuque	759	
Mont-Laurier	1129	
Rivière-du-Loup	492	
Roberval	641	
Sorel	855	
Amos	1490	✳ ✳ ✳ ✳ ✳ ✳ ✳ ✳ ✳ ✳ ✳ ✳ ✳ ✳ ✳

Dis-nous ce que représente une ✳.
Raconte à tes camarades comment tu as trouvé cette valeur.
Et eux, qu'en pensent-ils?
Discutez-en entre vous.

● Complète le tableau.
Compare tes réponses à celles de tes camarades.

2

Sofia, une amie de Carole, s'intéresse beaucoup aux statistiques.
Elle demeure à Gatineau et voici les trois informations différentes qu'elle a recueillies sur la population de sa ville en 1981.

Ces informations te semblent-elles différentes? Explique-nous en quoi elles le sont ou ne le sont pas.

73 600		74 000		🚶 🚶 🚶 🚶 🚶 🚶 🚶

Reproduis le tableau suivant et complète-le en arrondissant de la façon indiquée.

Villes	À la centaine près	À l'unité de mille près	À la dizaine de mille près
Charlesbourg	67 800		
Verdun	60 600		
Granby	37 100		
Cap-de-la-Madeleine	32 400		
Trois-Rivières	49 700		
Saint-Hyacinthe	55 300		

a) Nomme une ou des circonstances où il est extrêmement important de connaître la population de façon exacte.

b) Nomme une ou des circonstances où une approximation à la centaine, à l'unité de mille ou à la dizaine de mille près suffit.

3

Véronique a reçu un atlas pour son anniversaire. En observant la carte de sa province, elle est frappée par la disposition des couleurs. Chaque région administrative se distingue très clairement de ses voisines.

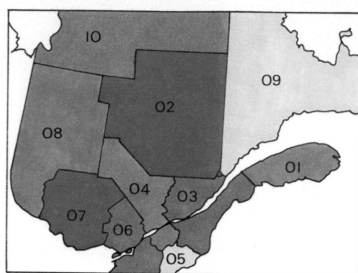

a) De quelle couleur est la région 02?
Nomme les couleurs des régions qui l'entourent.

b) De quelle couleur est la région 04?
Nomme les couleurs des régions qui l'entourent.

c) Que remarques-tu?
Peux-tu faire la même constatation pour la région 03? pour la région 07?

d) Sur la carte, combien de couleurs a-t-on utilisées pour que deux régions administratives voisines soient de couleurs différentes?

4

Aurait-il été possible de colorier la carte ci-dessous sans que deux régions administratives voisines aient la même couleur:

 a) avec 4 couleurs différentes?
b) avec 3 couleurs différentes?

Tu trouveras cette carte dans ton cahier d'activités. Attention! Ne colorie pas trop vite. Écris d'abord les noms des couleurs.

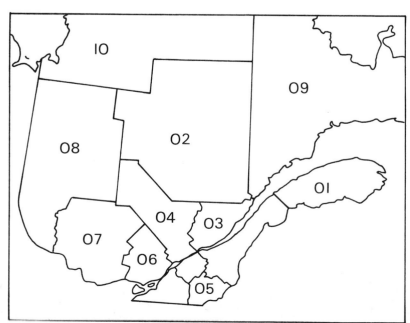

Par souci d'économie, on cherche souvent à imprimer les cartes avec le moins de couleurs possible.
Tu trouveras les cartes suivantes dans ton cahier d'activités. Colorie-les. Deux régions voisines doivent être de couleur différente.

a)
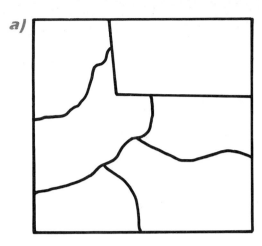

b)
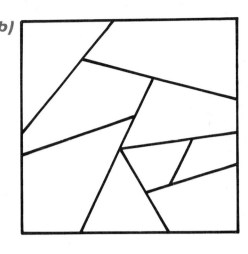

Utilise le moins de couleurs possible.

c)
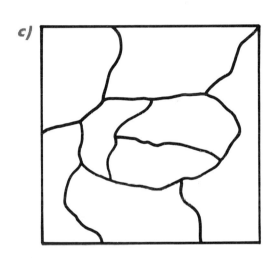

d)
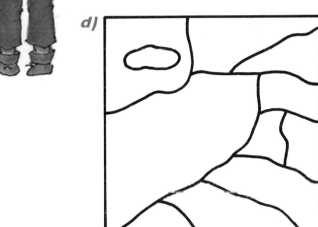

6

Dessine des cartes imaginaires que tu pourrais colorier avec seulement:

a) 2 couleurs

b) 3 couleurs

c) 4 couleurs

N'oublie pas: 2 régions voisines doivent être de couleur différente.

Réalise une des activités suivantes. Tu peux travailler seul(e) ou avec des camarades.

A Fais les recherches nécessaires pour établir une fiche signalétique de ta ville ou de ton village.
Tu pourras l'offrir à un parent, à un ou à une camarade ou à un correspondant d'une autre région que la tienne.

Fiche signalétique de ma ville

Nom:

Région administrative: (Dessine ta région administrative et désigne ta ville par un gros point.)

Population approximative: (Choisis un pictogramme. Donne sa valeur. Utilise-le pour indiquer la population.)

Située à . . . km de . . . : (Cherche la distance entre ta ville et la capitale provinciale.)

Choisis 2 localités voisines. Dessine le diagramme sagittal de la relation: «. . . compte moins d'habitants que. . .»

Ta ville
population. . .

Localité 1
population. . .

Localité 2
population. . .

Présente ta fiche à tes camarades. Lis-leur ce que tu as écrit.

Raconte à tes camarades où tu as puisé tes renseignements.

B Planifie un voyage familial.

Tu dois respecter les contraintes suivantes:
- Tu ne dois pas parcourir plus de 600 km par jour.
- Tu disposes de 6 jours pour aller et revenir.

a) Décris-nous ton itinéraire quotidien. Illustre-le si tu veux.

Précise:
- le point de départ;
- le point d'arrivée;
- la distance parcourue.

b) Présente ta planification à tes camarades. Raconte-leur comment tu as procédé et les difficultés que tu as rencontrées.

JE FAIS LE POINT

 1 Lis les nombres suivants:

a) 1000 **b)** 2004 **c)** 7070

d) 2300 **e)** 2670 **f)** 34 789

g) 20 004 **h)** 70 040 **i)** 47 600

 2 Indique, en relation avec l'unité, la valeur du chiffre souligné.

a) 3<u>6</u>24 **b)** 49<u>7</u>3

c) 12 0<u>2</u>5 **d)** <u>6</u>5 692

3 Indique, en relation avec l'unité, la valeur des chiffres soulignés.

a) 12 <u>4</u>51 **b)** <u>5</u>960

c) <u>3</u>4 <u>6</u>95 **d)** <u>6</u>3 0<u>8</u>1

 4 Décompose les nombres suivants:

EXEMPLE:
8999 = 8000 + 900 + 90 + 9

a) 5035 **b)** 20 407

 5 Indique, en relation avec les dizaines, la valeur du ou des chiffres soulignés.

a) 49<u>8</u>3 **b)** 9<u>6</u>53

c) 43 <u>9</u>48 **d)** <u>8</u>1 734

6 Indique, en relation avec les centaines, la valeur du ou des chiffres soulignés.

a) 6<u>2</u>25 **b)** 8<u>5</u>42

c) 6<u>2</u> 225 **d)** 2 <u>4</u>95

7 Trois camarades te présentent leur façon de décomposer un nombre. Reproduis, puis complète ce tableau.

	Dominique	Hélène	Christine
23 456	20 000 + 3000 + 400 + 50 + 6	$(2 \times (10 \times 10 \times 10 \times 10))$ $+ (3 \times (10 \times 10 \times 10))$ $+ (4 \times (10 \times 10))$ $+ (5 \times (10))$ $+ (6 \times 1)$	2×10^4 $+ 3 \times 10^3$ $+ 4 \times 10^2$ $+ 5 \times 10$ $+ 6 \times 1$
7 650			
30 269			

8 Recompose les nombres suivants:

a) 3000 + 500 + 70 + 9

b) $(3 \times 10^4) + (1 \times 10^3) + (2 \times 10^2) + (5 \times 10) + 6$

c) $(7 \times (10 \times 10)) + (9 \times 1)$

d) $((4 \times 10) \times (10 \times 10 \times 10)) + (5 \times (10 \times 10 \times 10)) + ((8 \times 10)) + 3$

9 Arrondis les nombres suivants à la dizaine près.

a) 458   *b)* 1012   *c)* 13 644

10 Arrondis les nombres suivants à la centaine près.

a) 172   *b)* 3261   *c)* 15 418

11 Arrondis les nombres suivants à l'unité de mille près.

a) 5702   *b)* 15 089   *c)* 9099

12 Reproduis, puis complète cet arbre de décomposition.

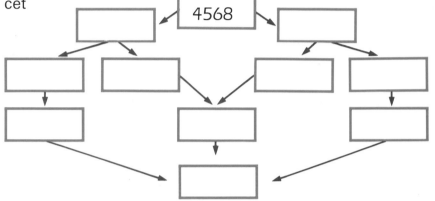

13 Masako a inventé un code pour faire compléter des nombres à ses camarades.

- ☐ représente une unité.
- ⊠ représente un groupe de 10 unités. Donc ⊠ = 10 ☐.
- ⊞ représente un groupe de 100 unités. Donc ⊞ = 10 ⊠.
- ◯ représente un groupe de 1000 unités. Donc ◯ = 10 ⊞.
- ⊗ représente un groupe de 10 000 unités. Donc ⊗ = 10 ◯.

Complète les nombres que Masako propose à ses camarades en utilisant les indices qu'elle te donne.

Nombre	Indices donnés par Masako
8_7	⊠ ⊠ ⊠
__7_2	⊗ ⊗ ⊗
9__	⊠ ⊠ ☐ ☐ ☐ ☐ ☐
_____	◯ ☐ ☐ ☐ ☐
5_4	⊗ ⊗ ⊗ ⊠ ⊠ ⊠ ⊠ ⊠

Au besoin, tu peux utiliser un ou des zéros.

J'ai ⊠ ans.

14 Reproduis le tableau suivant. Complète-le en écrivant vrai ou faux dans la case appropriée.

Avant de commencer, observe bien chacun des nombres.

Nombre	. . . est plus petit que 1100	. . . est plus grand que 9090	. . . est compris entre 7008 et 7180	. . . a une dizaine de plus que 7080	. . . est plus grand que 7006 et plus petit que 7600
7180					
9909					
1001					
7600					

15 Dimitri sait que sa commission scolaire compte 1382 élèves. Combien de ⚊ devra-t-il dessiner pour représenter cette population si ⚊ = 100 élèves?

16 Après une semaine en mer, une flottille de quatre bateaux rapporte la pêche suivante:

🐟	1er 🚣	2e 🚣	3e 🚣	4e 🚣	Total
Morues	1178		469	1229	
Harengs	1712	1232		1262	
Total		2440	594		

Reproduis, puis complète le tableau ci-dessus.

17 Quelle(s) opération(s) dois-tu effectuer pour résoudre les problèmes suivants?

Pour chaque opération tu devras:
• préciser l'information que tu recherches;
• écrire l'opération correspondante;
• effectuer le calcul.

a) Un collectionneur possède 1656 timbres dont 189 sont canadiens. Combien de timbres étrangers possède-t-il?

b) Claudie a écrit un texte de 204 mots. Celui de Ludovic contient 28 mots de moins. Combien de mots, au total, ces deux textes contiennent-ils?

c) Une érablière compte 3324 érables. Au cours d'une année, 18 arbres sont morts. Pour les remplacer, la propriétaire en plante 22 autres. Combien d'arbres compte maintenant cette érablière?

d) Un centre de loisirs organise une sortie de ski. Pour transporter les participants, il loue 5 autobus. 35 personnes seront placées dans chacun d'eux. Combien de personnes participent à cette sortie?

e) Pascaline a lu trois livres: un documentaire de 32 pages, un conte de 28 pages et une bande dessinée. Combien de pages contient cette bande dessinée si Pascaline a lu au total 82 pages?

f) Sandra s'est inscrite à une équipe de base-ball. Son inscription lui coûte 25 $. Elle doit aussi acheter un gant de 14 $, une balle de 9 $ et un bâton de 7 $. Combien lui coûte sa participation à ce sport?

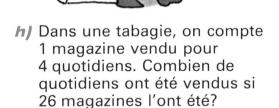

g) Mildred participe à des compétitions de patinage. Elle possède 3 gilets et 2 jupes de couleurs différentes. Combien d'ensembles différents peut-elle ainsi porter?

h) Dans une tabagie, on compte 1 magazine vendu pour 4 quotidiens. Combien de quotidiens ont été vendus si 26 magazines l'ont été?

18 Effectue les opérations suivantes:

a)
```
   78 139        52 048
 + 39 187      + 48 603
```

b)
```
   3473          6376
 - 1229        - 2712
```

c)
```
   53      40       72       732
 ×  7    × 25     × 20     ×   7
```

19 Effectue les opérations suivantes:

a) (158 + 221) − (73 + 123)

b) (163 + 225) − (84 + 102) + (176 − 64)

c) (121 + 255) − (142 + 101) + (22 + 176) − 51

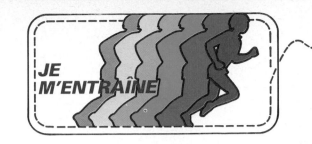

JE M'ENTRAÎNE

1 Lis à un ou à une camarade les nombres suivants:

6 009   7 080   7 940

        20 004   60 200   34 702

                5 040   2 670   60 009

2 Indique, en relation avec l'unité, la valeur du chiffre ou du groupe de chiffres soulignés.

a) 63<u>24</u>   b) 947<u>3</u>   c) <u>52</u> 103
d) 7<u>1</u> 102   e) 92 <u>65</u>4   f) <u>6</u>596
g) 803<u>2</u>   h) 4<u>9</u>83   i) <u>12</u> 435
j) 5<u>9</u> 817   k) <u>43</u>19   l) <u>1</u>67

3 Indique, en relation avec les dizaines, la valeur du chiffre ou du groupe de chiffres soulignés.

a) 48<u>9</u>3   b) <u>3</u>74   c) <u>1</u>291
d) 4<u>81</u>6   e) 84<u>5</u>2   f) 9<u>20</u>
g) 20 <u>20</u>1   h) 2<u>58</u>4   i) <u>71</u> 699
j) 8542   k) 209   l) <u>69</u>6

4 Indique, en relation avec les centaines, la valeur du chiffre ou du groupe de chiffres soulignés.

a) <u>4</u>06   b) 9<u>1</u>89   c) 3<u>2</u>48
d) 2<u>9</u>54   e) <u>1</u>993   f) 21 <u>7</u>61
g) 52 <u>3</u>40   h) <u>45</u> 320   i) 44 <u>3</u>94

5 Voici 4 façons de décomposer un nombre:

1re façon: 23 486 = 20 000 + 3000 + 400 + 80 + 6
2e façon: 34 751 = (3 × 10 000) + (4 × 1000) + (7 × 100) + (5 × 10) + 1
3e façon: 45 623 = (4 × (10 × 10 × 10 × 10)) + (5 × (10 × 10 × 10)) +
(6 × (10 × 10)) + (2 × (10)) + 3
4e façon: 50 860 = (5 × 10^4) + (8 × 10^2) + (6 × 10^1)

Décompose les nombres suivants en changeant de façon à chaque fois.

a) 31 648   b) 15 743
c) 68 050   d) 9121

6 Place les nombres suivants dans l'arbre de décomposition.

345, 90, 40, 70, 160, 150, 140, 200, 30, 35, 3, 2, 5, 110

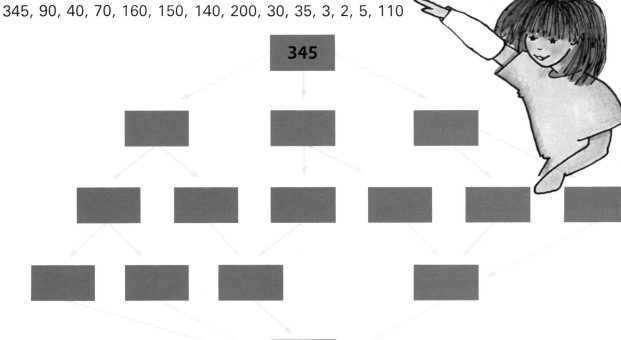

7 Arrondis les nombres suivants à la dizaine près.

a) 460   b) 346
c) 1377   d) 2966
e) 5853   f) 35 245

8 Arrondis les nombres suivants à la centaine près.

a) 604   b) 409
c) 5174   d) 8416
e) 71 609   f) 58 380

9 Arrondis les nombres suivants à l'unité de mille près.

a) 1438   b) 7601   c) 13 617   d) 26 209
e) 8340   f) 1706   g) 18 504   h) 64 771

10 Voici le code inventé par Antonio.

○ = une unité
□ = 10 ○ = 10 unités
△ = 10 □ = 10 × 10 unités = 100 unités
□ = 10 △ = 10 × 100 unités = 1000 unités
✳ = 10 □ = 10 × 1000 unités = 10 000 unités

Écris en chiffres les nombres illustrés à l'aide de ce code.

a) △ □ ○ ○ ✳ □ △ ○

b) □ △ △ □ △ □

c) ○ △ □ ○ ○ △ △ □

d) △ △ △ △ ✳ △

e) □ □ □

11 Reproduis les diagrammes suivants. Trace les flèches de la relation indiquée.

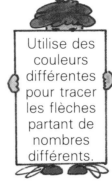

Utilise des couleurs différentes pour tracer les flèches partant de nombres différents.

a) «... est plus grand que...»

12 403   3642
16 540   1986

b) «... est plus petit que...»

14 361   4602
46 304
46 903

12 Voici un ensemble de nombres.

16 901   9036   17 300   12 428   42 380

a) Quel est le plus grand de ces nombres?
b) Quel est le plus petit de ces nombres?
c) Écris tous les nombres compris entre 12 428 et 42 380.
d) Écris le nombre qui vaut 2 dizaines de plus que 17 280.

13 Mon livre contient 84 pages. Lundi, j'en ai lu 21 pages, mardi j'en ai lu 16. Combien de pages me reste-t-il à lire?

14 Un train démarre avec 98 passagers à bord. À la première station, 39 passagers en descendent et 28 nouveaux passagers y prennent place. Combien de passagers sont maintenant dans ce train?

15 Ma soeur a 8 ans. Ma mère est 5 fois plus âgée qu'elle. Quel est l'âge de ma mère?

16 Laura doit livrer 54 journaux par semaine. Combien de journaux aura-t-elle livrés après 5 semaines?

17 Françoise et Antoine possèdent, au total, 57 billes. Combien Antoine en possède-t-il si Françoise en a 28?

18 En totalisant les points qu'ils ont obtenus à leurs examens, Karine et André en comptent 950. Karine en a obtenu 478. Combien en a obtenu André?

19 Choisis un pictogramme pour représenter 10 jours de classe. Une année scolaire compte 180 jours de classe. Représente ces 180 jours de classe à l'aide de ce pictogramme.

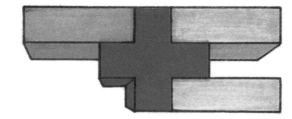

20 Effectue les additions suivantes:

a) 245
  + 326

b) 634
  + 463

c) 376
  + 737

d) 12 424
  + 42 124

e) 42 324
  + 32 442

21 Effectue les soustractions suivantes:

a) 879
  − 295

b) 28 418
  − 12 789

c) 7262
  − 729

22 Effectue les multiplications suivantes:

a) 6 × 3

b) 7 × 3

c) 7 × 7

d) 9 × 4

e) 6 × 4

f) 85
  × 34

g) 75
  × 42

h) 111
  × 4

i) 125
  × 3

j) 428
  × 2

23 Effectue les calculs suivants:

a) (97 − 69) + (86 + 18)
b) (142 + 284) − (186 + 117)
c) 568 − 382 + 207 − 172 + 365
d) (312 − 181) + 293 − 173 + 188
e) 548 − 382 − 84 + (232 − 118)

 1 Reproduis le tableau suivant.
Pour chaque nombre de la colonne A, trouve un nombre de la colonne B qui a la même valeur. Relie-les par un trait.

A

324 ○
300 + 5000 + 2 ○
$(3 \times 10^2) + (4 \times 10)$ ○
$(6 \times 10^3) + 4 + (3 \times 10)$ ○
1546 ○
$(3 \times 100) + 4 + (5 \times 10)$ ○
540 + 57 + 100 ○
$(13 \times 10) + 8$ ○
$(23 \times 10^2) + 5$ ○
8743 ○

B

○ $(5 \times 10^2) + (1 \times 10^3) + 6 + (4 \times 10)$
○ $(3 \times 10^2) + (5 \times 10) + 4$
○ $(2 \times 10^3) + (3 \times 10^2) + 5$
○ $4 + (32 \times 10)$
○ $(5 \times 1000) + 302$
○ $(7 \times 10^2) + (4 \times 10) + (8 \times 10^3) + 3$
○ 340
○ $(6 \times 10^2) \times (9 \times 10) + 7$
○ $(3 \times 10) + 6004$
○ $(1 \times 10^2) + (3 \times 10) + 8$

Explique à un ou à une camarade l'exemple qui t'est donné.

2 Le tableau ci-dessous représente le nombre de spectateurs à des compétitions sportives. Reproduis-le et complète-le.
Trouve deux façons différentes de calculer le terme manquant.

Dans chaque cas:
• identifie le terme manquant;
• écris les opérations correspondant à ta démarche;
• effectue ces opérations.

Jours	Nombre d'adultes	Nombre d'enfants	Nombre total de spectateurs
Vendredi		520	2861
Samedi	1508	875	
Dimanche	1095		1576
Total	4944	1876	

3

Par l'entremise de son député, une étudiante propose au gouvernement du Québec un projet visant l'exploitation des lacs et des rivières.
Elle propose de mettre sur pied une école de canotage, de planche à voile, de natation et de sécurité aquatique pour chaque groupe de 100 000 habitants. Suppose que le gouvernement décide de donner suite à ce projet. Combien d'écoles pourraient alors être mises sur pied dans chaque région?

Régions administratives	Populations 1981
Bas-Saint-Laurent — Gaspésie	234 011
Saguenay — Lac-Saint-Jean	300 825
Québec	1 032 077
Trois-Rivières	441 408
Estrie	239 136
Montréal	3 631 440
Outaouais	273 683
Abitibi-Témiscamingue	153 083
Côte-Nord	115 163
Nouveau-Québec	12 842
Québec	**6 433 668**

Source: Bureau de la statistique du Québec,
d'après le recensement du Canada de 1981.

Arrondis les populations à la centaine de mille près.

4

Cherche un tableau de statistiques dans des journaux ou des revues. Découpe-le et colle-le dans ton cahier.
À partir de ce tableau, invente des situations où il faut:

a) additionner pour résoudre le problème;

b) soustraire pour résoudre le problème;

c) multiplier pour résoudre le problème;

d) additionner à deux reprises pour résoudre le problème;

e) additionner et soustraire pour résoudre le problème.

5

Colorie les régions en utilisant le moins de couleurs possible.

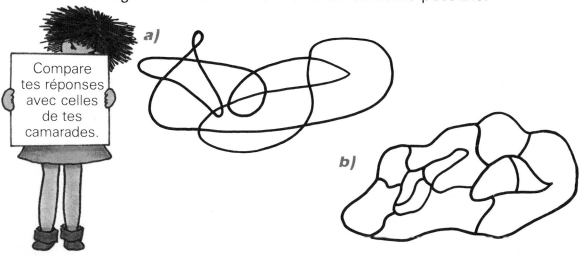

Compare tes réponses avec celles de tes camarades.

a)

b)

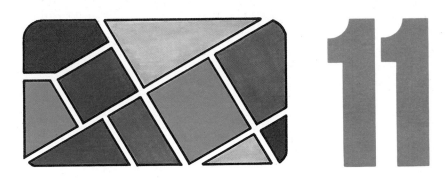

UN CASSE-TÊTE

11

GÉOMÉTRIE
FIGURES
PLANES:
DESCRIPTION,
PROPRIÉTÉS,
CLASSIFICATION

LIGNES

ANGLES

MESURE
LONGUEURS

Bonjour!

Connaissant ton intérêt pour les casse-tête, nous faisons appel à toi. Nous aimerions en fabriquer un tout nouveau et te demandons de nous soumettre des projets.

Il te faut respecter les consignes suivantes:

1° La forme initiale de ton casse-tête doit être rectangulaire. Les dimensions sont de 18 cm sur 21 cm.

2° À partir de la forme initiale, construis **6 pièces différentes**. Tes pièces ne doivent pas avoir plus de 7 côtés et tous les côtés doivent être droits.

3° En réunissant toutes tes pièces, tu dois pouvoir reconstruire le rectangle initial.

Nous aimerions aussi que tu nous fasses parvenir différents motifs qui peuvent être construits avec les pièces de ton casse-tête. Utilise 3, 4, 5 ou même les 6 pièces de ton casse-tête. Assemble-les pour former un motif. Trace sur une feuille le contour de ton motif.

Avec l'aide de votre enseignant ou de votre enseignante, choisissez, tes camarades et toi, les deux casse-tête que vous trouvez les plus intéressants. Faites parvenir ces casse-tête et les motifs (pas plus de 5) qui les accompagnent à l'adresse suivante:

ESPACE 4, CASSE-TÊTE
ÉDITIONS DU RENOUVEAU PÉDAGOGIQUE
8925, boul. Saint-Laurent
Montréal (Québec)
H2N 1M5

Merci à l'avance!

1 Travaille avec des camarades.
Relis attentivement les
consignes pour la fabrication du
casse-tête.
Fais des essais sur une feuille
de papier.
Choisis le modèle que tu
préfères.

2 Construis ton casse-tête sur du
carton mince.

Quelle est la forme
du casse-tête?
Quelles sont les
dimensions?
Combien de pièces
a-t-il?

3 Cherche des motifs que tu peux
construire avec 3, 4, 5 ou
6 pièces de ton casse-tête.
Choisis ceux que tu préfères.
Dessines-en le contour sur du
carton mince.

Ne construis
pas plus de
5 motifs.

4 Tous les élèves de la classe déterminent les critères de sélection. Avec l'aide
de votre enseignant ou de votre enseignante, choisissez deux casse-tête.
Faites-les parvenir, avec les motifs qui les accompagnent, à l'adresse
mentionnée dans la lettre.

Imagine que toutes les pièces de ton casse-tête se soient mélangées à celles d'une autre équipe! Comment t'y prendrais-tu pour retrouver tes pièces?

1

a) Travaille avec les camarades de ton équipe. Identifie chacune des pièces de ton casse-tête en les marquant d'une lettre: A, B, C, D, E et F.

b) Observe bien tes pièces. Notes-en les caractéristiques.

2

Présente ton casse-tête à tous les élèves de la classe. Décris chaque pièce.

Avec votre enseignant ou votre enseignante, déterminez les termes que vous utilisez pour décrire les pièces des casse-tête.

3

a) Prends une feuille de papier pour chacun des termes que vous avez décidé d'utiliser. Inscris ce terme au haut de la feuille.

b) Classe les pièces de ton casse-tête. Sur la feuille de papier, trace le contour de la pièce. Trace ensuite en rouge la caractéristique que tu as identifiée.

Une même pièce peut être classée sur plusieurs feuilles.

4 ▷ Complète la grille suivante pour chacune des pièces de ton casse-tête.

DESCRIPTION DES PIÈCES DU CASSE-TÊTE								
PROPRIÉTÉS			**FIGURES**					
1. LES CÔTÉS		**A**	**B**	**C**	**D**	**E**	**F**	
• Nombre de côtés								
• Longueur des côtés en centimètres	1er côté							
	2e côté							
	3e côté							
	4e côté							
	5e côté							
	6e côté							
	7e côté							
• Nombre de paires de droites parallèles								
• Nombre de côtés congrus (qui ont la même longueur)								
• Nombre de paires de droites perpendiculaires								
2. LES ANGLES • Nombre d'angles congrus (qui coïncident parfaitement quand on les superpose)								
• Nombre d'angles droits								
• Nombre d'angles aigus (plus petits qu'un angle droit)								
• Nombre d'angles obtus (plus grands qu'un angle droit)								

Tu trouveras cette grille dans ton cahier d'activités.

5 ▷
Prépare une copie de ton casse-tête **sans** les lettres. Donne cette copie et la grille que tu viens de compléter à une autre équipe. Elle doit écrire la lettre qui convient sur chaque pièce de ton casse-tête.
Vérifie ensuite si tes pièces ont été correctement identifiées. Discutes-en avec tes camarades.

Dans une autre classe de 4e année, les élèves de trois équipes ont aussi fabriqué des casse-tête. Ils te remettent ces casse-tête pour que tu essaies de les construire. Par mégarde, les pièces de ces trois casse-tête ont été mêlées. De plus, quatre autres pièces ont été ajoutées par erreur! Heureusement, les élèves de ces trois équipes avaient noté les caractéristiques de leurs pièces et dessiné le contour de quelques motifs.

Dans cette classe, les consignes données pour la fabrication du casse-tête n'étaient pas les mêmes que dans la tienne. Lis attentivement!

Voici des indices qui te permettront de démêler les pièces des trois casse-tête. Les pièces de ces casse-tête sont reproduites dans ton cahier d'activités.

1 ▷

L'équipe de Jacinthe te donne les indices suivants. Trouve les pièces de leur casse-tête.

Identifie ainsi chaque pièce que tu as repérée: **Jacinthe pièce 1**, etc.

 41-44 ▷ *a*

Il y a 3 pièces en tout.

La 1re pièce a les caractéristiques suivantes:
- elle a 4 côtés;
- elle a 2 paires de droites perpendiculaires;
- elle n'a pas de côtés congrus;
- elle a 1 angle aigu.

La 2e pièce a les caractéristiques suivantes:
- elle a 3 côtés;
- elle a 1 angle droit;
- un de ses côtés mesure 9 cm.

La 3e pièce a les caractéristiques suivantes:
- elle a 3 côtés;
- elle a 2 angles aigus;
- un de ses côtés mesure 5 cm.

Avec ces 3 pièces, on peut construire:
- une figure à 3 côtés;
- une figure à 4 côtés.

Dessine le contour des figures.

204

2 L'équipe de Samuel te donne les indices suivants.
Trouve les pièces de leur casse-tête.

 Il y a 5 pièces en tout.

La 1ʳᵉ pièce a les caractéristiques suivantes:
- elle a 4 côtés;
- elle a 2 paires de droites parallèles;
- elle a 4 angles congrus.

Identifie ainsi chaque pièce que tu as repérée: **Samuel pièce 1**, etc.

Les 2ᵉ, 3ᵉ, 4ᵉ et 5ᵉ pièces ont les mêmes caractéristiques.
Elles sont toutes congrues.
Chacune des pièces a:
- 3 côtés;
- 1 angle droit;
- 3 côtés non congrus;
- un côté qui mesure 10 cm.

Dessine le contour des figures.

Avec ces 5 pièces, on peut construire un carré et un rectangle.

3 L'équipe de Kelly te donne les indices suivants.
Trouve les pièces de leur casse-tête.

 Il y a 2 pièces.

Identifie ainsi chaque pièce que tu as repérée: **Kelly pièce 1**, etc.

La 1ʳᵉ pièce a les caractéristiques suivantes:
- elle a 4 côtés;
- elle a 1 angle obtus;
- elle a 1 paire de droites parallèles;
- 2 de ses côtés mesurent 10 cm chacun.

La 2ᵉ pièce a les caractéristiques suivantes:
- elle a 1 angle droit;
- elle a 2 angles aigus;
- un de ses côtés mesure 5 cm.

Dessine le contour des figures.

Avec ces 2 pièces, on peut construire:
- une figure à 3 côtés;
- trois figures différentes à 4 côtés.

4 Identifie les pièces qui ne sont à personne par la lettre Z.

JE FAIS LE POINT

 1

a) Cet angle est-il un angle obtus?

Cet angle est un angle droit:

b) Cet angle est-il un angle aigu?

 2

Réponds aux questions suivantes par oui ou par non.

a) Il y a des angles droits sur ce livre.

b) Il y a des angles obtus sur cette porte.

c) Il y a des angles aigus sur le toit de cette maison.

 3

a) Trace un angle droit.
b) Trace un angle obtus.
c) Trace un angle aigu.

 4

a) Trace une droite horizontale.
b) Trace une droite verticale.
c) Trace une droite oblique.
d) Trace deux droites parallèles.
e) Trace deux droites perpendiculaires.

 5

Reproduis le diagramme ci-dessous.

droites parallèles

droites

droites horizontales

Où placeras-tu les lignes qui appartiennent aux deux ensembles? Et celles qui n'appartiennent à aucun ensemble?

Classe les lignes suivantes dans ton diagramme.
Identifie-les par la lettre correspondante.

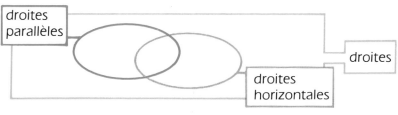

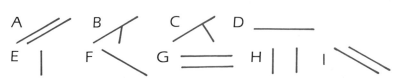

6 Les phrases suivantes sont-elles vraies?

a) Sur un livre, on peut voir des droites parallèles.

b) Sur une porte, on peut voir des lignes obliques.

c) Sur une table, on peut voir des lignes perpendiculaires.

d) Sur une fenêtre, on peut voir des lignes verticales.

7 Sur du papier pointé, dessine:

a) un non polygone;

b) un carré;

c) un quadrilatère qui n'est pas un rectangle;

d) un polygone qui n'est pas un quadrilatère.

Un quadrilatère, c'est un polygone à 4 côtés.

8 Trouve deux ressemblances et deux différences entre les figures suivantes.

A   B

Note dans ton cahier les différences et les ressemblances.

9 Dessine une figure qui a au moins 3 angles congrus et 2 côtés congrus. Utilise du papier pointé ou du papier quadrillé.

10 Observe bien les figures suivantes.

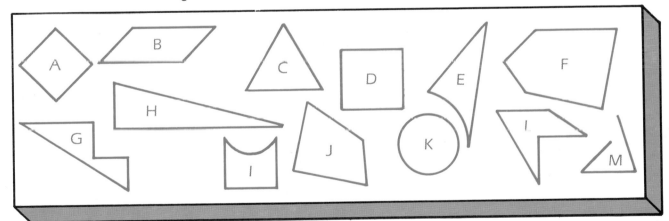

Classe-les dans des ensembles semblables à ceux-ci. Utilise la lettre correspondant à chaque figure.

quadrilatères ayant un ou des angles droits

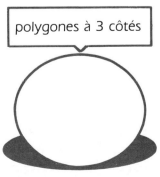

polygones à 3 côtés

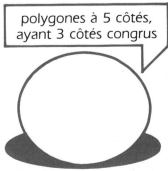

polygones à 5 côtés, ayant 3 côtés congrus

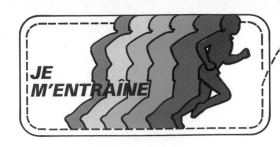
1   Voici un triangle T:

T

Parmi les triangles ci-dessous,
indique ceux qui sont congrus
au triangle T.

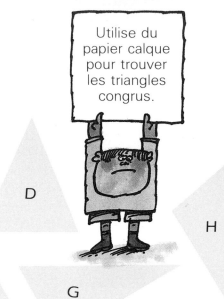

Utilise du
papier calque
pour trouver
les triangles
congrus.

A

B

D

H

C

F

G

E

2   Classifie les polygones suivants: écris dans la même case les lettres qui
désignent des polygones congrus. Ajoute des cases si nécessaire.

CASE 1	CASE 2	CASE 3	CASE 4	CASE 5	CASE 6

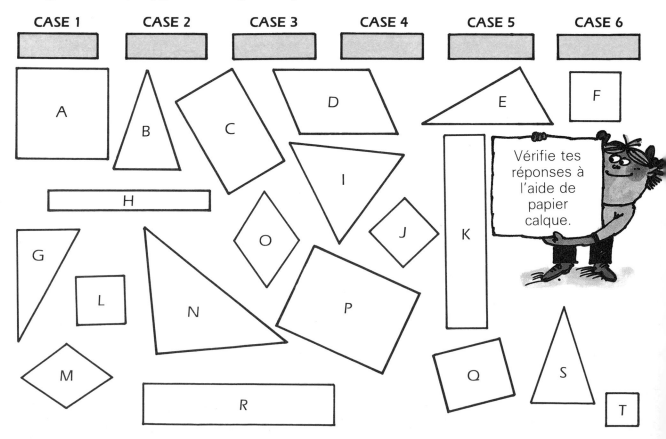

Vérifie tes
réponses à
l'aide de
papier
calque.

3 Ces figures sont-elles congrues?

a)

b)

c)

d)

4 a) Combien d'angles droits y a-t-il dans chaque figure?

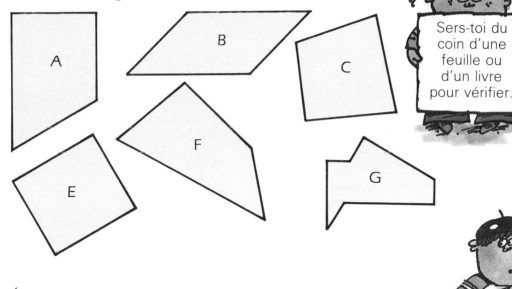

Sers-toi du coin d'une feuille ou d'un livre pour vérifier.

Utilise la lettre correspondant à chaque figure.

Écris tes réponses dans un tableau semblable à celui-ci:

0 angle droit	**1** angle droit	**2** angles droits	**3** angles droits	**4** angles droits

b) Classe maintenant les figures dans des diagrammes semblables à ceux-ci:

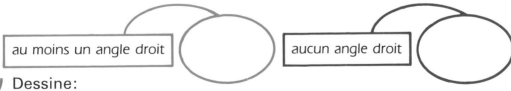

au moins un angle droit   aucun angle droit

Dessine tes figures sur du papier pointé.

c) Dessine:
- une figure ayant 2 angles droits;
- une figure ayant plus de 4 angles droits.

d) Nomme quatre objets de ton environnement qui ont des angles droits.

e) Sur une feuille de papier pointé, dessine:
- un polygone ayant 3 angles non droits;
- un polygone ayant 4 angles droits;
- un polygone ayant 5 angles, dont 1 seul est un angle droit.

5

a) Prends deux bâtonnets. Avec quelques camarades, trouve différentes façons de placer les bâtonnets. Dessine ces différentes façons.

b) Découpe tes dessins, puis classe-les dans des diagrammes semblables à ceux-ci:

parallèles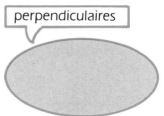

non parallèles

perpendiculaires

non perpendiculaires

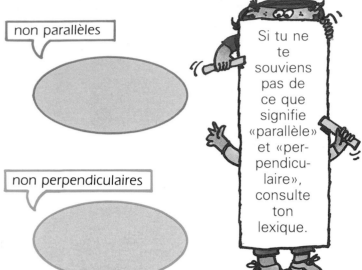

Si tu ne te souviens pas de ce que signifie «parallèle» et «perpendiculaire», consulte ton lexique.

6

Avec quelques camarades, trouve des illustrations où l'on trouve des lignes verticales, des lignes horizontales et des lignes obliques. Colle les illustrations dans ton cahier.

EXEMPLE:

a) Trace en rouge une des lignes verticales.

b) Trace en bleu une des lignes horizontales.

c) Trace en vert une des lignes obliques.

Consulte ton lexique.

7 Classe ces polygones dans un diagramme comme celui-ci.

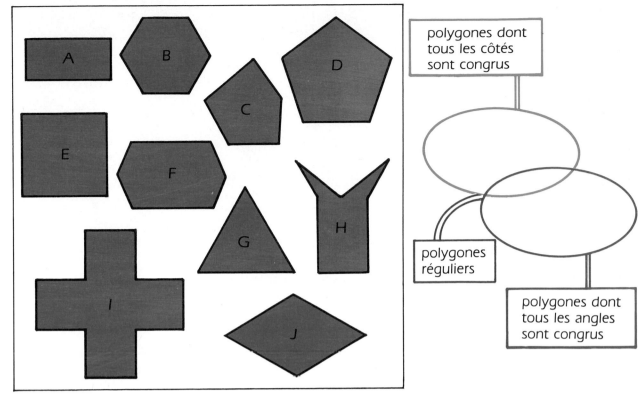

polygones dont tous les côtés sont congrus

polygones réguliers

polygones dont tous les angles sont congrus

8 Classe ces polygones:

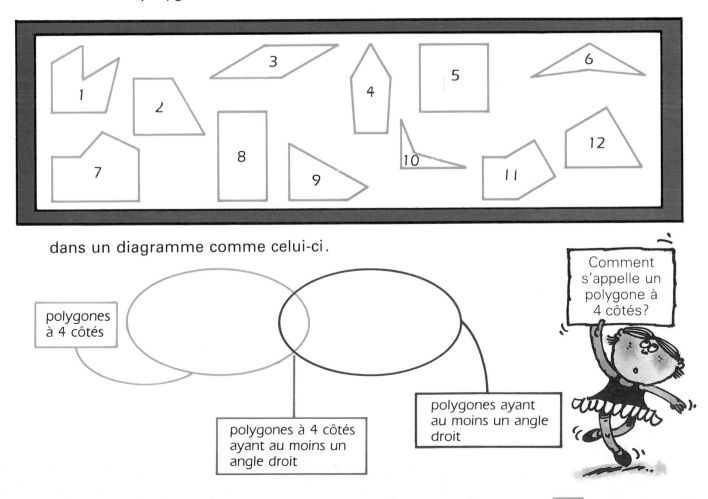

dans un diagramme comme celui-ci.

polygones à 4 côtés

polygones à 4 côtés ayant au moins un angle droit

polygones ayant au moins un angle droit

Comment s'appelle un polygone à 4 côtés?

1

a) La figure A est-elle congrue à la figure B?

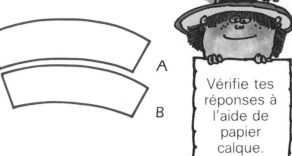

A

B

Vérifie tes réponses à l'aide de papier calque.

b) Le cercle de la figure A est-il congru au cercle de la figure B?

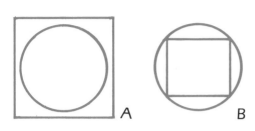

A

B

c) Le carré A est-il congru au carré B? Sinon, lequel est le plus grand?

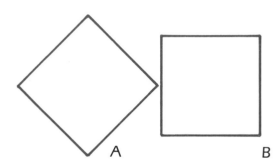

A

B

d) Dans un carré, les 4 côtés sont congrus.
Voici une figure carrée et une figure qui ne l'est pas. Identifie celle qui est carrée.

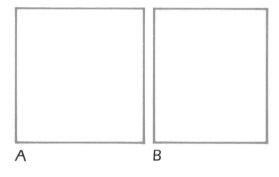

A

B

2

a) Reproduis ce carré sur ton papier à géoplan.

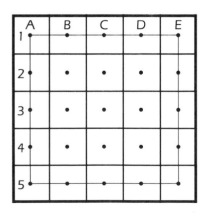

b) Trouve plusieurs façons de diviser ton carré en deux parties congrues.
Illustre-les sur du papier à géoplan.

3

a) Classe ces polygones:

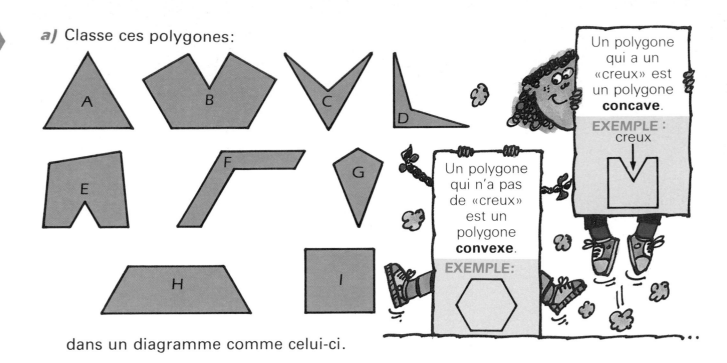

dans un diagramme comme celui-ci.

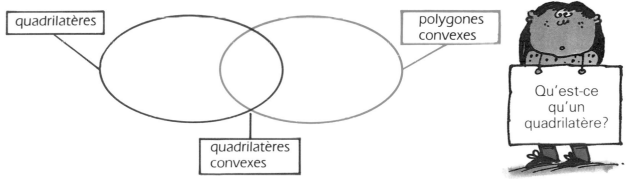

b) Dessine 1 polygone concave.

d) Dessine 2 quadrilatères convexes.

c) Dessine 1 polygone à 3 côtés. Indique s'il est concave ou convexe.
Tous les polygones à 3 côtés sont-ils ainsi?

4 Combien y a-t-il de rectangles «2 sur 3» dans cette grille?

5 Combien y a-t-il de carrés «2 sur 2» dans cette grille?

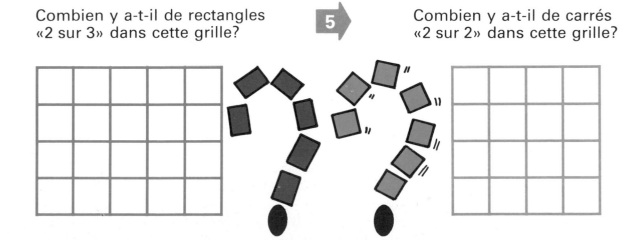

Dans chacune de ces figures, trouve plusieurs triangles cachés.
Identifie-les par les lettres correspondantes.

EXEMPLE: figure *a*: ABC, ACE, etc.

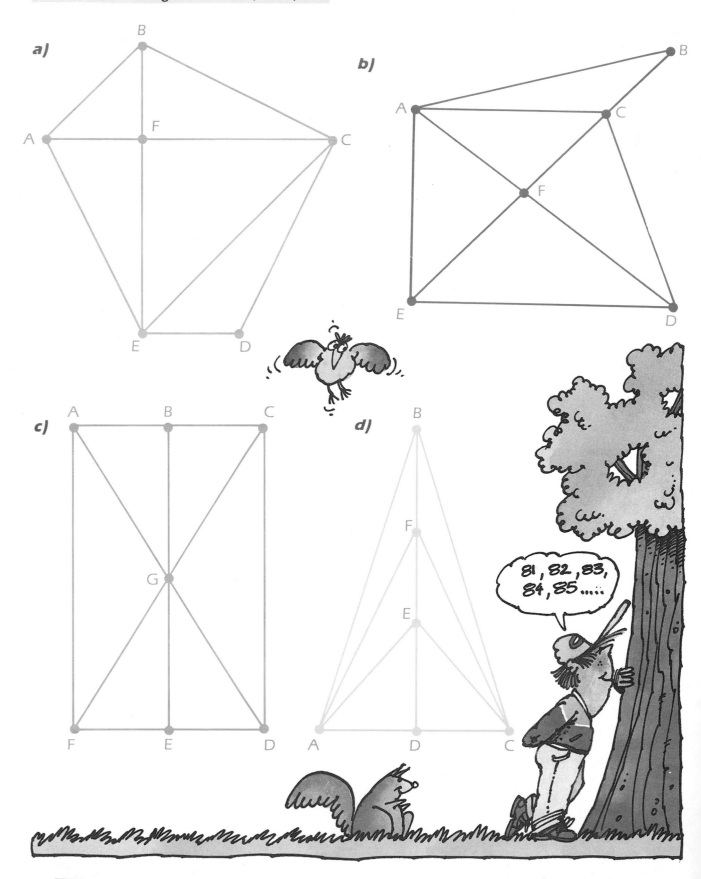

UNE COLLECTION DE TIMBRES

12

Un groupe de six amis de Québec collectionne les timbres. Ils achètent, reçoivent, échangent des timbres pour enrichir leur collection. C'est leur passe-temps préféré.

Et toi, fais-tu collection de quelque chose? Parle à tes camarades de ta collection.

Un jour, les six amis voient l'annonce suivante dans le journal:

Groupe de quatre amis de Chicoutimi aimerait faire l'échange de timbres avec un autre groupe. Si vous voulez participer à cet échange, écrivez-nous. C.P. 68 B. Merci.

Les amis de Québec sont très intéressés. Ils aimeraient justement diversifier leur collection tout en se faisant de nouveaux amis. Ils répondent donc à l'annonce du journal.

Ils envoient les timbres suivants aux amis de Chicoutimi:

24 timbres du Canada
28 timbres de France
36 timbres des États-Unis
8 timbres du Mexique
12 timbres de Grande-Bretagne

Les quatre amis de Chicoutimi veulent se partager à parts égales les timbres qu'ils ont reçus. Chaque enfant aimerait bien avoir des timbres de chacun des cinq pays.

De quelle façon peuvent-ils effectuer ce partage?

1 De quelle façon procéderas-tu pour partager également entre les 4 amis de Chicoutimi les timbres de chaque pays?

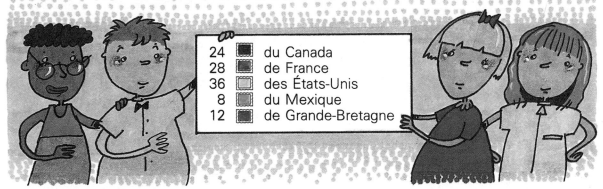

24	du Canada
28	de France
36	des États-Unis
8	du Mexique
12	de Grande-Bretagne

a) Effectue le partage en te servant de cubes, de jetons ou de petits carrés de carton.

Combien de timbres de chacun des pays chaque enfant aura-t-il?

b) Quelle opération as-tu effectuée? Quel est son symbole?

Raconte à tes camarades comment tu as procédé.

2 Les amis de Chicoutimi veulent envoyer des timbres aux 6 amis de Québec. Ils aimeraient que chaque enfant reçoive:

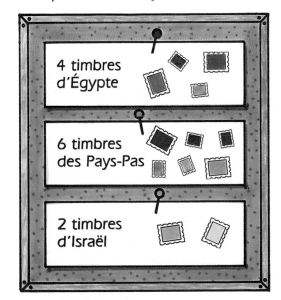

4 timbres d'Égypte

6 timbres des Pays-Pas

2 timbres d'Israël

Combien de timbres de chacun des pays les amis de Chicoutimi doivent-ils envoyer?

a) Résous le problème.

b) Quelle opération as-tu effectuée? Quel est son symbole?

3 Les amis de Québec envoient aux amis de Chicoutimi 48 timbres d'Italie. Ils mettent les timbres dans des enveloppes, à raison de 6 timbres par enveloppe.

a) Combien d'enveloppes les amis de Chicoutimi recevront-ils?

b) Les 4 amis de Chicoutimi veulent se partager ces enveloppes. Combien d'enveloppes chaque enfant aura-t-il?

Quelle opération as-tu effectuée pour résoudre ces problèmes?

4 ▷ Les deux groupes d'amis aimeraient enrichir leur collection. Chaque groupe envoie une proposition d'échange à l'autre groupe.

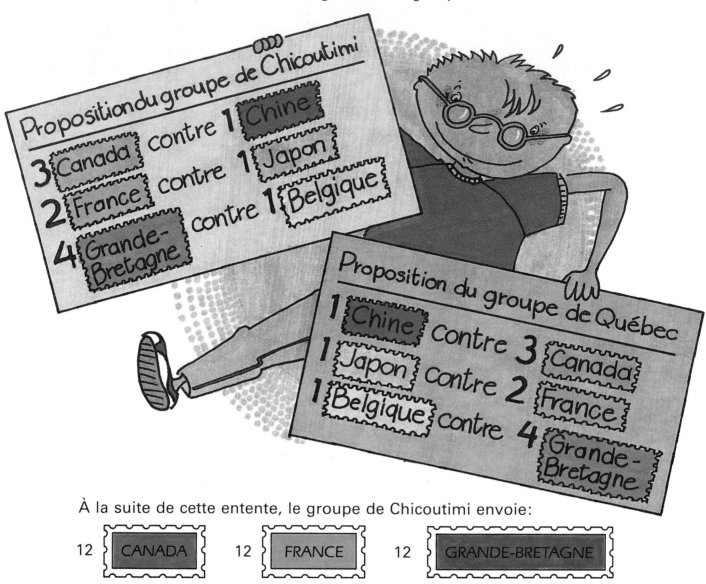

Proposition du groupe de Chicoutimi

3 Canada contre 1 Chine
2 France contre 1 Japon
4 Grande-Bretagne contre 1 Belgique

Proposition du groupe de Québec

1 Chine contre 3 Canada
1 Japon contre 2 France
1 Belgique contre 4 Grande-Bretagne

À la suite de cette entente, le groupe de Chicoutimi envoie:

12 CANADA   12 FRANCE   12 GRANDE-BRETAGNE

a) Le groupe de Québec devra-t-il envoyer plus ou moins de timbres que le groupe de Chicoutimi? Explique ta réponse.

b) Combien de timbres de CHINE, du JAPON et de BELGIQUE le groupe de Québec doit-il envoyer?

Quelle opération as-tu effectuée? Quel est son symbole?

c) Une autre fois, le groupe de Québec envoie:

4 CHINE   6 JAPON

2 BELGIQUE

Combien de timbres du CANADA, de FRANCE et de GRANDE-BRETAGNE le groupe de Chicoutimi devra-t-il expédier en échange?

Raconte à tes camarades comment tu as procédé.

Annabelle, une amie de Québec, veut se procurer des timbres non oblitérés, c'est-à-dire des timbres neufs. Elle se rend au bureau de poste.

As-tu déjà visité un bureau de poste? Qu'est-ce qu'on y fait?

Au bureau de poste, Annabelle remarque les timbres que deux autres personnes achètent.

Le premier client demande 6 timbres de 20¢. La préposée sort cette feuille de son tiroir:

a) Que remarques-tu sur cette feuille?

- Combien de rangées y a-t-il?
- Combien de colonnes y a-t-il?
- Combien de timbres y a-t-il en tout?

Donne 3 façons de trouver le nombre total de timbres.

b) La préposée détache une rangée de la feuille de timbres pour le client. Quelle partie de la feuille représente cette rangée?

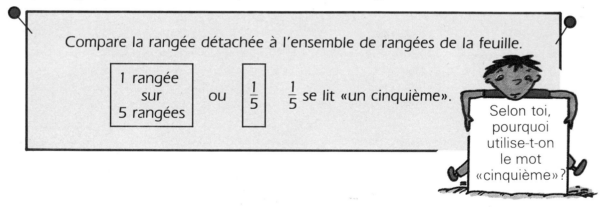

Compare la rangée détachée à l'ensemble de rangées de la feuille.

1 rangée sur 5 rangées	ou	$\frac{1}{5}$

$\frac{1}{5}$ se lit «un cinquième».

Selon toi, pourquoi utilise-t-on le mot «cinquième»?

 2 La préposée aurait-elle pu détacher autrement le groupe de 6 timbres?

PISTES:

a) Sur du papier quadrillé, représente plusieurs fois la feuille de timbres.

b) Illustre plusieurs façons de partager la feuille en groupes de 6 timbres.

c) Combien de groupes de 6 timbres y a-t-il sur la feuille?

d) Quelle **fraction** de la feuille représente chaque groupe de 6 timbres?

Que signifie le mot «fraction»?

3

a) Si le premier client avait demandé 12, 18, 24, 30, 36 timbres, quelle fraction de la feuille aurait-il reçue dans chaque cas? Présente tes réponses dans un tableau comme celui-ci:

QUANTITÉ DE TIMBRES	6	12	18	24	30	36
FRACTION DE LA FEUILLE	$\frac{1}{5}$					

Raconte à tes camarades comment tu as procédé.

b) Écris de deux façons différentes ce que représentent 30 timbres.

c) Comment peux-tu représenter 36 timbres sous forme de fraction?

La préposée a utilisé:

1 feuille + 1 rangée d'une autre feuille
sur
5 rangées

ou $1\frac{1}{5}$

$1\frac{1}{5}$ se lit «un et un cinquième».

4

a)
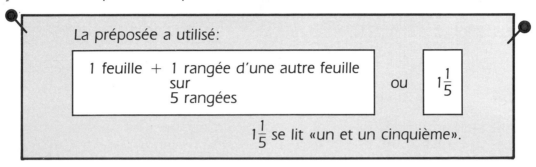

1 rangée $= \frac{1}{5}$ de la feuille

2 rangées $= \frac{2}{5}$ de la feuille

3 rangées $= \frac{3}{5}$ de la feuille

Combien de cinquièmes représenteraient:

- 4 rangées?
- 5 rangées?
- 6 rangées?
- 7 rangées?
- 8 rangées?

b) Penses-tu que $1\frac{1}{5}$ et $\frac{6}{5}$ représentent la même quantité? Explique ta réponse.

Tu peux faire un dessin pour expliquer ta réponse.

c) Que représentent $\frac{7}{5}$?

d) Dans la fraction $\frac{4}{5}$,
- que veut dire le chiffre 4?
- que veut dire le chiffre 5?

5

La deuxième cliente veut acheter des timbres de 50¢. Elle demande à la préposée:

Combien de rangées de timbres y a-t-il sur chaque feuille?

La préposée lui répond:

Il y a 4 rangées par feuille.

La cliente demande alors 3 rangées de timbres.

a) Quelle fraction de la feuille donnera-t-on à la cliente?

Comment écris-tu cette fraction? Comment la dis-tu?

b) Combien de timbres la cliente recevra-t-elle?

Peux-tu répondre à cette question? Pourquoi?

6 Voici la feuille de timbres que la préposée sort de son tiroir:

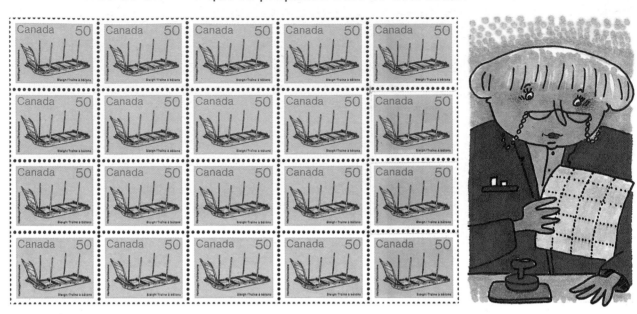

a) Sur du papier quadrillé, représente plusieurs fois la feuille de timbres.

b) Illustre plusieurs façons de partager la feuille en quatre.

c) Est-ce que chaque partie représente $\frac{1}{4}$ de la feuille? Pourquoi?

d) Pour chacun des partages que tu as illustrés à l'activité **b**, représente les $\frac{3}{4}$ de la feuille.

e) Dans la fraction $\frac{3}{4}$,
- que veut dire le chiffre 3?
- que veut dire le chiffre 4?

7 **a)** Si la cliente avait demandé:
$\frac{1}{4}$, $\frac{2}{4}$, $\frac{3}{4}$, $\frac{4}{4}$, $\frac{5}{4}$, $\frac{6}{4}$ de feuilles de timbres,
combien de timbres aurait-elle reçus dans chaque cas?
Présente tes réponses dans un tableau comme celui-ci:

FRACTION	$\frac{1}{4}$	$\frac{2}{4}$	$\frac{3}{4}$	$\frac{4}{4}$	$\frac{5}{4}$	$\frac{6}{4}$
QUANTITÉ DE TIMBRES						

b) Trouve une autre façon de représenter $\frac{5}{4}$ et $\frac{6}{4}$.

C'est maintenant au tour d'Annabelle. Elle demande des timbres de 1¢.
La préposée sort cette feuille de timbres de son tiroir:

a) Raconte à tes camarades tout ce que tu remarques sur cette feuille.

b) Annabelle veut acheter 50 timbres.
Comment peut-elle le demander? Trouve trois façons différentes.

c) Parmi les possibilités suivantes, indique celles qui sont justes.
Annabelle peut dire:

Explique tes réponses.

Je veux les $\frac{5}{10}$ de la feuille.

Je veux 5 rangées de 10 timbres.

Je veux le $\frac{1}{5}$ de la feuille.

Je veux la $\frac{1}{2}$ de la feuille.

Je veux les $\frac{50}{100}$ de la feuille.

Je veux les $\frac{10}{5}$ de la feuille.

Je veux les $\frac{5}{100}$ de la feuille.

Je veux le $\frac{1}{4}$ de la feuille.

9 ▶ Annabelle achète des timbres pour ses amis.
Elle dit à la préposée:

A

Pour Mathieu, il me faut
16 timbres de 5¢.

La préposée lui remet la $\frac{1}{2}$ de
la feuille.

B

Pour Benoit, il me faut
20 timbres de 10¢.

La préposée lui remet le $\frac{1}{3}$ de
la feuille.

C

Pour Stéphanie, il me faut
5 timbres de 20¢.

La préposée lui remet le $\frac{1}{4}$ de la
feuille.

a) Dans chaque cas, trouve le nombre total de timbres sur la feuille.
Présente tes réponses dans un tableau comme celui-ci:

VALEUR DU TIMBRE	5¢	10¢	20¢
NOMBRE DE TIMBRES PAR FEUILLE			

Utilise
du papier
quadrillé.

b) Dans chaque cas, illustre le partage effectué par la préposée.

Olivier a reçu un album pour classer ses timbres. Avant de commencer
son classement, il examine tous les timbres de sa collection.

De quelles façons Olivier peut-il classer ses timbres?
Quelle façon serait la plus intéressante? La plus facile?

Olivier a finalement décidé de classer ses timbres par pays. Mais il
rencontre des problèmes. Vois, dans les activités qui suivent, ce que
tu ferais à sa place.

1 Olivier a 48 timbres du Canada.
Il veut placer tous ces timbres sur une même page de l'album. Il veut aussi les disposer en rangées comprenant chacune la même quantité de timbres.

a) Comment Olivier peut-il placer ces timbres? Trouve plusieurs possibilités.

> Si je fais 8 rangées, quelle fraction représente chaque rangée?

b) Pour chacune des possibilités que tu as trouvées, indique la fraction que représente chaque rangée.

> Tu peux utiliser du matériel pour t'aider.

2 Olivier peut donc placer ses 48 timbres de plusieurs façons différentes:

A 1 rangée de 48 timbres
B 2 rangées de 24 timbres
C 3 rangées de 16 timbres
D 4 rangées de 12 timbres
E 6 rangées de 8 timbres
F 48 rangées de 1 timbre
G 24 rangées de 2 timbres
H 16 rangées de 3 timbres
I 12 rangées de 4 timbres
J 8 rangées de 6 timbres

a) Que remarques-tu au sujet de ces différentes dispositions? Indique celles qui te semblent les plus intéressantes.

b) Considère chacune des dispositions.
Est-ce qu'une rangée représente toujours la même fraction de l'ensemble des timbres? Pourquoi?

c) Considère chacune des dispositions.
Est-ce qu'une rangée comprend toujours la même quantité de timbres?

d) Quelle est la disposition qui comprend le plus de timbres dans une rangée?
Quelle fraction représente cette rangée?

e) Trouve les quatre autres dispositions qui comprennent le plus de timbres dans une rangée.
Pour chaque disposition, indique la fraction que représente une rangée.

Olivier a 24 timbres des États-Unis.
Il veut placer tous ces timbres sur une même page, et les disposer sur trois rangées égales.

a) Combien de timbres y aura-t-il dans chaque rangée?

b) Quelle fraction de l'ensemble des timbres représente chaque rangée?

 Olivier a aussi des timbres de France.
Sur une page, il dispose d'abord 2 rangées de 7 timbres, ce qui représente les $\frac{2}{10}$ de l'ensemble de ses timbres de France.

Combien de timbres de France Olivier possède-t-il?

N'oublie pas:
Olivier place 7 timbres par rangée.

 As-tu des camarades qui collectionnent les timbres? Aimerais-tu en collectionner toi aussi?
Tu pourrais t'associer à quelques amis; ensemble, vous pourriez examiner et échanger des timbres.

Vous pourriez aussi situer sur un globe terrestre les pays mentionnés sur les timbres.
Et pourquoi ne préparez-vous pas une exposition de timbres?
Discutes-en avec tes camarades.

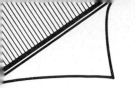

JE FAIS LE POINT

1 → Observe ce quadrillage:

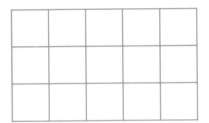

Reproduis-le quatre fois sur du papier quadrillé.
Partage chaque quadrillage en 5 parties égales, mais d'une façon différente chaque fois.

2 → *a)* Reproduis quatre fois cet ensemble:

- Partage le premier ensemble en 2 parties égales.
- Partage le deuxième en 3 parties égales.
- Partage le troisième en 4 parties égales.
- Partage le quatrième en 6 parties égales.

b) Compare les quatre partages. Écris la quantité de points qu'il y a dans chaque sous-ensemble.

3 → Observe cette figure:

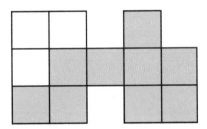

Quelle fraction de la figure la partie colorée représente-t-elle?

4 → Lis les fractions de la rangée **A** à un ou à une camarade. Ton ou ta camarade écrit les fractions que tu lis.
Fais le même travail pour la rangée **B**, en inversant les rôles.

A	$\frac{2}{4}$	$\frac{18}{100}$	$\frac{3}{5}$
B	$\frac{4}{10}$	$\frac{1}{3}$	$\frac{2}{5}$

5 → Reproduis cette figure:

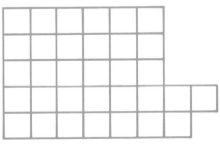

Colorie les $\frac{2}{3}$ de ta figure.

Utilise du papier quadrillé.

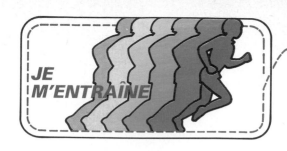

1

a) Illustre cet ensemble de jetons dans ton cahier:

Utilise des jetons pour t'aider.

15

b) Construis des sous-ensembles représentant $\frac{1}{3}$ de l'ensemble.

$\frac{1}{3}$ peut se lire «un troisième» mais on dit plutôt «un tiers».

c) Combien y a-t-il de sous-ensembles?
Combien de jetons y a-t-il dans chaque sous-ensemble?

d) Délimite les $\frac{2}{3}$ de ton ensemble par un trait rouge.

Dans $\frac{2}{3}$, que signifie le 2? Que signifie le 3?

2

Examine cet ensemble de jetons:

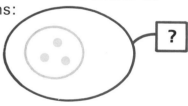

?

Le sous-ensemble illustré représente une fraction. Dans cette fraction, le **numérateur** est 1 et le **dénominateur** est 4.

a) Quelle est cette fraction?

b) Combien de jetons y a-t-il en tout dans l'ensemble?

Raconte à tes camarades comment tu as procédé.

3

a) Indique la fraction qui représente la partie colorée de chaque figure.

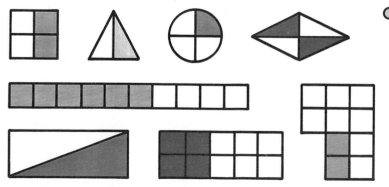

$\frac{1}{2}$		$\frac{1}{3}$	$\frac{2}{3}$		$\frac{1}{4}$	$\frac{2}{4}$	$\frac{3}{4}$
$\frac{1}{5}$	$\frac{2}{5}$	$\frac{3}{5}$	$\frac{4}{5}$	$\frac{5}{5}$			
$\frac{2}{10}$	$\frac{4}{10}$	$\frac{5}{10}$	$\frac{6}{10}$	$\frac{7}{10}$	$\frac{8}{10}$		

Utilise du papier quadrillé ou triangulé.

b) Illustre les fractions qui ne sont pas représentées. Identifie tes illustrations.

4 Regarde bien les figures suivantes. Compare les parties colorées à l'ensemble des parties.

a)

Combien y a-t-il de parties colorées?

Combien y a-t-il de parties en tout?

Quelle est la fraction représentée? $\dfrac{\ }{\ }$

b)

Combien y a-t-il de parties colorées?

Combien y a-t-il de parties en tout?

Quelle est la fraction représentée? $\dfrac{\ }{\ }$

c)

Combien y a-t-il de parties colorées?

Combien y a-t-il de parties en tout?

Quelle est la fraction représentée? $\dfrac{\ }{\ }$

d)

Combien y a-t-il de parties colorées?

Combien y a-t-il de parties en tout?

Quelle est la fraction représentée? $\dfrac{\ }{\ }$

Observe attentivement ces dessins, puis réponds aux questions.

5

a)

Combien de filles y a-t-il? Combien de personnes y a-t-il en tout? Quelle est la fraction représentée par les filles?

b)

A Combien d'hommes souriants y a-t-il?
Combien d'hommes y a-t-il en tout?
Quelle est la fraction représentée par les hommes souriants?

B Combien d'hommes portent des lunettes?
Combien d'hommes y a-t-il en tout?
Quelle est la fraction représentée par les hommes qui portent des lunettes?

C Combien d'hommes portent un chapeau?
Combien d'hommes y a-t-il en tout?
Quelle est la fraction représentée par les hommes qui portent un chapeau?

6 ➤ Pour chaque groupe de figures, indique la fraction représentée par la partie colorée.

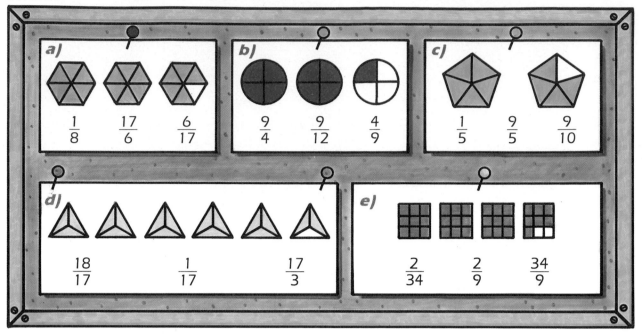

a)
$\frac{1}{8}$ $\frac{17}{6}$ $\frac{6}{17}$

b)
$\frac{9}{4}$ $\frac{9}{12}$ $\frac{4}{9}$

c)
$\frac{1}{5}$ $\frac{9}{5}$ $\frac{9}{10}$

d)
$\frac{18}{17}$ $\frac{1}{17}$ $\frac{17}{3}$

e)
$\frac{2}{34}$ $\frac{2}{9}$ $\frac{34}{9}$

7 ➤ Pour chaque groupe de figures, trouve la fraction représentée par la partie colorée.

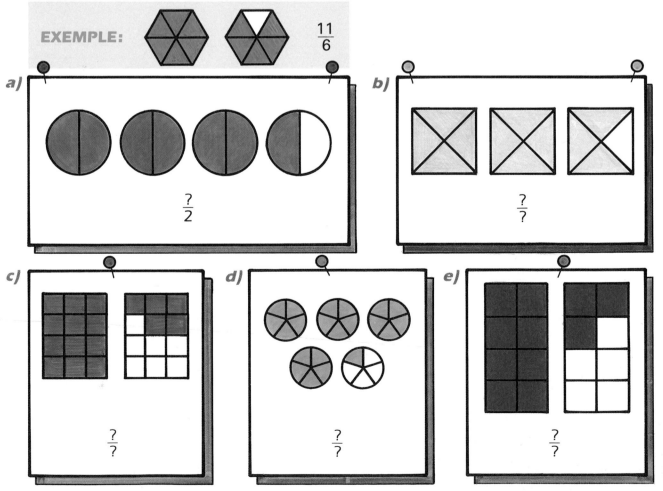

EXEMPLE: $\frac{11}{6}$

a)
$\frac{?}{2}$

b)
$\frac{?}{?}$

c)
$\frac{?}{?}$

d)
$\frac{?}{?}$

e)
$\frac{?}{?}$

230

8 ➤ Pour chaque groupe de figures, indique la fraction représentée par la partie colorée.

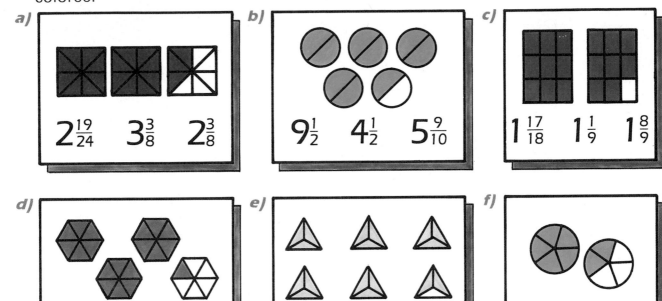

a) $2\frac{19}{24}$ $3\frac{3}{8}$ $2\frac{3}{8}$

b) $9\frac{1}{2}$ $4\frac{1}{2}$ $5\frac{9}{10}$

c) $1\frac{17}{18}$ $1\frac{1}{9}$ $1\frac{8}{9}$

d) $3\frac{1}{6}$ $4\frac{1}{6}$ $3\frac{5}{6}$

e) $6\frac{17}{18}$ $5\frac{2}{3}$ $6\frac{1}{3}$

f) $1\frac{7}{10}$ $1\frac{2}{5}$ $2\frac{3}{5}$

9 ➤ Pour chaque groupe de figures, indique la fraction représentée par la partie colorée.

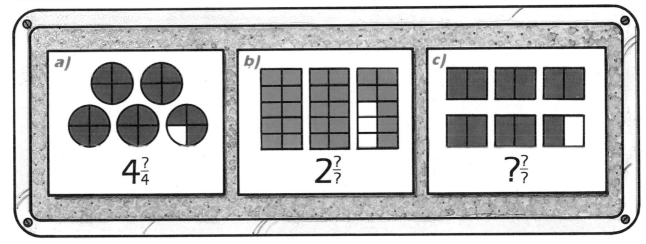

a) $4\frac{?}{4}$

b) $2\frac{?}{?}$

c) $?\frac{?}{?}$

10 ➤ Lis les fractions suivantes à un ou à une camarade.
Ton ou ta camarade écrit les fractions que tu lis.
Inversez ensuite les rôles.

a)

$\frac{1}{2}$ $\frac{6}{10}$ $\frac{2}{3}$ $\frac{8}{10}$

$\frac{3}{4}$ $\frac{5}{2}$ $\frac{4}{4}$ $\frac{4}{3}$

$\frac{5}{10}$ $\frac{2}{4}$ $\frac{3}{100}$ $\frac{8}{5}$

b)

$\frac{3}{10}$ $\frac{8}{5}$ $\frac{9}{2}$ $\frac{18}{100}$

$\frac{6}{100}$ $\frac{4}{4}$ $\frac{15}{10}$ $\frac{49}{10}$

$\frac{45}{100}$ $\frac{6}{3}$ $\frac{7}{4}$ $\frac{79}{100}$

1 Reproduis 9 fois ce carré:

Utilise du papier quadrillé au cm.

a) Partage chacun de tes carrés en deux parties égales. Fais-le de façons différentes.

b) Quelle fraction chacune des parties représente-t-elle?

c) Combien de petits carrés y a-t-il dans chacune des parties?

2 Reproduis 8 fois ce rectangle:

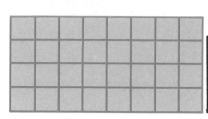

Utilise du papier quadrillé au cm.

a) Partage chacun de tes rectangles en quatre parties égales. Fais-le de façons différentes.

b) Quelle fraction chacune des parties représente-t-elle?

c) Combien de petits carrés y a-t-il dans chacune des parties?

Y a-t-il d'autres façons de partager le rectangle en 4 parties égales?

3 **a)** Avec de la ficelle et des jetons, construis l'ensemble de ton choix. Illustre cet ensemble dans ton cahier.

b) Contruis des sous-ensembles ayant tous la même quantité de jetons. Illustre ces sous-ensembles dans ton cahier.

Cherche toutes les possibilités.

c) Reproduis et complète ce tableau:

	DIFFÉRENTS PARTAGES POSSIBLES						
	A	B	C	D	E	F	G
COMBIEN Y A-T-IL DE SOUS-ENSEMBLES ÉGAUX?							
QUELLE FRACTION DE L'ENSEMBLE CHACUN DES SOUS-ENSEMBLES REPRÉSENTE-T-IL?							
COMBIEN DE JETONS Y A-T-IL DANS CHACUN DES SOUS-ENSEMBLES?							
QUELLE FRACTION DU SOUS-ENSEMBLE UN JETON REPRÉSENTE-T-IL?							

4 Si tu le désires, fais le même travail avec un autre ensemble de ton choix.

5 ➤ Une fraction peut être représentée par une machine qui effectue des échanges.

EXEMPLE: ∨‾‾‾∨ 1 banane pour 3 enfants ∧‾‾‾∧   ou   ∨‾∨ $\frac{1}{3}$ ∧‾∧

Reproduis puis complète le tableau suivant:

QUANTITÉ D'ENFANTS	OPÉRATEUR	QUANTITÉ DE BANANES
12	$\frac{1}{3}$	
3	$\frac{1}{3}$	
	$\frac{1}{3}$	2
15		
9		3
	TON CHOIX	
	TON CHOIX	

6 Tu échanges des macarons contre des vignettes.
Reproduis puis complète le tableau suivant:

NOMBRE DE VIGNETTES	OPÉRATEUR	NOMBRE DE MACARONS
6	2 macarons pour 3 vignettes ou $\frac{2}{3}$	
12	$\frac{3}{4}$	
15	$\frac{2}{5}$	
	$\frac{3}{10}$	9
20		5
	$\frac{2}{5}$	10
	TON CHOIX	
	TON CHOIX	

7 Arrondis chaque fraction à l'unité près.

EXEMPLE: $\frac{9}{4}$, c'est environ 2.

a) $\frac{2}{3}$ b) $\frac{10}{3}$ c) $\frac{13}{4}$ d) $\frac{16}{3}$

e) $\frac{7}{4}$ f) $\frac{25}{10}$ g) $\frac{21}{5}$ h) $\frac{12}{5}$

i) $\frac{17}{5}$ j) $\frac{240}{100}$ k) $\frac{9}{2}$ l) $\frac{31}{10}$

8 ➤ Observe ces assemblages de cubes:

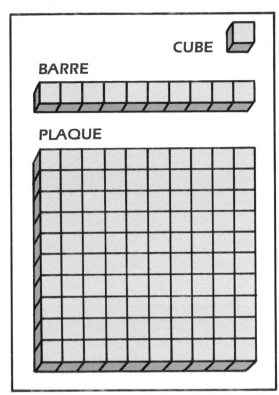

CUBE

BARRE

PLAQUE

a) Combien de cubes y a-t-il dans la barre?
Combien de barres y a-t-il dans la plaque?
Combien de cubes y a-t-il dans la plaque?

b) Si tu avais:
- 20 barres • 30 barres • 40 barres

combien de plaques pourrais-tu construire?

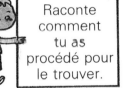

Raconte comment tu as procédé pour le trouver.

c) Si tu avais:
- 20 cubes • 30 cubes • 40 cubes

combien de barres pourrais-tu construire?

d) Peux-tu partager la barre et la plaque en dix parties égales? Quelle fraction représenterait chacune de ces parties?

A Trouve le nombre de cubes qu'il y a dans:

- le $\frac{1}{10}$ d'une barre;
- les $\frac{2}{10}$ d'une barre;
- les $\frac{3}{10}$ d'une barre;
- les $\frac{4}{10}$ d'une barre;
- les $\frac{5}{10}$ d'une barre.

B Trouve le nombre de barres qu'il y a dans:

- le $\frac{1}{10}$ d'une plaque;
- les $\frac{2}{10}$ d'une plaque;
- les $\frac{3}{10}$ d'une plaque;
- les $\frac{4}{10}$ d'une plaque;
- les $\frac{5}{10}$ d'une plaque.

C Trouve le nombre de cubes qu'il y a dans:

- le $\frac{1}{10}$ d'une plaque;
- les $\frac{2}{10}$ d'une plaque;
- les $\frac{3}{10}$ d'une plaque;
- les $\frac{4}{10}$ d'une plaque;
- les $\frac{5}{10}$ d'une plaque.

D Trouve le nombre de cubes qu'il y a dans:

- les $\frac{6}{10}$ de deux barres;
- les $\frac{6}{10}$ de trois barres;
- les $\frac{8}{10}$ de deux barres:
- les $\frac{8}{10}$ de trois barres;
- les $\frac{10}{10}$ de deux barres;
- les $\frac{10}{10}$ de trois barres.

E Trouve le nombre de cubes qu'il y a dans:

- les $\frac{7}{10}$ de deux plaques;
- les $\frac{7}{10}$ de trois plaques;
- les $\frac{9}{10}$ de deux plaques;
- les $\frac{9}{10}$ de trois plaques.

e) Quelle fraction d'une plaque un cube représente-t-il?
Quelle fraction d'une barre un cube représente-t-il?
Est-ce la même fraction? Explique ta réponse.

A Combien de cubes y a-t-il dans:

- les $\frac{15}{100}$ d'une plaque?
- les $\frac{25}{100}$ d'une plaque?
- les $\frac{50}{100}$ d'une plaque?
- les $\frac{20}{100}$ de deux plaques?
- les $\frac{40}{100}$ de deux plaques?
- les $\frac{60}{100}$ de trois plaques?

B Combien de cubes y a-t-il dans:

- la $\frac{1}{2}$ d'une barre?
- la $\frac{1}{2}$ d'une plaque?
- le $\frac{1}{5}$ d'une barre?
- le $\frac{3}{5}$ d'une barre?
- le $\frac{2}{5}$ d'une plaque?
- le $\frac{4}{5}$ d'une plaque?

C Combien de cubes y a-t-il dans:

- les $\frac{2}{2}$ d'une barre?
- la $\frac{5}{5}$ d'une barre?
- les $\frac{10}{10}$ d'une barre?

D Combien de cubes y a-t-il dans:

- les $\frac{2}{2}$ d'une plaque?
- les $\frac{10}{10}$ d'une plaque?
- les $\frac{100}{100}$ d'une plaque?

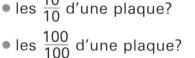

Que remarques-tu?

LES LOISIRS

13

NOMBRES NATURELS
OPÉRATIONS:
ESTIMATION, ALGORITHMES, ADDITION, SOUSTRACTION, MULTIPLICATION, DIVISION

TERMES MANQUANTS:
ADDITION ET SOUSTRACTION

OPÉRATIONS MIXTES:
ADDITION ET SOUSTRACTION

MESURE
STATISTIQUE:
TABLEAUX

Avec des camarades, Alexandre s'occupe du journal de son école. Hier, il y a eu des olympiades à l'école. Alexandre a la responsabilité d'informer ses camarades des résultats et de féliciter les gagnants et les gagnantes dans le journal.

Il rencontre d'abord l'enseignant de la classe de son frère pour obtenir les informations dont il a besoin. L'enseignant lui remet le tableau suivant en lui disant:

«Voilà, Alexandre. Tu trouveras dans ce tableau toutes les informations nécessaires au sujet des olympiades. Tous les résultats de notre classe y sont inscrits.»

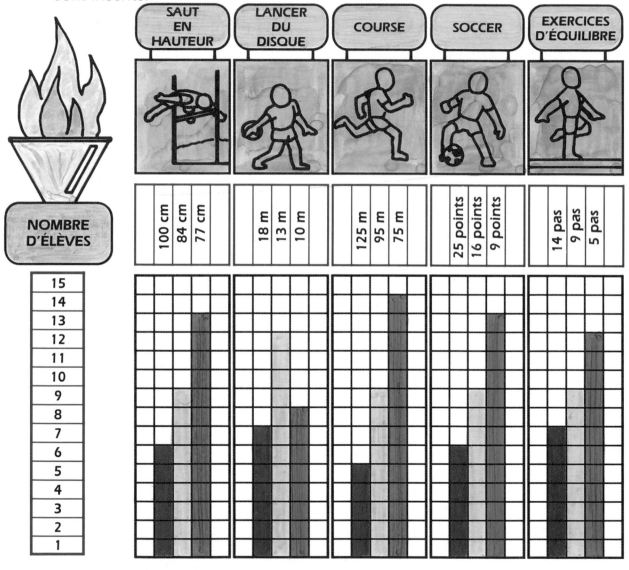

L'enseignant est très fier de la participation de ses élèves. Seul Vincent, le frère d'Alexandre, était absent de l'une des compétitions.

Alexandre observe attentivement le tableau. Il veut trouver la compétition à laquelle Vincent n'a pas participé.

Peux-tu trouver la compétition à laquelle Vincent n'a pas participé? Quelles autres informations peux-tu tirer de ce tableau?

1 ▷ Énumère les compétitions sportives auxquelles les élèves ont participé.

2 ▷ LE SAUT EN HAUTEUR

a) Quelles sont les trois étapes à franchir dans cette épreuve?

b) Quelle est la plus haute performance atteinte? D'après toi, est-ce bien haut? Montre-le par un exemple.

Te crois-tu capable d'atteindre cette performance?

c) Est-ce que tous les élèves de la classe ont réussi cette performance? Comment le sais-tu?

d) Combien d'élèves ont réussi chaque étape?

e) Combien d'élèves ont participé à cette épreuve? Montre-le par une équation mathématique.

3 ▷ Résous les problèmes suivants. Écris les équations correspondantes.

a) Combien d'élèves ont participé au lancer du disque?

b) Combien d'élèves ont participé à la course?

c) Combien d'élèves ont participé au soccer?

d) Combien d'élèves ont participé aux exercices d'équilibre?

4 ▷ Tu es maintenant capable de répondre à la question suivante:

QUELLE EST L'ÉPREUVE À LAQUELLE VINCENT N'A PAS PARTICIPÉ?

5 ▷ Alexandre discute des olympiades avec Annie, une élève de 5ᵉ année.

C'EST NOTRE CLASSE QUI A GAGNÉ L'ÉPREUVE DES SAUTS EN HAUTEUR.

COMMENT DÉTERMINE-T-ON LA CLASSE GAGNANTE?

JE N'Y AI PAS VRAIMENT RÉFLÉCHI. MAIS JE SAIS QUE NOTRE CLASSE A OBTENU UN TOTAL DE 2482 CENTIMÈTRES.

COMMENT POURRAIS-JE VÉRIFIER SI CE RÉSULTAT EST SUPÉRIEUR À CELUI DE LA CLASSE DE VINCENT?

a) Suggère à Alexandre une façon de procéder.

b) Illustre ta suggestion par des opérations mathématiques.

c) Compare ta façon de procéder à celle de tes camarades. Avez-vous tous la même?

LE LANCER DU DISQUE

Le soir, à la maison, Alexandre poursuit sa cueillette d'informations.
Il demande à son frère Vincent:

> AU LANCER DU DISQUE, COMBIEN D'ÉLÈVES ONT RÉUSSI LE LANCER DE 18 MÈTRES? COMBIEN CES LANCERS FONT-ILS DE MÈTRES EN TOUT?

> REGARDE, VOICI COMMENT JE TROUVE LA RÉPONSE:
> 18 + 18 + 18 + 18 + 18 + 18 + 18 = 126 m

Alexandre connaît une autre opération qui permet d'obtenir le même résultat.

a) Quel est le nom de cette opération?

b) Montre de quelle façon tu l'effectues.

> COMMENT VAIS-JE CALCULER LA LONGUEUR TOTALE QUE REPRÉSENTENT LES LANCERS DE 13 MÈTRES?

> J'AI TROUVÉ!
>
> $$\begin{array}{r} 13 \\ \times 12 \\ \hline 6 \\ 20 \\ 30 \\ +100 \end{array}$$

> ET PUIS, NON! JE VAIS PLUTÔT PROCÉDER AINSI: $13 \times 12 = 13 \times (10+2)$
> $= (13 \times 10) + (13 \times 2)$
> $= 130 + 26$

> REGARDE, ALEXANDRE. MOI, JE MULTIPLIE DE CETTE FAÇON:
>
> $$\begin{array}{r} 13 \\ \times 12 \\ \hline 130 \\ + 26 \end{array}$$

> ET MOI, JE CONNAIS UNE AUTRE FAÇON DE MULTIPLIER:
>
> $$\begin{array}{r} 13 \\ \times 12 \\ \hline 26 \\ +13 \end{array}$$

> QUI A RAISON? QUELLE EST LA BONNE RÉPONSE?

a) Aide la famille d'Alexandre à démêler ces différents algorithmes.
Quelles sont les ressemblances et les différences entre ces façons de multiplier?

b) Raconte à tes camarades de quelle façon tu effectues tes multiplications.
Ton algorithme ressemble-t-il à ceux de la famille d'Alexandre?

> Un algorithme, c'est un procédé de calcul.

8 **a)** Combien d'élèves ont réussi le lancer de 10 mètres?
Combien ces lancers font-ils de mètres en tout?

b) Te souviens-tu comment multiplier rapidement un nombre par 10? Par 100?

Effectue ces multiplications.

8 × 10	9 × 100
24 × 10	13 × 100
417 × 10	620 × 100

Utilise la calculatrice pour vérifier tes résultats.

9 **a)** Quelle est la longueur totale représentée par les lancers de:
● 18 mètres? ● 13 mètres? ● 10 mètres?

b)

Utilise les résultats que tu as obtenus aux activités précédentes.

L'ÉLAN

LA CLASSE GAGNANTE AU LANCER DU DISQUE SUR UNE LONGUEUR TOTALE DE **382** MÈTRES

S'agit-il de la classe de Vincent?
Montre-le par une équation mathématique.

10 **LA COURSE**

La classe gagnante a parcouru 25 mètres de plus que la classe de Vincent. Combien de mètres la classe gagnante a-t-elle parcourus au total?

PISTES:

a) Dans la classe de Vincent, quelle est la distance totale représentée par les élèves qui ont réussi:
● le 125 mètres?
● le 95 mètres?
● le 75 mètres?

b) Combien de mètres ces élèves ont-ils parcourus au total?

c) Quelle est la performance de la classe de Vincent? Quelle est alors la performance de la classe gagnante?

Écris les équations qui te permettent de résoudre chaque problème.

11 LE SOCCER

Vincent compare les résultats obtenus par sa classe à ceux obtenus par la classe gagnante. Il constate qu'il manquait 32 points à sa classe pour être déclarée gagnante.
Combien de points la classe de Vincent aurait-elle dû obtenir pour être la gagnante?

PISTES:

a) De quelles données as-tu besoin pour résoudre ce problème?

b) De quelle façon peux-tu obtenir ces données?
Écris dans l'ordre les équations mathématiques que tu suggères.

c) Quelle information la dernière équation que tu as posée t'a-t-elle fournie?
Que te reste-t-il à faire pour trouver la réponse à ce problème?

12 LES EXERCICES D'ÉQUILIBRE

À cette épreuve, c'est la classe de Vincent qui a été déclarée gagnante. Il y a une différence de 36 points entre le résultat de cette classe et celui de la classe qui est en deuxième position.

Alexandre détermine ainsi les étapes à suivre pour trouver le résultat de la classe qui est en deuxième position:

$(14 \times 7) + (9 \times 9) + (5 \times 12) + 36$

a) Observe les étapes qu'Alexandre propose. Que penses-tu de cette démarche?
Te semble-t-elle juste?

b) Aimerais-tu apporter des corrections à cette démarche? Présente la démarche que tu suggères sous forme d'opérations mathématiques.

c) Effectue une par une les opérations que tu suggères. Quel est le résultat de la classe qui est en deuxième position?

> Respecte l'ordre des étapes à suivre.

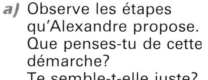

13 Dans chaque classe, on remettra un crayon-souvenir à tous ceux et celles qui ont atteint la meilleure performance dans chacune des épreuves. Il y a 50 crayons à distribuer dans chaque classe.

Y aura-t-il suffisamment de crayons pour la classe de Vincent?
Comment peux-tu le montrer?

PISTES:

a) D'après toi, laquelle des démarches suivantes permet de résoudre le problème?

b) Effectue les opérations de la démarche que tu as choisie. Respecte les étapes à suivre.

$$50 + (6 + 7 + 5 + 6 + 7)$$
OU
$$(6 + 7 + 5 + 6) - 50$$
OU
$$50 - (6 + 7 + 5 + 6)$$
OU
$$50 - (6 + 7 + 5 + 6 + 7)$$

Explique les raisons de ton choix.

14 Dans chaque classe, on remet aussi 24 macarons.
Ces macarons seront distribués également entre les élèves qui ont atteint la meilleure performance dans le saut en hauteur.

Dans la classe de Vincent, combien d'élèves se partageront les macarons?
Combien de macarons chaque élève recevra-t-il ou recevra-t-elle?

Amica, une élève de la classe de Vincent, a atteint la meilleure performance dans cette épreuve. Pour connaître le nombre de macarons qu'elle recevra, elle procède ainsi:

- Elle dessine tous les macarons à partager.
- Elle effectue le partage et découvre qu'elle recevra 4 macarons.

Vérifie le partage effectué par Amica. A-t-elle raison?

Reproduis les macarons. Illustre ton partage.

243

15 ▷ Au lancer du disque, les 7 élèves de la classe de Vincent qui ont atteint la meilleure performance auront 21 yo-yo à se partager également.

Reproduis les yo-yo dans ton cahier.

Renaud veut présenter ce partage à l'aide d'une opération mathématique. Comment doit-il procéder?

PISTES:

a) Donne d'abord un yo-yo à chacun des 7 enfants.
Encercle l'ensemble des yo-yo que tu viens de donner.

- Combien de fois 7 yo-yo as-tu encerclés?
- Que fait 1 fois 7 yo-yo?
- Combien de yo-yo te reste-t-il à donner?

b) Donne un deuxième yo-yo à chacun des 7 enfants.
Encercle l'ensemble des yo-yo que tu viens de donner.

- Combien de fois 7 yo-yo as-tu encerclés jusqu'à maintenant?
- Que font 2 fois 7 yo-yo?
- Combien de yo-yo te reste-t-il à donner?

c) Fais une troisième distribution.
Encercle l'ensemble des yo-yo que tu viens de donner.

- Combien de fois 7 yo-yo as-tu encerclés jusqu'à maintenant?
- Que font 3 fois 7 yo-yo?
- Combien de yo-yo te reste-t-il à donner?

d)
- Combien y avait-il de yo-yo à partager?
- Combien en as-tu distribué à chaque fois?
- Combien de fois as-tu distribué 7 yo-yo?

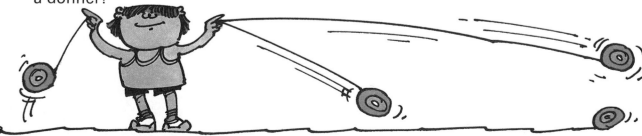

e) Combien de fois y a-t-il 7 yo-yo dans 21 yo-yo?

f) Complète les équations:

$21 \div 7 = \boxed{}$ $\qquad$ $\boxed{} \times 7 = 21$

244

16 À la course, il y a 30 ballons à partager également entre les 5 élèves de la classe de Vincent qui ont atteint la meilleure performance.

Virginie effectue le partage à l'aide de symboles numériques.

30 BALLONS À PARTAGER ÉGALEMENT ENTRE 5 ÉLÈVES

	30	÷	5	
j'enlève	− 5		1	première fois
il reste	25			
j'enlève	− 5		1	deuxième fois
il reste	20			
j'enlève	− 5		1	troisième fois
il reste	15			
j'enlève	− 5		1	quatrième fois
il reste	10			
j'enlève	− 5		1	cinquième fois
il reste	5			
j'enlève	− 5		1	sixième fois
il reste	0			
	soustractions successives		nombre de fois	

- Combien de ballons Virginie a-t-elle partagés?
- Combien de ballons a-t-elle distribués à chaque fois?
- Combien de fois a-t-elle distribué des ballons?
- Que font 6 fois 5 ballons?

Virginie sait aussi effectuer la même opération de façon abrégée:

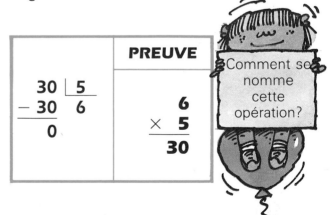

	PREUVE
30 | 5 − 30 6 —— 0	6 × 5 —— 30

Comment se nomme cette opération?

Dans 30 ballons, il y a 6 fois 5 ballons.

- Combien de ballons chacun des 5 enfants recevra-t-il?

17 Au soccer, il y a 18 autocollants à partager également entre les 6 élèves de la classe de Vincent qui ont réussi la meilleure performance.

Normand veut effectuer une division.
Il écrit toutes les étapes de son partage.

Utilise le modèle commencé par Normand et effectue, toi aussi, cette division.

18 Aux exercices d'équilibre, il y a 28 écussons à partager également entre les 7 élèves de la classe de Vincent qui ont réussi la meilleure performance.

Combien d'écussons chaque élève recevra-t-il ou recevra-t-elle?

a) Reproduis les écussons. Partage-les également.

b) Illustre ton partage par une division.

- Effectue d'abord des soustractions successives.
- Effectue ensuite une division abrégée.
- Fais la preuve que ta réponse est exacte.

Au centre de loisirs que fréquente Gabrielle, c'est la dernière journée pour s'inscrire aux diverses activités sportives et culturelles. Gabrielle se presse car le nombre d'inscriptions à chaque activité est limité.

Gabrielle choisit de s'inscrire à une activité sportive. Avec deux de ses camarades, elle cherche une activité à laquelle tous les trois pourraient participer ensemble.

Elle consulte le tableau affiché au centre de loisirs et se demande à quelle activité tous les trois peuvent s'inscrire.

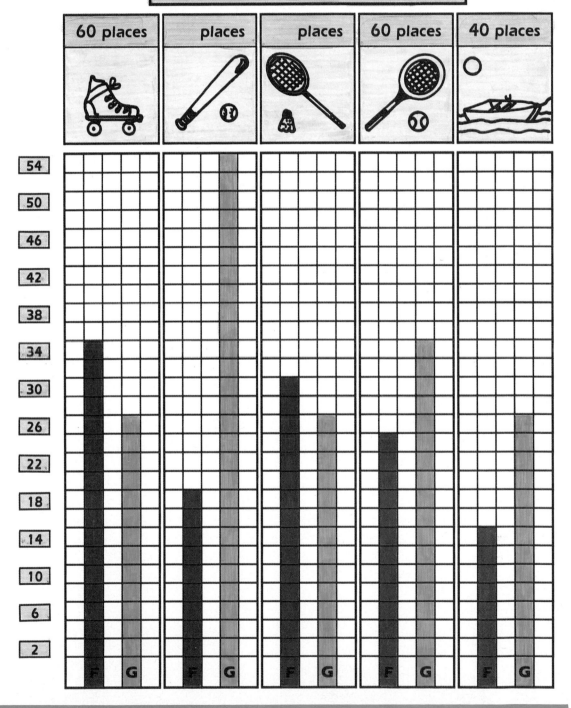

TABLEAU DES ACTIVITÉS SPORTIVES

1 Gabrielle et ses deux camarades peuvent-ils s'inscrire au patinage à roulettes?

a) Trouve la réponse en suivant ce modèle:

$$\boxed{60} - \boxed{(34 + 26)} = \boxed{?}$$

b) Sur la piste, les 60 enfants doivent former des groupes de 15.
Illustre ce partage en complétant la division suivante.

60	÷	15
$\begin{array}{r} -15 \\ \hline 45 \end{array}$		1

c) Combien de groupes de 15 les 60 enfants formeront-ils?

2 Gabrielle et ses camarades se demandent s'ils peuvent s'inscrire au base-ball.

> MADAME, POURQUOI LE NOMBRE DE PLACES N'EST-IL PAS INSCRIT AU TABLEAU?

> IL Y AURA 8 ÉQUIPES DE 9 ENFANTS CHACUNE. REGARDE LE TABLEAU ET VOIS TOI-MÊME S'IL Y A DE LA PLACE POUR VOUS TROIS.

> 8 ÉQUIPES DE 9 ENFANTS... IL Y A DÉJÀ 54 GARÇONS ET 18 FILLES INSCRITS. Y A-T-IL ENCORE DE LA PLACE POUR NOUS TROIS?

a) Illustre la réflexion de Gabrielle par une équation mathématique.
Si tu en as besoin, utilise des parenthèses pour identifier les différentes étapes.

b) Gabrielle et ses deux camarades peuvent-ils s'inscrire au base-ball?

3 Le nombre de places au badminton n'est pas inscrit dans le tableau.

«Il y aura 8 équipes de 7 enfants», explique la préposée.

a) Quelle démarche Gabrielle peut-elle utiliser pour savoir si elle peut s'inscrire à cette activité avec ses deux camarades?
Illustres-en les étapes en écrivant toutes les opérations à effectuer.

b) Utilise des parenthèses pour écrire une seule équation qui permettra à Gabrielle de savoir si elle peut s'inscrire à cette activité avec ses camarades.

- Quel est le nombre d'inscriptions possibles?
- Combien d'inscriptions y a-t-il déjà?
- Gabrielle et ses camarades peuvent-ils s'inscrire?

4 Gabrielle et ses deux camarades peuvent-ils s'inscrire au tennis?

a) Écris la suite d'opérations à effectuer.

b) Utilise des parenthèses pour résumer cette suite d'opérations en une seule équation. Gabrielle et ses camarades peuvent-ils s'inscrire au tennis?

c) Les 60 enfants qui joueront au tennis seront répartis en équipes de 4.
Gabrielle veut savoir combien d'équipes seront formées. Elle cherche une façon de réduire le nombre de soustractions de son algorithme!

60	÷	4
—		**10 fois**

● Termine la division de Gabrielle.
● Combien d'équipes de 4 seront formées?

5

a) Écris la suite d'opérations que Gabrielle doit effectuer.

b) Utilise des parenthèses pour résumer cette suite d'opérations en une seule équation.
Gabrielle et ses camarades peuvent-ils s'inscrire au canotage?

c) Il y a 2 enfants par canot. Si 40 enfants s'inscrivent au canotage, combien de groupes de 2 pourra-t-on former?

6

a) Pour chacune des activités, trouve le nombre approximatif d'inscriptions:

● chez les filles;
● chez les garçons.

b) Pour l'ensemble des activités, trouve le nombre approximatif d'inscriptions:

● chez les filles;
● chez les garçons.

c) Calcule la différence approximative entre le nombre de garçons et le nombre de filles inscrits.

7 Toutes les activités sont maintenant complètes. Des 350 enfants qui se sont présentés pour s'inscrire, combien ne pourront pas le faire?

a) Écris la suite d'opérations à effectuer pour résoudre le problème.

b) Utilise des parenthèses pour résumer cette suite d'opérations en une seule opération.

8 Pour permettre à tous les enfants de s'inscrire, le comité des loisirs embauche des moniteurs et des monitrices supplémentaires. Il pourra ainsi augmenter le nombre de places pour certaines activités.

Le comité modifie alors ainsi ses calculs:

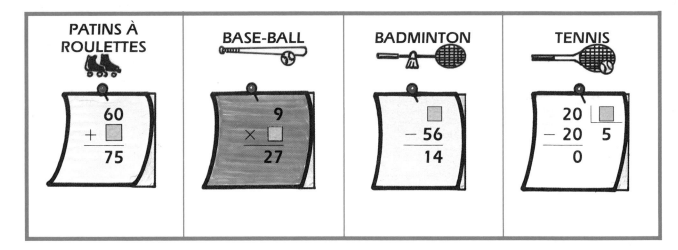

a) Complète chaque opération en trouvant le terme qui manque.

b) Combien de nouvelles places ont été ouvertes:
- pour le patin à roulettes?
- pour le base-ball?
- pour le badminton?
- pour le tennis?

c) Est-ce que tous les enfants auront une place maintenant? Écris une équation pour justifier ta réponse.

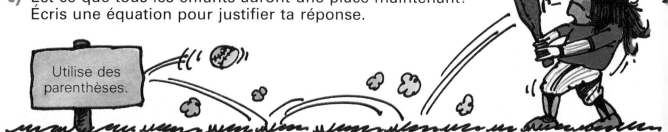

Au centre de loisirs, on peut aussi s'inscrire à des activités socio-culturelles.

Le comité des loisirs a préparé un tableau pour y noter les inscriptions. Ce tableau ressemble à celui des activités sportives.

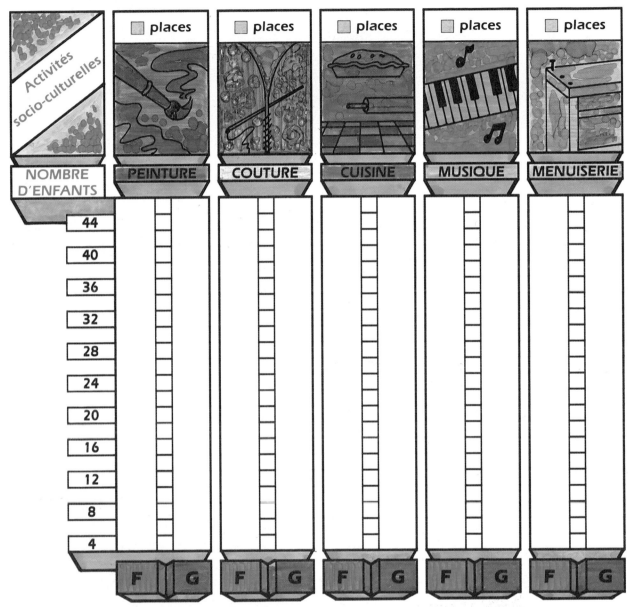

45 ▷ᵃ   Tu trouveras ce tableau dans ton cahier d'activités. À toi de le compléter!

LIS ATTENTIVEMENT LES INFORMATIONS QUI SUIVENT.

DÉTERMINE LES OPÉRATIONS À EFFECTUER.

ÉCRIS TES ÉQUATIONS.

COMPILE LES INSCRIPTIONS. COLORIE LES CASES REQUISES DE TON TABLEAU.

1 LA PEINTURE

Il y aura 4 groupes de
15 enfants.
Les inscriptions sont complètes.
De ce nombre, il y a 32 garçons.
Les autres sont des filles.

2

LA COUTURE

Il y a 8 inscriptions chez les
filles.
On compte trois fois plus de
garçons que de filles.
Il reste 4 places.

3 LA CUISINE

Les 30 inscriptions sont
complètes.
On formera des équipes de
6 enfants.
Il y aura 3 équipes de garçons.
Les filles composeront les
autres équipes.

4

LA MUSIQUE

5 filles se sont inscrites.
Il y a trois fois plus
d'inscriptions chez les garçons
que chez les filles.
Il reste 5 places.

5 LA MENUISERIE

Il y a 28 inscriptions chez les
filles.
On compte 1 garçon pour
4 filles.
Il reste 5 places.

6

a) Pour l'ensemble des activités:
- combien y avait-il de places
  en tout?
- combien de filles se sont
  inscrites au total?
- combien de garçons se sont
  inscrits au total?

b) Y a-t-il plus de filles ou plus de
garçons qui se sont inscrits?
Quelle est la différence?

c) Combien d'enfants pourraient encore s'inscrire?

Observe attentivement le tableau suivant:

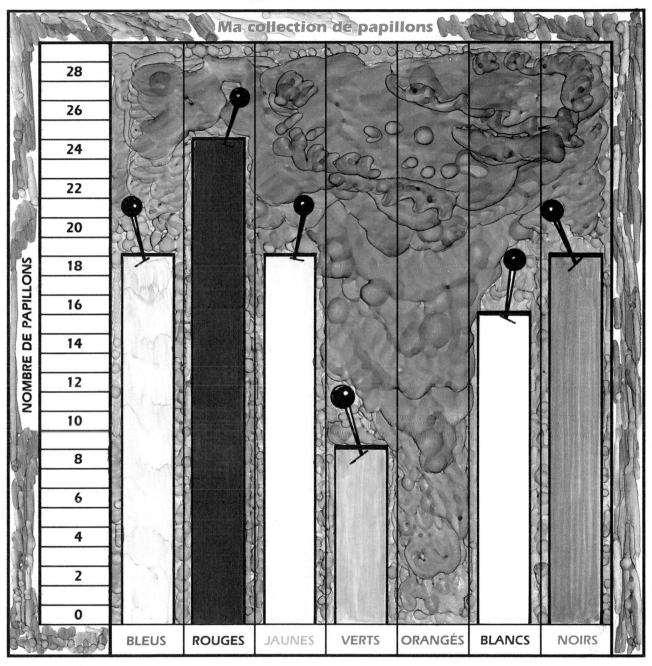

Ma collection de papillons

NOMBRE DE PAPILLONS

| 28 |
| 26 |
| 24 |
| 22 |
| 20 |
| 18 |
| 16 |
| 14 |
| 12 |
| 10 |
| 8 |
| 6 |
| 4 |
| 2 |
| 0 |

BLEUS · ROUGES · JAUNES · VERTS · ORANGÉS · BLANCS · NOIRS

Pose les équations qui te permettent de résoudre les problèmes suivants.

a) Il y a 3 boîtes de papillons orangés. Dans chaque boîte, il y a 4 papillons. Jusqu'à quel nombre tracerais-tu la ligne des papillons orangés?

b) Quelle est la somme des papillons bleus, des papillons jaunes et des papillons noirs?

253

c) Quelle est la somme des trois plus petites quantités de papillons de cette collection?

d) Les papillons jaunes sont répartis également dans 3 boîtes.
Combien y a-t-il de papillons jaunes par boîte?

e) Quelle est la différence entre la quantité de papillons rouges et la quantité de papillons verts?

f) Combien de papillons orangés faut-il ajouter pour égaler la quantité de papillons bleus?

g) On place 5 papillons blancs par boîte. Combien y a-t-il de boîtes de papillons blancs?

h) Jean-Philippe collectionne les papillons lui aussi. Il te propose l'échange suivant:

POUR CHACUN DE TES PAPILLONS VERTS, JE TE DONNE 2 PAPILLONS ORANGÉS.

- Si tu participais à l'échange, combien de papillons orangés Jean-Philippe te donnerait-il?

- Quelle serait alors la différence entre le nombre total de papillons de ta collection avant l'échange et après l'échange?

2 Effectue chacune des divisions suivantes. Fais la preuve de ton résultat.

Utilise la méthode que tu préfères.

a) 32 ÷ 8   **b)** 40 ÷ 4

c) 27 ÷ 9   **d)** 21 ÷ 7

3 Trouve la valeur de ▨ dans les équations suivantes.

Respecte l'ordre indiqué par les parenthèses.

a) $42 + (26 - 14) = $ ▨   **b)** $38 - (15 + 13) = $ ▨
c) $56 - (54 - 31) = $ ▨   **d)** $(45 - 13) - (38 - 12) = $ ▨

e) $(24 + 8) + (12 - 5) + (16 + 9) = $ ▨

4 Trouve le terme manquant dans chaque opération.

5 Estime à la dizaine près le résultat des opérations suivantes.

a)
```
  12
+ ▨
────
  39
```

b)
```
  ▨
- 23
────
  57
```

c)
```
   7
× ▨
────
  28
```

a) $78 + 23$ **b)** $46 + 21 + 34$
c) $17 + 23 + 42 + 11$ **d)** $99 + 146$

d)
```
  ▨
×  8
────
  40
```

e)
```
  ▨
+ 36
────
  54
```

f)
```
  ▨
× 15
─────
 150
```

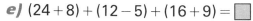

6 Pour chacune des situations suivantes, on te propose une démarche.
Lis attentivement chaque situation. Si tu n'es pas d'accord avec la démarche
proposée, corrige-la.

SITUATION A

Luc veut faire la somme des
notes qu'il a obtenues aux deux
derniers contrôles de
mathématique.

Au premier contrôle, il a obtenu
47 points. Au deuxième
contrôle, il avait obtenu
43 points mais il a perdu
5 points pour avoir mal corrigé
ses erreurs.

Combien de points Luc a-t-il
finalement obtenus en tout?

SITUATION B

Lélia avait 34 pièces de
monnaie dans sa tirelire. Elle
en a pris 4 pour s'acheter des
articles scolaires et 5 pour
assister à un spectacle.

Combien de pièces de monnaie
reste-t-il à Lélia?

SITUATION C

Mario avait 60 billes. Il donne
5 billes à chacun de ses trois
meilleurs amis.

Combien de billes lui reste-t-il
maintenant?

SITUATION D

Jade avait 24 cartes de ses
joueurs préférés. Au cours
d'une excursion, elle en a
perdu 4, mais son amie Karine
lui a donné 6 nouvelles cartes.

Combien de cartes Jade a-t-elle
maintenant?

7 Détermine une démarche pour résoudre chacun des problèmes suivants.
Pose les équations nécessaires. Utilise des parenthèses pour indiquer les
étapes à respecter.
Donne une réponse précise.

A.

Pour la collation, Chand apporte
une jarre contenant 30 biscuits.
Francis en mange 5 et Agnès en
mange 4.
Combien reste-t-il de biscuits
dans la jarre après la collation?

B.

Dans une école, il y a deux
classes de 4e année. On compte
27 élèves dans la première
classe et 28 dans la deuxième.
Aujourd'hui, les deux classes de
4e année vont à un concert.
Si 3 élèves sont absents dans la
première classe et 5 dans la
deuxième, combien d'élèves
iront au concert en tout?

C.

Indira a une collection de
timbres. Pour son anniversaire,
elle reçoit 25 timbres de ses
parents et 15 timbres de sa
marraine. Parmi ces nouveaux
timbres, il y en a 8 qu'elle
possède déjà. Elle les donne à
une amie qui commence une
collection.
Combien de nouveaux timbres
Indira ajoutera-t-elle à sa
collection?

D.

Richard achète deux livres à la
foire du livre. Le livre qu'il
donne à Yves a 34 pages et
celui qu'il donne à Marie-Louise
a 36 pages.
Aujourd'hui, Yves a lu 8 pages
de son livre et Marie-Louise a lu
12 pages du sien.
Combien de pages en tout
reste-t-il encore à lire dans ces
deux livres?

8 Effectue les multiplications suivantes.

Utilise
l'algorithme
de ton choix.

a) 15
  × 12

b) 16
  × 24

c) 32
  × 23

d) 27
  × 14

e) 58
  × 35

f) 34
  × 25

1 Le père de Valérie a fabriqué un rideau de perles pour la porte du patio. Regarde le tableau suivant. Tu y trouveras toutes les informations nécessaires pour résoudre les problèmes qui suivent.

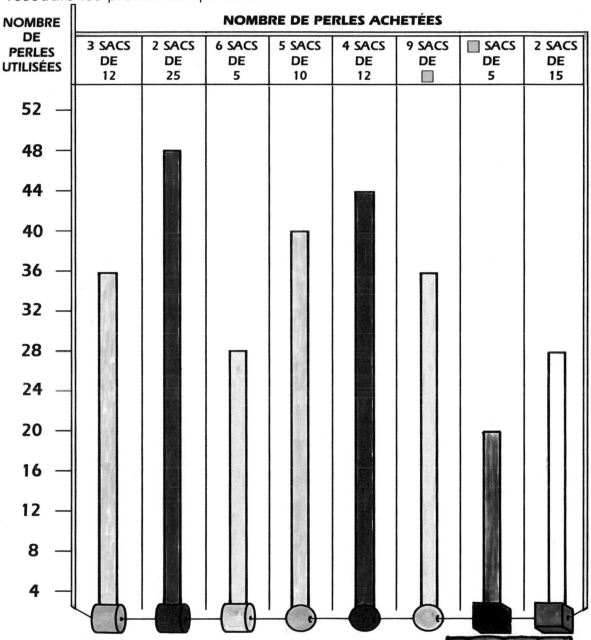

a) Dessine et colorie la sorte de perles:
- la plus utilisée;
- dont la quantité utilisée est égale à celle des ▪ utilisées;
- la moins utilisée;
- dont la quantité utilisée est égale à celle des ▭ utilisées.

Observe bien le tableau.

b) Place les perles en ordre croissant selon la quantité utilisée. Dessine et colorie ces perles de la bonne couleur.

2 Pose les équations qui te permettent de résoudre chacun des problèmes suivants.

Pour fabriquer le rideau de perles:

a) Combien de perles ⬛ et ⬤ a-t-on utilisées en tout?

b) Combien de perles ⬛ a-t-on achetées?

c) Combien de perles ⬤ a-t-on achetées?

d) Combien de perles ⬛ et ⬤ a-t-on achetées en tout?

e) Combien de perles ⬛ et ⬤ n'ont pas été utilisées?

f) Combien de perles ◖ a-t-on achetées?

g) Combien a-t-on utilisé de perles ⬤ de plus que de perles ▭?

h) Si toutes les perles ⬛ ont été utilisées, combien de sacs en avait-on acheté?

i) Combien de perles de cette forme ▭ a-t-on utilisées en tout?

j) Si toutes les perles ⬤ ont été utilisées, combien de perles chaque sac contient-il?

3 Pour trouver la quantité de perles de cette forme ▭ qu'on a achetées, Isabelle trace le diagramme suivant:

Reproduis le diagramme.
Complète les étiquettes numériques en procédant de la manière suivante.

a) Écris la suite des opérations à effectuer.
Identifie les sous-ensembles par des parenthèses.

(▭)   (▬)   (▭)   =   ◻

b) Écris le résultat de chaque opération.

(◻)   (◻)   (◻)   =   ◻

c) Écris le signe qui convient entre les parenthèses.
Réunis tes opérations dans une grande parenthèse.

((◻) ○ (◻) ○ (◻))   =   ◻

d) Combien de perles de cette forme ◖ a-t-on achetées?

Que représente ce carré?

258

4

Benjamin trace le diagramme suivant pour illustrer une question qu'il se pose:

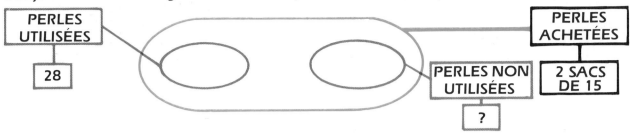

PERLES UTILISÉES		PERLES ACHETÉES
28	PERLES NON UTILISÉES	2 SACS DE 15
	?	

Élabore une démarche pour résoudre le problème.

a) Identifie les opérations nécessaires.

b) Identifie les étapes à suivre à l'aide de parenthèses.

c) Effectue les calculs nécessaires. Respecte l'ordre indiqué par les parenthèses.

5

Résous chacun des problèmes suivants. Élabore une démarche et illustre-la.

- Identifie les opérations nécessaires.
- Identifie les étapes à suivre à l'aide de parenthèses.
- Effectue les calculs.
- Donne une réponse précise.

a) Guynemer achète un pain tranché. Il y a 30 tranches en tout. Au déjeuner, on mange 8 tranches et au dîner, 4 tranches. Combien de tranches de pain reste-t-il?

b) Dans la classe de Sylvie, on boit 120 berlingots de lait par semaine. On boit 25 berlingots le lundi, 24 le mardi, 26 le mercredi, 23 le jeudi et le reste le vendredi. Combien de berlingots boit-on le vendredi?

c) La classe de Frédéric participe à une journée d'arts plastiques. Voici l'horaire de la journée:

MATINÉE
ATELIER 1 DURÉE : 50 MINUTES
ATELIER 2 DURÉE : 45 MINUTES
APRÈS-MIDI
ATELIER 3 DURÉE : 40 MINUTES DE MOINS QUE LA DURÉE DE L'ATELIER 1 ET DE L'ATELIER 2 ENSEMBLE.

Combien de temps l'atelier de l'après-midi dure-t-il?

d) Maude et René construisent une cabane d'oiseaux. Maude utilise 12 clous. René utilise 6 clous de plus que Maude. Combien de clous Maude et René utilisent-ils ensemble?

6

Effectue les divisions suivantes.

Utilise le procédé de ton choix.

a) 15 | 3   **b)** 21 | 7   **c)** 36 | 9   **d)** 49 | 7

e) 54 | 6   **f)** 64 | 8   **g)** 72 | 8   **h)** 81 | 9

7 Complète les équations.

Respecte l'ordre indiqué par les parenthèses.

a) $(3 + 8 + 4) - 8 =$ ☐

b) $18 + (12 - 5) =$ ☐

c) $(39 - 17) + (24 - 13) =$ ☐

d) $(16 + 22) - (11 + 17) =$ ☐

e) $40 - (30 - 13) =$ ☐

f) $(24 - 9) + (16 + 8) + (36 - 19) =$ ☐

8 Trouve le terme manquant dans chaque opération.

a)
$$\begin{array}{r} 13 \\ + \ ☐ \\ \hline 45 \end{array}$$

b)
$$\begin{array}{r} ☐ \\ + \ 35 \\ \hline 59 \end{array}$$

c)
$$\begin{array}{r} 41 \\ + \ ☐ \\ \hline 89 \end{array}$$

d)
$$\begin{array}{r} ☐ \\ - \ 12 \\ \hline 46 \end{array}$$

e)
$$\begin{array}{r} ☐ \\ - \ 32 \\ \hline 35 \end{array}$$

f)
$$\begin{array}{r} ☐ \\ - \ 26 \\ \hline 48 \end{array}$$

g)
$$\begin{array}{r} ☐ \\ \times \ 6 \\ \hline 42 \end{array}$$

h)
$$\begin{array}{r} 9 \\ \times \ ☐ \\ \hline 36 \end{array}$$

i)
$$\begin{array}{r} ☐ \\ \times \ 8 \\ \hline 48 \end{array}$$

j)
$$\begin{array}{r} ☐ \\ + \ 41 \\ \hline 69 \end{array}$$

k)
$$\begin{array}{r} 7 \\ \times \ ☐ \\ \hline 35 \end{array}$$

l)
$$\begin{array}{r} ☐ \\ - \ 13 \\ \hline 75 \end{array}$$

9 Estime à la dizaine près le résultat des opérations suivantes.

a) $87 + 32$

b) $64 + 12 + 43$

c) $71 + 32 + 42 + 11$

d) $91 + 111$

e) $48 - 13$

f) $83 - 14$

g) $71 - 58$

h) $94 - 28$

i) $154 - 99$

10 Effectue les multiplications suivantes.

a)
$$\begin{array}{r} 12 \\ \times \ 51 \\ \hline \end{array}$$

b)
$$\begin{array}{r} 14 \\ \times \ 26 \\ \hline \end{array}$$

c)
$$\begin{array}{r} 33 \\ \times \ 22 \\ \hline \end{array}$$

d)
$$\begin{array}{r} 24 \\ \times \ 17 \\ \hline \end{array}$$

e)
$$\begin{array}{r} 53 \\ \times \ 58 \\ \hline \end{array}$$

f)
$$\begin{array}{r} 47 \\ \times \ 23 \\ \hline \end{array}$$

Utilise l'algorithme de ton choix.

JE VAIS PLUS LOIN

Pour clôturer la journée des olympiades, les élèves de 4ᵉ et 5ᵉ année ont organisé un lancer de ballons.

Le tableau suivant te fournit toutes les informations nécessaires à ce sujet. Observe-le attentivement.

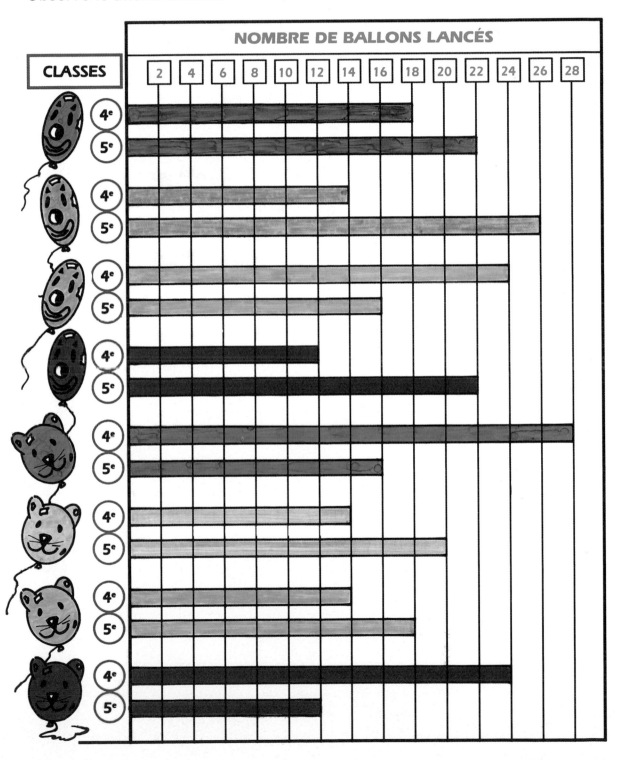

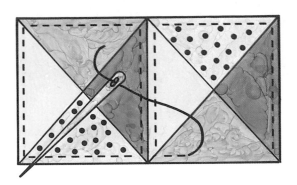

UNE COURTEPOINTE

14

GÉOMÉTRIE
TRANSFOR-
MATIONS:
RÉFLEXION,
TRANSLATION

FRISES ET
DALLAGES

La grand-mère d'Isabelle et de Sylvain confectionne des courtepointes depuis de nombreuses années. En ce moment, elle en coud une pour le lit de Sylvain.

À cause de son âge, grand-mère a de plus en plus de difficultés à assembler les pièces de la courtepointe. Elle demande à Isabelle et à Sylvain de l'aider.

Lis attentivement les explications que donne grand-mère. Pourrais-tu l'aider, toi aussi?

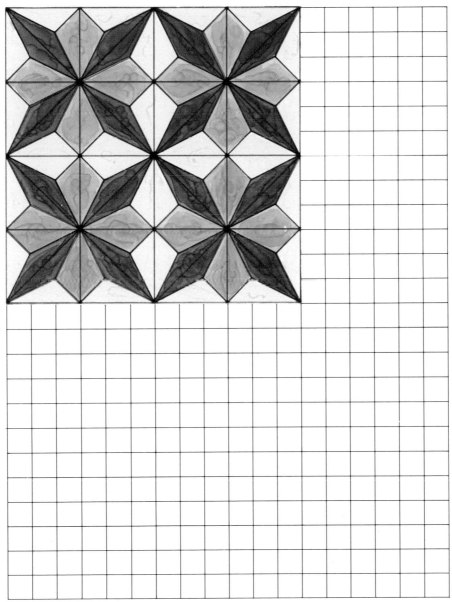

Décris le motif en mentionnant ces éléments:

a) couleur des pièces;   **b)** forme des pièces;   **c)** agencement des pièces.

 **2**

Grand-mère rassemble trois morceaux de tissu pour former la pièce de base:

PIÈCE
DE
BASE

Pour fabriquer une courtepointe, on rassemble plusieurs morceaux de tissu. La forme de ces morceaux détermine le motif.

a) Quelle est la forme de cette pièce?

b) Quelle est la forme de chacun des trois morceaux?

c) Les trois morceaux sont-ils congrus?

d) Repère cette pièce sur la courtepointe que grand-mère a commencée. Combien de pièces semblables y a-t-il en tout?

 3

46

Avec la *PIÈCE DE BASE*, grand-mère compose le *PREMIER MOTIF*:

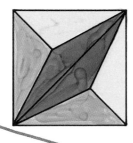

PREMIER MOTIF

Trouve comment grand-mère a fabriqué le *PREMIER MOTIF* à partir de la *PIÈCE DE BASE*.

PISTES:

a) Voici le *PREMIER MOTIF* non colorié:

En coloriant le motif, as-tu découvert la façon de le construire?

Tu le trouveras dans ton cahier d'activités.
Colorie-le aux couleurs de la courtepointe.

b) Voici un indice pour t'aider à découvrir comment grand-mère a procédé.

Tu as effectué des transformations semblables depuis ta 1ʳᵉ année.

● Comment s'appelle cette transformation géométrique?

● Comment s'appelle la ligne en pointillés?

● Que se passe-t-il quand on effectue cette transformation sur une figure?

c) Raconte maintenant comment grand-mère a fabriqué le *PREMIER MOTIF*.

4

a) Observe les motifs suivants.
Repère l'axe de réflexion de chacun, s'il y en a un.

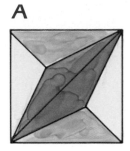

A   B   C   D

b) Tu trouveras ces motifs dans ton cahier d'activités.
Trace les axes de réflexion en rouge.

c) Lequel de ces motifs grand-mère a-t-elle utilisé? Quelle forme a-t-il?

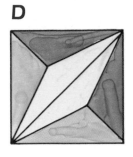

Raconte à tes camarades comment tu as reconnu le motif.

d) Repère le *PREMIER MOTIF* sur la courtepointe que grand-mère a commencée.
Combien de motifs semblables y a-t-il en tout?

5

Avec le *PREMIER MOTIF*, grand-mère compose ensuite le *DEUXIÈME MOTIF*:

DEUXIÈME MOTIF

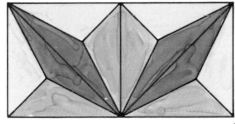

Trouve comment grand-mère a fabriqué le *DEUXIÈME MOTIF* à partir du *PREMIER MOTIF*.

PISTES:

a) Voici le *DEUXIÈME MOTIF* non colorié:

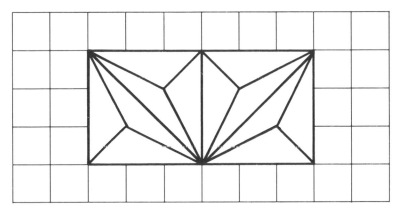

Tu trouveras ce motif dans ton cahier d'activités.
Colorie-le aux couleurs de la courtepointe.

b) Quelle transformation grand-mère a-t-elle effectuée?

c) Sur ton *DEUXIÈME MOTIF*, trace en rouge l'axe de réflexion.

Est-ce la même transformation qu'à l'activité **3**?

6 Observe les motifs suivants, que tu trouveras dans ton cahier d'activités. Repère les axes de réflexion de chacun, s'il y en a.

46 A  B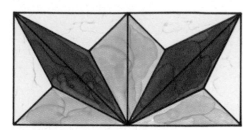

C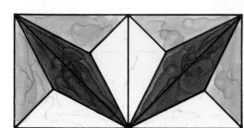

Trace les axes de réflexion en rouge.

Lequel de ces motifs grand-mère a-t-elle utilisé? Quelle forme a-t-il?

Repère le *DEUXIÈME MOTIF* sur la courtepointe que grand-mère a commencée. Combien de motifs semblables y a-t-il en tout?

7 Grand-mère compose enfin un troisième motif qu'elle nomme *PATRON*. Tu le trouveras dans ton cahier d'activités.

47  *PATRON*

a) Explique comment grand-mère a composé son *PATRON*.

b) Repère tous les axes de réflexion qu'il y a sur le *PATRON*.

c) Trace les axes de réflexion en rouge.

d) Repère ce *PATRON* sur la courtepointe que grand-mère a commencée. Combien y a-t-il de *PATRONS* semblables en tout?

8

Lorsque grand-mère glisse ainsi son patron sur une certaine distance, elle effectue une **TRANSLATION**.

a) D'après toi, quand on effectue une translation, est-ce que les caractéristiques de la figure qu'on glisse sont changées?

b) Pourquoi dit-on qu'une translation est une transformation géométrique?

9 ▷ Tu connais maintenant les secrets de grand-mère au sujet de la confection d'une courtepointe.

 47 ▷ **a)** Dans ton cahier d'activités, tu trouveras le motif complet de la courtepointe de grand-mère. Colorie-le.

Tu peux colorier ton motif aux couleurs de la courtepointe de grand-mère. Tu peux aussi utiliser les couleurs de ton choix. Assure-toi cependant de respecter le motif.

b) Dans le motif complet, combien y a-t-il d'axes de réflexion?

c) Dans le motif complet, trouve des translations du PATRON:
- des translations horizontales;
- des translations verticales;
- des translations en oblique.

Isabelle et Sylvain ont aidé grand-mère à compléter le motif de la courtepointe. Ils décident ensuite d'ajouter une frise sur chacun des deux côtés les plus longs.

«La courtepointe sera encore plus jolie», disent-ils à grand-mère. Mais ils n'arrivent pas à déterminer le modèle qu'ils utiliseront.

Grand-mère leur suggère d'utiliser une pièce de base et des transformations géométriques pour créer la frise.

Isabelle et Sylvain se mettent aussitôt au travail.

Veux-tu participer aux recherches d'Isabelle et de Sylvain? Tu seras ensuite capable, toi aussi, de créer des frises.

Isabelle et Sylvain décident d'utiliser la pièce de base qui a servi à confectionner la courtepointe:

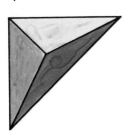

Une frise, c'est un motif composé d'une pièce de base reproduite plusieurs fois dans la même direction. On fait subir à cette pièce de base différentes transformations.

Avec cette pièce, ils créeront une frise.

a) Sylvain se souvient d'une des transformations géométriques utilisées par grand-mère pour confectionner la courtepointe.

LA TRANSLATION

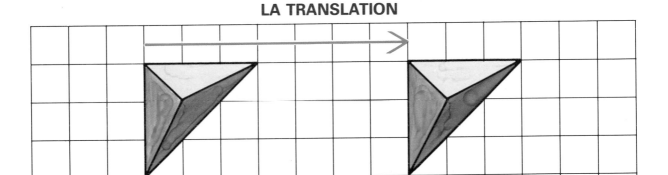

Trouve comment tu peux effectuer cette transformation.
Raconte à tes camarades ta façon de procéder.

b) Isabelle se souvient de l'autre transformation utilisée par grand-mère.

LA RÉFLEXION

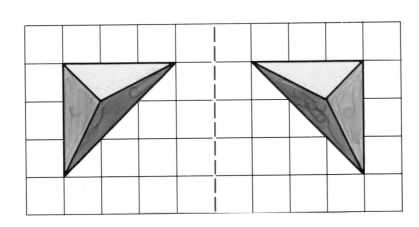

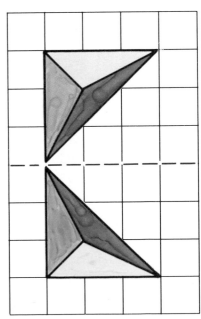

Trouve comment tu peux effectuer cette transformation.
Raconte à tes camarades ta façon de procéder.

Isabelle et Sylvain se servent de la translation et de la réflexion pour créer différents modèles de frises.

 **A**

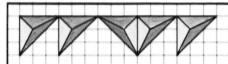

B

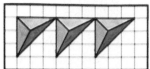

C

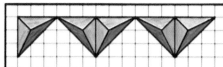

D

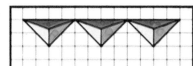

E

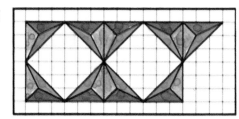

F

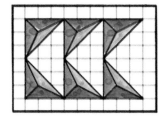

a) Complète les frises d'Isabelle et de Sylvain.
Tu trouveras ces frises dans ton cahier d'activités.

b) Pour chacune des frises, indique la suite de transformations effectuées.

3

a) Invente d'autres modèles de frises.
Dessine-les sur du papier quadrillé.

b) Pour chacune de tes frises, indique la suite de transformations que tu as effectuées.

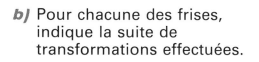

Choisis la frise que tu préfères. Affiche-la au babillard de ta classe.

Grand-mère a terminé la courtepointe de Sylvain. Elle offre à Isabelle de lui en confectionner une à son tour. Elle lui demande cependant d'en choisir elle-même le motif.

Isabelle est ravie mais elle ne sait pas quel motif choisir. Veux-tu l'aider à créer un motif de courtepointe?

1

49

Voici la pièce de base qu'Isabelle aimerait utiliser pour sa courtepointe:

Dans ton cahier d'activités, tu trouveras plusieurs exemplaires de cette pièce de base. Découpe toutes les pièces. Place-les sur une feuille de papier. Utilise la translation et la réflexion pour créer un motif de courtepointe.

Lorsque tu auras créé un motif qui te plaît, colle les pièces sur ta feuille de papier.

2

Présente ton motif à tes camarades.
Explique les transformations que tu as fait subir à la pièce de base pour créer ton motif.

1 Tu trouveras les figures suivantes dans ton cahier d'activités.
Trace en rouge les axes de réflexion qu'il y a dans ou entre les figures.

 **a)**

b)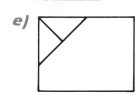

c)

d)

e)

2 Combien d'axes de réflexion y a-t-il dans chacune des figures suivantes?

a) **b)** **c)** **d)**

3 Tu trouveras cette figure dans ton cahier d'activités. Effectue les réflexions indiquées.

 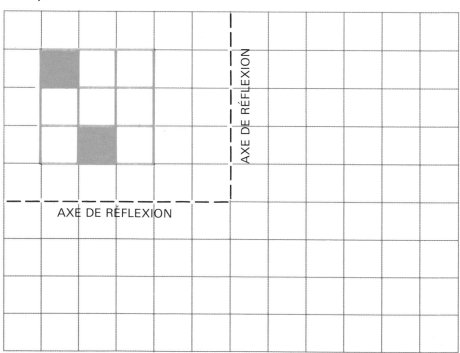

AXE DE RÉFLEXION

AXE DE RÉFLEXION

4 Tu trouveras cette figure dans ton cahier d'activités. Effectue les translations indiquées.

52

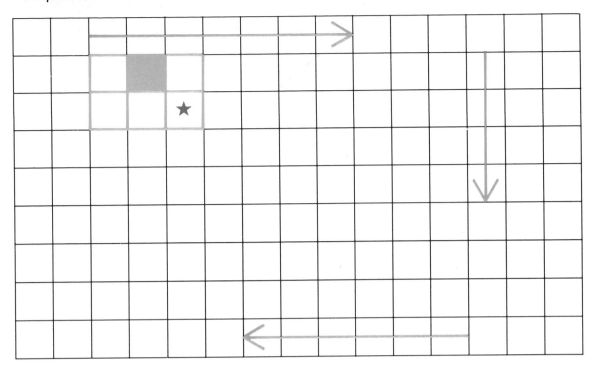

5 Observe attentivement les figures suivantes:

Les figures **1**, **2** et **3** ont été obtenues par translation. Indique par une flèche dans quel sens le déplacement a été effectué pour aller:

a) de **A** à **1**;   *b)* de **1** à **2**;   *c)* de **2** à **3**.

JE M'ENTRAÎNE

Toutes les figures des activités suivantes sont reproduites dans ton cahier d'activités.

1 Trace, par une réflexion, les images des figures suivantes.

Commence par tracer l'image des sommets.

a)
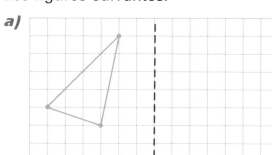

b)

Tu peux vérifier, à l'aide d'un miroir, l'exactitude de toutes les images tracées.

c)

d)
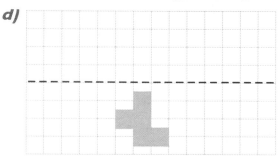

e)
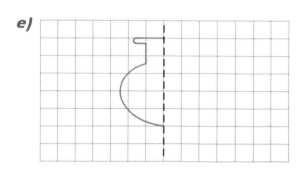

f)
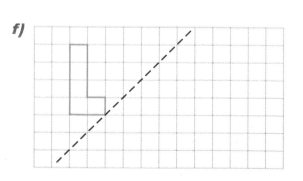

2

54

a) Encercle les paires de maisons qui sont l'image l'une de l'autre par une réflexion.

b) Trace l'axe de réflexion dans chaque cas.

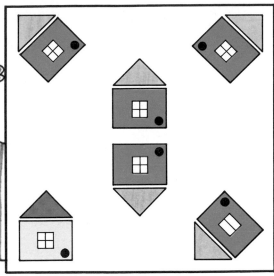

3

54

a) Trace les axes de réflexion des figures suivantes.

b) Indique, dans chaque cas, le nombre total d'axes de réflexion.

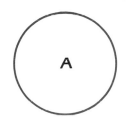
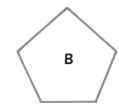

C

D

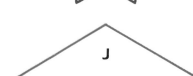

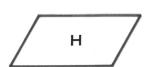

c) Classe maintenant ces figures dans les ensembles représentés ci-dessous.

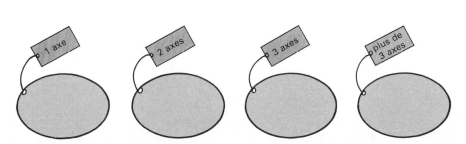

Pour identifier chaque figure, utilise la lettre qui se trouve à l'intérieur.

4 ● Continue les frises suivantes. Pour chacune d'elles, indique si la transformation est une réflexion ou une translation.

55 ● Trace, s'il y a lieu, l'axe de réflexion à l'aide d'une ligne pointillée.

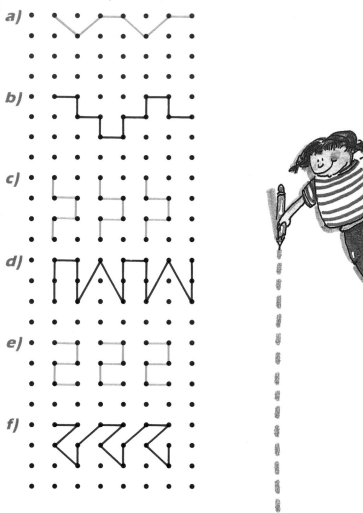

a)

b)

c)

d)

e)

f)

5 Voici un ensemble de lettres de l'alphabet.

● Vérifie, à l'aide d'un miroir, si ces lettres admettent des axes de réflexion.

56 ● Trace les axes de réflexion à l'aide d'une droite pointillée.

FADHMI

GBCEKL

Compare tes réponses avec celles de tes camarades.

**Toutes les figures des activités suivantes
sont reproduites
dans ton cahier d'activités.**

1 Place ton miroir à divers endroits sur chacune des figures initiales (notées **A**).
Observe à chaque fois l'image que tu obtiens dans le miroir.
Laquelle des figures 1 ou 2 es-tu parvenu à obtenir? Commente ta réponse.
Illustre la position du miroir par une ligne pointillée.

57

a)

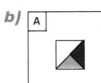

b)

c)

d)

2 Sur la figure initiale **A**, comment dois-tu placer ton miroir:

58
- pour obtenir la figure 1?
- pour obtenir la figure 2?

Illustre ta réponse en représentant, sur la figure **A**, la position du miroir par
une ligne pointillée.

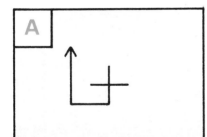
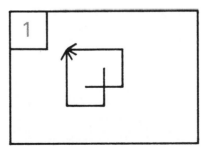
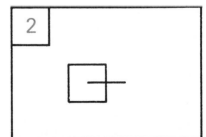

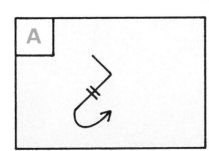
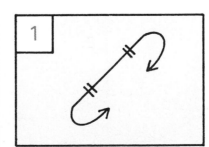
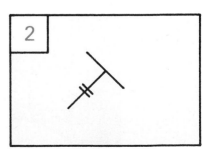

279

Et toi, qu'en penses-tu? Complète le tableau suivant.

TRACE LES AXES DE CES QUADRILATÈRES.	COMBIEN D'AXES PASSENT PAR LES CÔTÉS?	COMBIEN D'AXES PASSENT PAR LES SOMMETS?

4

 59

Sur cette feuille de papier, que tu trouveras dans ton cahier d'activités, imagine un motif où il y aura:

● des axes de réflexion;

● des translations.

Colorie ton motif.

Raconte à tes camarades comment tu as procédé.

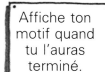
Affiche ton motif quand tu l'auras terminé.

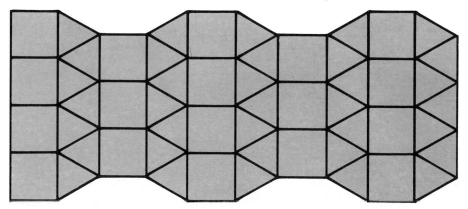

LA
MISE EN PAGE
D'UN JOURNAL

15

FRACTIONS
ORDRE,
ÉQUIVALENCE

Réaliser un journal, c'est tout un travail. Il faut non seulement avoir des articles intéressants, mais il faut aussi savoir les disposer de façon attrayante. Pour y parvenir, les spécialistes utilisent une grille de montage. Aimerais-tu, toi aussi, construire un journal? Voici des activités qui te permettront de savoir comment faire le montage d'un journal de classe ou d'école, et cela de manière professionnelle.

Procure-toi un journal. Remarque la façon dont sont disposés les articles. Remarque la façon dont on a écrit les textes. Fais-nous part de tes observations.

Nous te proposons d'analyser les différentes pages d'un journal fictif. Elles te permettront de dégager les principes régissant le montage d'un journal.

 61 Commence par analyser la page 1 du journal présenté dans ton cahier d'activités.

a) Que remarques-tu?

b) Combien y a-t-il d'articles?

c) Quelle fraction de la page occupe l'article 1? l'article 2? l'article 3?

d) Quelle fraction de la page occupent les articles 2 et 3 ensemble?

2

a) $\frac{1}{4} + \frac{1}{4} = \frac{2}{4}$

Illustre cette réponse de façon différente.

b) Compare les fractions $\frac{1}{2}$ et $\frac{2}{4}$.

c) Compare les fractions $\frac{1}{2}$ et $\frac{1}{4}$.

3

a) Que veut dire le 2 dans $\frac{1}{2}$?

b) Que veut dire le 4 dans $\frac{1}{4}$? Comment l'appelle-t-on?

4 Remplace les ▢ par < ou >.

a) $\frac{1}{2}$ ▢ $\frac{1}{4}$

b) $\frac{3}{4}$ ▢ $\frac{2}{4}$

Examine maintenant la page 2 du journal.

Qui est Beethoven?

Mozart à la Place des Arts

J'ai lu pour vous

J'ai vu pour vous

L'image de l'Art

a) Que remarques-tu?

b) Combien y a-t-il d'articles?

c) Quelle fraction de la page occupe:
- l'article 4?
- l'article 5?
- l'article 6?
- l'article 7?
- l'article 8?

Compare tes réponses à celles de tes camarades. Raconte-leur comment tu as procédé. Avez-vous suivi la même démarche?

6 *a)* Ordonne les articles de la page 2 en ordre croissant, de l'article le plus court à l'article le plus long.

b) Ordonne maintenant, en ordre croissant, les fractions correspondant à la place occupée par chacun des articles.

c) Que remarques-tu dans l'écriture des fractions?

d) Si tu réunis les articles 6 et 7 pour en faire un seul article, à quel article sera-t-il équivalent? Quelle sera alors la fraction de la page occupée? Écris l'équation correspondante.

e) Que peux-tu dire maintenant des fractions $\frac{1}{6}$ et $\frac{2}{12}$?

Raconte comment tu peux le prouver.

Deux articles sont équivalents s'ils occupent le même espace.

7 Remplace chaque ☐ par < ou >.

a) $\frac{1}{6}$ ☐ $\frac{4}{6}$

b) $\frac{1}{6}$ ☐ $\frac{1}{12}$

c) $\frac{1}{3}$ ☐ $\frac{1}{6}$

Maintenant, examine la page 3 du journal.

a) Que remarques-tu?

b) Quelle fraction de la page occupe chacun des articles?

Raconte à un ou à une camarade comment tu as procédé.

Compare tes réponses avec les siennes.

c) Écris les fractions ainsi identifiées, en ordre décroissant.

9

On peut remplacer l'article 9, occupant le $\frac{1}{6}$ de la page, par deux articles 10, occupant chacun le $\frac{1}{12}$ de la page.

Alors, que peux-tu dire des fractions $\frac{1}{6}$ et $\frac{2}{12}$?

10

a) Peut-on remplacer l'article 12 par plusieurs articles 10?

b) Peut-on remplacer l'article 12 par plusieurs articles 9?

Raconte à tes camarades comment tu peux prouver tes réponses.

11 Examine la page 4 du journal.

 67

a) Que remarques-tu?

b) Quelle fraction de la page occupe chacun des articles?

c) Écris ces fractions en ordre croissant.

d) Comment savoir si les articles 13 et 14 occupent le même espace?

e) Le dessin de l'article 15 est équivalent à un autre article. De quel article s'agit-il?

• Quelle fraction représente l'espace occupé par ce dessin?

f) Quelle fraction représente l'espace occupé par chacun des dessins de l'article 13?

Raconte comment tu as procédé.

12 *a)* Suppose que tu veuilles répéter deux fois l'article 17. Quelle fraction représenterait l'espace occupé?

b) À quel autre article ce nouvel article serait-il équivalent?

Comment peux-tu prouver tes réponses?

13

POUR COUVRIR LA MOITIÉ D'UNE PAGE, IL FAUT:

1 article 15 qui occupe
$\frac{1}{2}$ d'une page;
ou
3 articles 13 qui occupent
$\frac{3}{6}$ d'une page;
ou
18 articles 17 qui occupent
$\frac{18}{36}$ d'une page;
ou
9 articles 16 qui occupent
$\frac{9}{18}$ d'une page.

a) Que veulent dire le 3 et le 6 dans la fraction $\frac{3}{6}$?

b) Dans les fractions $\frac{18}{36}$ et $\frac{9}{18}$, le 18 indique-t-il la même chose? Pourquoi?

c) Pourrait-on dire que $\frac{1}{2}$, $\frac{3}{6}$, $\frac{9}{18}$ et $\frac{18}{36}$ sont des fractions équivalentes? Pourquoi? Comment peux-tu le prouver?

d) Écris 3 autres fractions qui seraient équivalentes à celles données en *c*.

14 Remplace chaque ☐ par < ou >.

a) $\frac{1}{4}$ ☐ $\frac{1}{2}$

b) $\frac{1}{6}$ ☐ $\frac{1}{4}$

c) $\frac{1}{18}$ ☐ $\frac{1}{2}$

d) $\frac{1}{4}$ ☐ $\frac{1}{36}$

e) $\frac{4}{36}$ ☐ $\frac{19}{36}$

f) $\frac{7}{18}$ ☐ $\frac{4}{18}$

Compare tes réponses avec celles de tes camarades.

15 Les pages de ce journal pourraient toutes se subdiviser en 6 colonnes et 6 rangées.

 60

a) Quelle fraction de la page représente:
- chacun des rectangles?
- chacune des rangées?
- chacune des colonnes?

Utilise la grille de ton cahier d'activités.

b) Découpe tous les articles du journal (de 1 à 22).
Place chacun des articles sur la grille et indique en trente-sixièmes ($\frac{☐}{36}$) la fraction correspondante.

c)
- Ordonne les articles du plus court au plus long.
- Place les fractions en ordre croissant.
- Que remarques-tu?
- Énonce une règle permettant d'ordonner des fractions ayant le même dénominateur.

Note le numéro de l'article à côté de la fraction.

Consulte ton lexique si tu en as besoin.

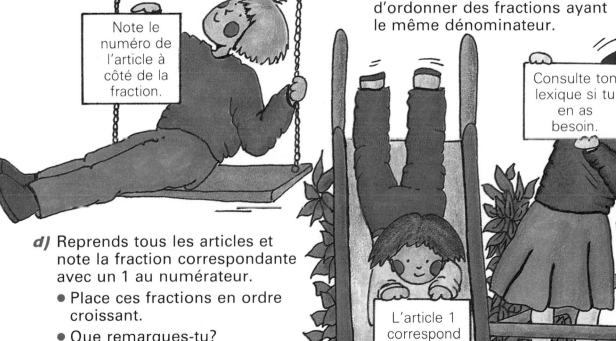

d) Reprends tous les articles et note la fraction correspondante avec un 1 au numérateur.
- Place ces fractions en ordre croissant.
- Que remarques-tu?
- Énonce une règle permettant d'ordonner des fractions ayant le même numérateur.

L'article 1 correspond à $\frac{1}{2}$.
L'article 2 correspond à $\frac{1}{4}$.

a) Reproduis et complète le tableau suivant:

POUR COUVRIR L'ARTICLE...,	IL FAUT:		FRACTIONS CORRESPONDANTES		
1	18	articles 22	$\frac{1}{2}$	est équivalent à	$\frac{18}{36}$
1	▢	articles 16	▢	est équivalent à	▢
1	▢	articles 9	▢	est équivalent à	▢
1	▢	articles 2	▢	est équivalent à	▢
2	▢	articles 22	▢	est équivalent à	▢
2	▢	articles 16	▢	est équivalent à	▢
2	▢	articles 9	▢	est équivalent à	▢
4	▢	articles 22	▢	est équivalent à	▢
4	▢	articles 16	▢	est équivalent à	▢
4	▢	articles 13	▢	est équivalent à	▢
4	▢	articles 9	▢	est équivalent à	▢
5	▢	articles 22	▢	est équivalent à	▢
5	▢	articles 9	▢	est équivalent à	▢
6	▢	articles 22	▢	est équivalent à	▢
16	▢	articles 22	▢	est équivalent à	▢

18 articles 22 couvriraient l'article 1. Les fractions correspondantes, $\frac{1}{2}$ et $\frac{18}{36}$, sont donc équivalentes.

b) À partir du tableau précédent, identifie des fractions équivalentes à:

$\frac{1}{2}$, $\frac{1}{3}$, $\frac{1}{4}$, $\frac{1}{6}$, $\frac{1}{9}$ et $\frac{1}{12}$.

c) Essaie maintenant de trouver des fractions équivalentes à $\frac{1}{5}$. Recommence avec $\frac{1}{10}$.

Compare tes résultats et ta façon de procéder à ceux de tes camarades.

Dans un journal, on ne trouve pas seulement des articles mais aussi de la publicité et des annonces.

Pour déterminer le coût de chaque espace, il est important de se donner une façon efficace de procéder.

Dans ton cahier d'activités, tu trouveras la reproduction de ces quatre nouvelles pages de journal.

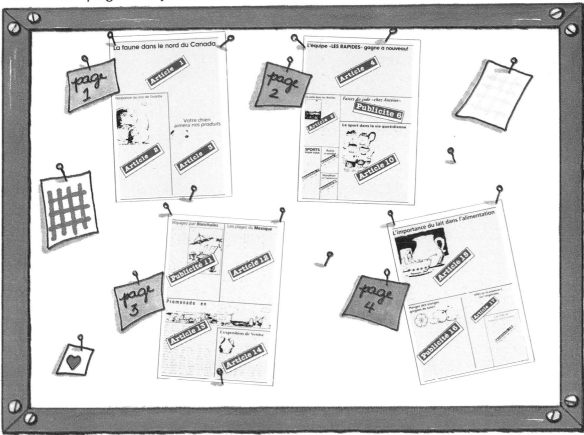

En supposant qu'une page complète coûte 360 $, détermine le coût de chaque espace.

Pour t'aider à trouver ces coûts, voici un tableau que tu trouveras reproduit dans ton cahier d'activités.

ARTICLE, ANNONCE OU PUBLICITE	FRACTION DE LA PAGE	NOMBRE DE FOIS LE PLUS PETIT ESPACE OCCUPE	FRACTION EXPRIMEE EN TRENTE-SIXIEMES	COUT REEL
1				
2				
3	$\frac{1}{4}$	9 FOIS	$\frac{9}{36}$	
4				
5				
6				
7				
8				
9				
10				
11				
12				
13				
14				
15				
16				
17				
18				

● Complète la 2e colonne du tableau.

● Raconte comment tu as procédé pour déterminer la fraction correspondant à chaque espace occupé.

Quel est le plus petit espace occupé?

Peut-on remplacer chacun des espaces par plusieurs fois le plus petit espace?

Complète maintenant la 3e et la 4e colonne de ton tableau.

Place les fractions en ordre croissant.

Le plus petit espace occupé coûtera le moins cher.

Une page complète coûte 360 $. Le plus petit espace occupe $\frac{1}{36}$ de la page. Combien coûte cet espace?

Complète maintenant la dernière colonne du tableau.

Raconte à tes camarades comment tu as procédé.

Si une page coûtait 720 $, indique combien vaudrait chacun des espaces.

Compare tes réponses avec celles de tes camarades.

Trouve le prix de chacun des espaces, si la page complète coûte 180 $.

Les situations précédentes t'ont sûrement donné envie de faire ton propre journal. Tu pourrais décider d'en monter un. Discutes-en avec tes camarades.

Pour réaliser ce journal, tu auras besoin d'articles, de publicité et d'annonces.

Voici les indices que nous te donnons pour t'aider dans ta réalisation.

1 ➤ La première page sera composée de 9 espaces. Il y aura le titre, des articles, de la publicité et une annonce.
Voici la description de cette page:

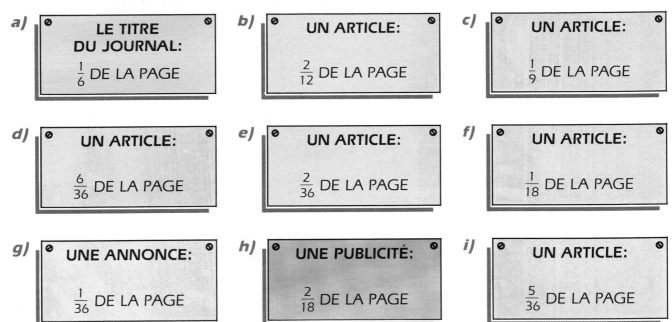

a) LE TITRE DU JOURNAL: $\frac{1}{6}$ DE LA PAGE

b) UN ARTICLE: $\frac{2}{12}$ DE LA PAGE

c) UN ARTICLE: $\frac{1}{9}$ DE LA PAGE

d) UN ARTICLE: $\frac{6}{36}$ DE LA PAGE

e) UN ARTICLE: $\frac{2}{36}$ DE LA PAGE

f) UN ARTICLE: $\frac{1}{18}$ DE LA PAGE

g) UNE ANNONCE: $\frac{1}{36}$ DE LA PAGE

h) UNE PUBLICITÉ: $\frac{2}{18}$ DE LA PAGE

i) UN ARTICLE: $\frac{5}{36}$ DE LA PAGE

- Découpe ces espaces; prends bien soin de les identifier et colle-les sur une feuille.
- Place ces espaces en ordre croissant en écrivant la fraction correspondante.
- Compare ta réponse avec celles de tes camarades. Raconte-leur comment tu as procédé.

2 ➤ La deuxième page de ce journal aura 7 espaces. Le coût d'une page complète s'élève à 360 $. Pour monter cette page, les indices suivants te sont donnés.

a) L'un des articles coûte 40 $.
b) Un autre article coûte 120 $.
c) Un autre article coûte 20 $.
d) L'une des publicités coûte 80 $.
e) Une annonce coûte 30 $.
f) Un autre article coûte 60 $.
g) L'autre publicité coûte 10 $.
TOTAL 360 $

Utilise la calculatrice pour effectuer tes calculs.

- Quelle fraction de la page occupera chacun de ces articles, annonces et publicités?
- Place les fractions en ordre croissant.
- Fais le montage de cette page de journal.
- Compare ton résultat et ton procédé avec ceux de tes camarades.

Identifie bien chaque espace.

3 ➤ Vous êtes maintenant capables de monter réellement votre propre journal. Faites-le si vous le désirez! Bonne chance!

1 Illustre, sur du papier quadrillé, les fractions suivantes:

a) $\frac{1}{2}$ b) $\frac{3}{4}$ c) $\frac{1}{3}$ d) $\frac{5}{6}$ e) $\frac{3}{12}$

2 Parmi les partages suivants, regroupe ceux qui sont équivalents.

Deux partages sont équivalents s'ils représentent la même fraction.

a) $\frac{1}{4}$ b) $\frac{1}{2}$ c) $\frac{1}{3}$

d) $\frac{2}{6}$ e) $\frac{6}{24}$ f) $\frac{2}{4}$

3 Parmi les partages suivants, regroupe ceux qui sont équivalents.

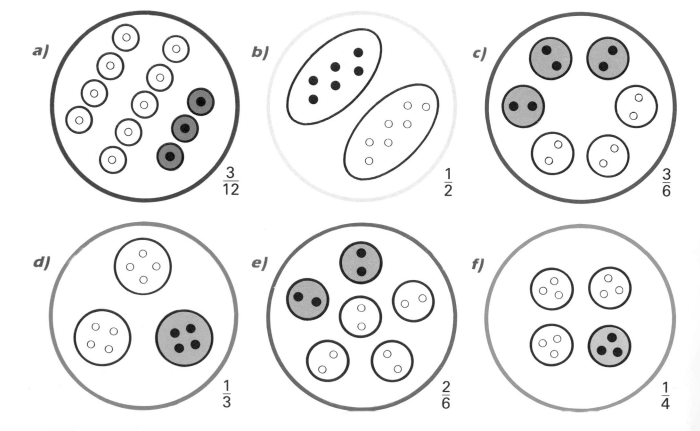

a) $\frac{3}{12}$ b) $\frac{1}{2}$ c) $\frac{3}{6}$

d) $\frac{1}{3}$ e) $\frac{2}{6}$ f) $\frac{1}{4}$

4 ► Écris deux fractions équivalentes à la fraction donnée.

a) $\frac{1}{2}$; ☐ ; ☐ b) $\frac{1}{3}$; ☐ ; ☐ c) $\frac{1}{4}$; ☐ ; ☐ d) $\frac{1}{5}$; ☐ ; ☐

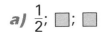

Si tu en as besoin, tu peux utiliser les tableaux suivants.

$\frac{1}{2}$	
$\frac{1}{3}$		
$\frac{1}{4}$			
$\frac{1}{6}$					
$\frac{1}{12}$											

$\frac{1}{3}$		
$\frac{1}{5}$				
$\frac{1}{15}$														

$\frac{1}{2}$	
$\frac{1}{5}$				
$\frac{1}{10}$									

$\frac{1}{2}$	
$\frac{1}{4}$			
$\frac{1}{5}$				
$\frac{1}{10}$									
$\frac{1}{20}$																			

5 ► Reproduis les grilles suivantes et utilise-les pour illustrer les fractions données. Détermine ensuite si elles sont équivalentes ou non.

a) $\frac{1}{2}$ et $\frac{3}{6}$ 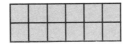 et

b) $\frac{1}{4}$ et $\frac{3}{12}$ et

c) $\frac{1}{3}$ et $\frac{3}{4}$ et

d) $\frac{2}{12}$ et $\frac{1}{6}$  et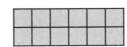

6 Place les fractions suivantes en ordre croissant.

$\dfrac{3}{12}, \quad \dfrac{6}{12}, \quad \dfrac{1}{12}, \quad \dfrac{10}{12}, \quad \dfrac{8}{12}$

 7 Remplace ☐ par < ou >.

a) $\dfrac{3}{6}$ ☐ $\dfrac{8}{6}$

b) $\dfrac{3}{4}$ ☐ $\dfrac{1}{4}$

c) $\dfrac{3}{5}$ ☐ $\dfrac{4}{5}$

d) $\dfrac{5}{8}$ ☐ $\dfrac{2}{8}$

Observe bien les fractions avant de commencer l'activité.

 8 Remplace ☐ par < ou >.

a) $\dfrac{2}{4}$ ☐ $\dfrac{2}{5}$

b) $\dfrac{3}{6}$ ☐ $\dfrac{3}{12}$

c) $\dfrac{1}{5}$ ☐ $\dfrac{1}{3}$

d) $\dfrac{5}{10}$ ☐ $\dfrac{5}{15}$

 9 Place les fractions suivantes en ordre croissant.

$\dfrac{2}{5}, \quad \dfrac{2}{15}, \quad \dfrac{2}{12}, \quad \dfrac{2}{3}, \quad \dfrac{2}{20}$

 1 Associe la partie colorée de chacun des dessins ci-dessous à l'une des fractions suivantes:

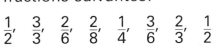

$\frac{1}{2}, \frac{3}{3}, \frac{2}{6}, \frac{2}{8}, \frac{1}{4}, \frac{3}{6}, \frac{2}{3}, \frac{1}{2}$

 Identifie chaque dessin par la lettre qui lui est associée.

a)

b)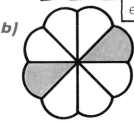

c)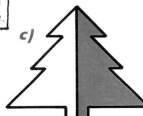

 d)

e)

f)

 g)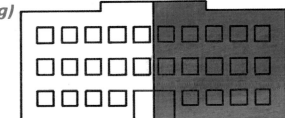

h)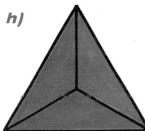

  2 Voici un rectangle dont le $\frac{1}{3}$ est coloré:

a) Que signifie le 3?　　　　b) Que signifie le 1?

 3 Indique la fraction correspondant à chaque illustration. Écris la signification des chiffres que tu as utilisés.

a)

b)

c)

d)

e)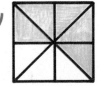

4 Reproduis les ensembles suivants et illustre par un partage les fractions indiquées.

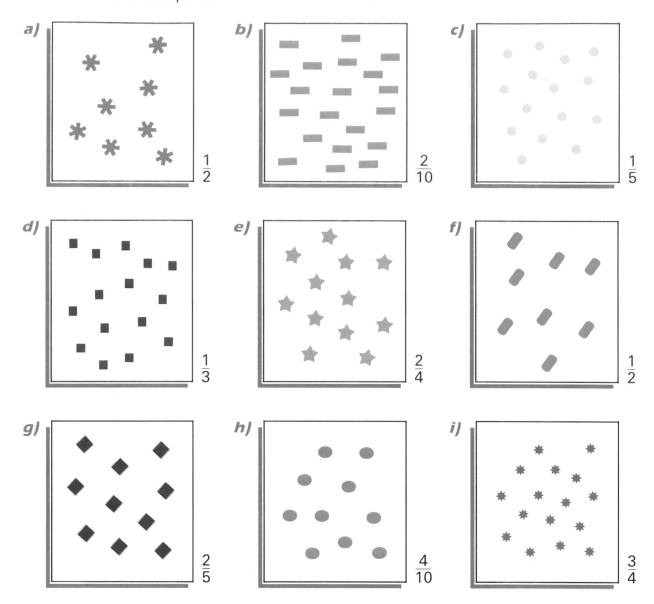

a) $\frac{1}{2}$

b) $\frac{2}{10}$

c) $\frac{1}{5}$

d) $\frac{1}{3}$

e) $\frac{2}{4}$

f) $\frac{1}{2}$

g) $\frac{2}{5}$

h) $\frac{4}{10}$

i) $\frac{3}{4}$

5 Écris la fraction qui correspond à chacune de ces parties.

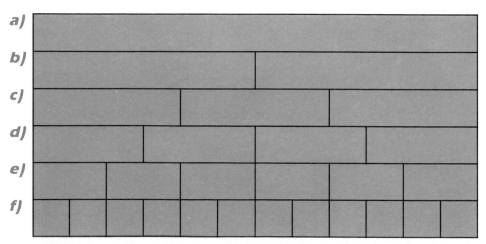

a)

b)

c)

d)

e)

f)

6 Trouve des partages qui sont équivalents à:

a) $\frac{1}{2}$;

b) $\frac{1}{3}$;

c) $\frac{2}{3}$;

d) $\frac{1}{4}$;

e) $\frac{3}{4}$;

f) $\frac{1}{6}$;

g) $\frac{5}{6}$.

Prends toujours le même rectangle pour illustrer ces partages.

7 Donne la fraction correspondant à chacune des parties.

a)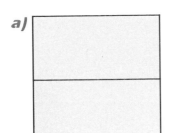

b)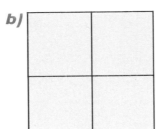

c)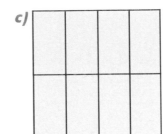

d)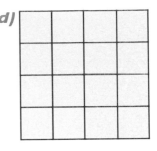

8 Donne la fraction correspondant à chacun de ces partages.

a)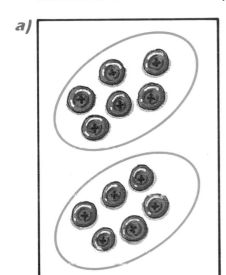

b)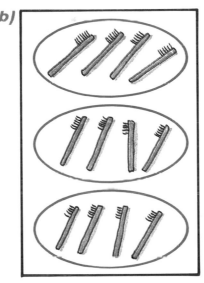

c)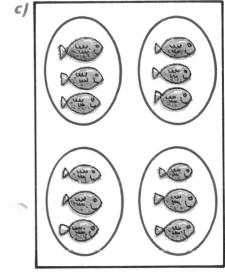

d)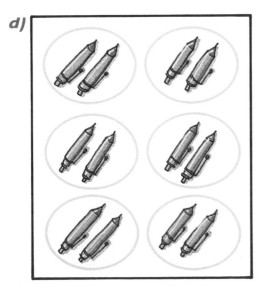

e)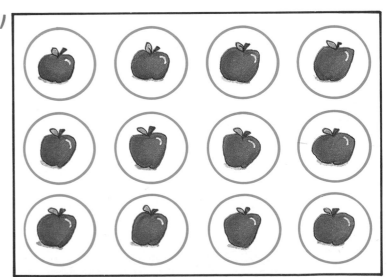

9 ▶ Reproduis les diagrammes ci-dessous, puis trace les flèches de la relation:
« . . . est équivalent à . . . »

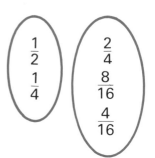

$\frac{1}{2}$
$\frac{1}{4}$

$\frac{2}{4}$
$\frac{8}{16}$
$\frac{4}{16}$

Tu peux, au besoin, faire des dessins ou utiliser des matériels.

10 ▶ Identifie les paires de fractions qui sont équivalentes.

a) $\frac{3}{4}$ et $\frac{9}{12}$ **b)** $\frac{2}{5}$ et $\frac{5}{15}$

c) $\frac{3}{6}$ et $\frac{6}{12}$ **d)** $\frac{2}{3}$ et $\frac{6}{9}$

e) $\frac{2}{10}$ et $\frac{1}{5}$ **f)** $\frac{3}{8}$ et $\frac{7}{12}$

g) $\frac{5}{9}$ et $\frac{4}{8}$ **h)** $\frac{1}{6}$ et $\frac{3}{18}$

11 ▶ Compare les fractions suivantes en utilisant le symbole $<$ ou $>$.

a) $\frac{2}{3} \square \frac{1}{3}$ **b)** $\frac{1}{4} \square \frac{2}{4}$ **c)** $\frac{3}{5} \square \frac{2}{5}$

d) $\frac{5}{6} \square \frac{4}{6}$ **e)** $\frac{3}{7} \square \frac{5}{7}$ **f)** $\frac{6}{8} \square \frac{5}{8}$

g) $\frac{3}{9} \square \frac{7}{9}$ **h)** $\frac{2}{10} \square \frac{3}{10}$ **i)** $\frac{7}{11} \square \frac{5}{11}$

Dans ton cahier d'activités, tu trouveras des grilles sur lesquelles tu pourras représenter les fractions.

12 ▶ Ordonne les fractions en commençant par la plus petite.

a) $\frac{7}{8}$, $\frac{3}{8}$, $\frac{5}{8}$, $\frac{1}{8}$

b) $\frac{2}{9}$, $\frac{7}{9}$, $\frac{4}{9}$, $\frac{1}{9}$, $\frac{8}{9}$

Tu peux, si tu le désires, te servir des grilles qui restent dans ton cahier d'activités.

13 ▶ Identifie, parmi les fractions écrites à droite, celles qui sont plus petites que la fraction écrite à gauche.

a) $\frac{3}{5}$ | $\frac{3}{5}$ | $\frac{2}{5}$ | $\frac{1}{5}$ | $\frac{4}{5}$ | $\frac{5}{5}$ |

b) $\frac{2}{7}$ | $\frac{1}{7}$ | $\frac{6}{7}$ | $\frac{2}{7}$ | $\frac{4}{7}$ | $\frac{5}{7}$ |

c) $\frac{4}{9}$ | $\frac{1}{9}$ | $\frac{5}{9}$ | $\frac{2}{9}$ | $\frac{3}{9}$ | $\frac{7}{9}$ |

d) $\frac{7}{10}$ | $\frac{6}{10}$ | $\frac{3}{10}$ | $\frac{8}{10}$ | $\frac{9}{10}$ | $\frac{4}{10}$ |

Cette fois, n'utilise ni grille ni matériel!

14 ➤ Reproduis les diagrammes ci-dessous. Trace les flèches pour illustrer la relation:

«... est plus grand que...»

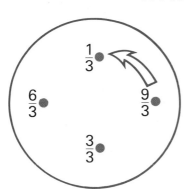 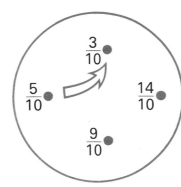 

15 ➤ Remplace ▢ par l'un des symboles <, > ou =.

a) $\frac{1}{2}$ ▢ $\frac{4}{2}$ b) $\frac{4}{10}$ ▢ $\frac{8}{10}$ c) $\frac{8}{100}$ ▢ $\frac{18}{100}$ d) $\frac{8}{5}$ ▢ $\frac{2}{5}$

e) $\frac{6}{4}$ ▢ $\frac{2}{4}$ f) $\frac{5}{3}$ ▢ $\frac{4}{3}$ g) $\frac{4}{5}$ ▢ $\frac{4}{5}$ h) $\frac{2}{3}$ ▢ $\frac{4}{3}$

16 ➤ Reproduis puis complète les tableaux suivants. Trace des X dans les cases appropriées.

↗ signifie: «... est plus petit que...»

↗	$\frac{6}{4}$	$\frac{1}{4}$	$\frac{3}{4}$	$\frac{2}{4}$
$\frac{1}{4}$	X			
$\frac{5}{4}$				
$\frac{3}{4}$				
$\frac{7}{4}$				
$\frac{2}{4}$				

↗	$\frac{2}{5}$	$\frac{8}{5}$	$\frac{6}{5}$	$\frac{10}{5}$
$\frac{1}{5}$	X			
$\frac{9}{5}$				
$\frac{3}{5}$				
$\frac{4}{5}$				
$\frac{7}{5}$				

17 Place les fractions suivantes en ordre croissant.

$\dfrac{1}{5}$, $\dfrac{1}{2}$, $\dfrac{1}{18}$, $\dfrac{1}{4}$, $\dfrac{1}{6}$

Tu peux, si tu en as besoin, utiliser du papier quadrillé pour réaliser les activités suivantes.

18 Identifie, parmi les fractions écrites à droite, celles qui sont plus petites que la fraction écrite à gauche.

a) $\dfrac{1}{8}$

| $\dfrac{1}{2}$ | $\dfrac{1}{3}$ | $\dfrac{1}{4}$ | $\dfrac{1}{10}$ | $\dfrac{1}{20}$ |

b) $\dfrac{1}{5}$

| $\dfrac{1}{6}$ | $\dfrac{1}{4}$ | $\dfrac{1}{2}$ | $\dfrac{1}{18}$ | $\dfrac{1}{36}$ |

19 Remplace ☐ par l'un des symboles < ou >.

a) $\dfrac{1}{2}$ ☐ $\dfrac{1}{5}$

b) $\dfrac{1}{4}$ ☐ $\dfrac{1}{3}$

c) $\dfrac{2}{15}$ ☐ $\dfrac{2}{20}$

d) $\dfrac{3}{7}$ ☐ $\dfrac{3}{15}$

20 a) Reproduis le diagramme ci-dessous. Trace les flèches illustrant la relation: «. . . est plus petit que. . .»

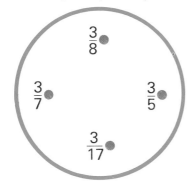

b) Écris les fractions en ordre croissant.

Trace des X dans les bonnes cases.

21 Reproduis puis complète le tableau suivant:

↗ signifie: «. . . est plus grand que. . .»

↗	$\dfrac{4}{6}$	$\dfrac{4}{9}$	$\dfrac{4}{8}$	$\dfrac{4}{20}$	$\dfrac{4}{27}$
$\dfrac{4}{5}$					
$\dfrac{4}{7}$					
$\dfrac{4}{9}$					
$\dfrac{4}{25}$					

1 Trouve la fraction représentant l'espace occupé par chaque figure par rapport à la figure entière.

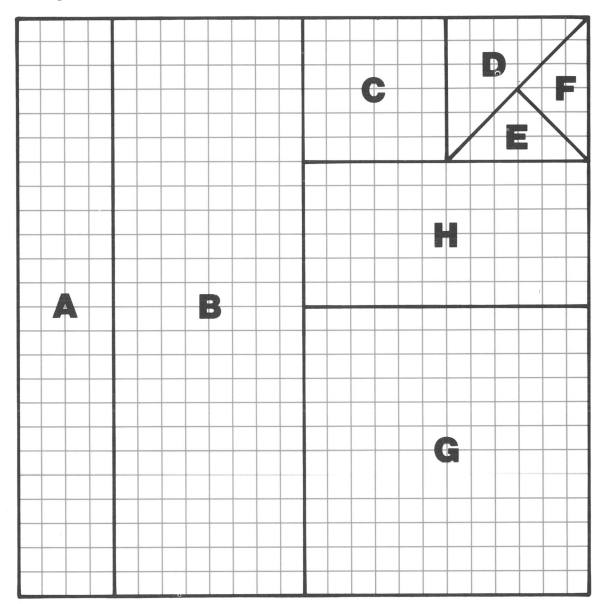

2 Place les fractions que tu viens de trouver en ordre croissant.

3 Trouve des partages équivalents à:

a) $\frac{1}{2}$;   *b)* $\frac{1}{3}$;   *c)* $\frac{1}{4}$;   *d)* $\frac{1}{6}$.

4 ▶ Reproduis les droites numériques suivantes et places-y les fractions qui te sont données.

a) $\dfrac{3}{4}$ $\dfrac{7}{4}$ $\dfrac{9}{4}$ $\dfrac{1}{4}$ $\dfrac{12}{4}$ $\dfrac{4}{4}$

```
  |---+---+---+---+---+---+---+---+---+---+---+---+------>
  0   1   2   3   4   5
```

b) $\dfrac{5}{5}$ $\dfrac{7}{5}$ $\dfrac{1}{5}$ $\dfrac{9}{5}$ $\dfrac{3}{5}$ $\dfrac{10}{5}$

```
  |----+----+----+----+----+---------->
  0    1    2    3    4    5
```

c) $\dfrac{1}{10}$ $\dfrac{9}{10}$ $\dfrac{3}{10}$ $\dfrac{5}{10}$ $\dfrac{12}{10}$ $\dfrac{7}{10}$ $\dfrac{20}{10}$

```
  |--------------+--------------+--------------+--------->
  0              1              2              3
```

d) $\dfrac{1}{2}$ $\dfrac{4}{2}$ $\dfrac{7}{2}$ $\dfrac{5}{2}$ $\dfrac{3}{2}$ $\dfrac{9}{2}$

```
  |----+----+----+----+----+----+---------->
  0    1    2    3    4    5    6
```

5 ▶ Place les fractions suivantes sur une droite numérique.

$\dfrac{3}{3}, \quad \dfrac{2}{3}, \quad \dfrac{1}{3}, \quad \dfrac{15}{3}, \quad \dfrac{5}{3}, \quad \dfrac{7}{3}$

Utilise du papier quadrillé.

Trace des X dans les cases appropriées.

6 ▶ Reproduis et complète le tableau ci-dessous.

↑ signifie: « . . . est plus grand que . . . »

↑	$\dfrac{1}{3}$	$\dfrac{3}{9}$	$1\dfrac{1}{3}$	$\dfrac{2}{27}$	1
$\dfrac{2}{3}$					
2					
$\dfrac{1}{3}$					
$\dfrac{3}{27}$					

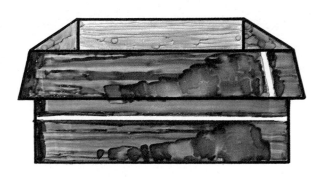

DES BOÎTES À MONTER

16

GÉOMÉTRIE
SOLIDES:
CONSTRUCTION,
CLASSIFICATION,
DÉVELOPPEMENT

MESURE
VOLUME
DES SOLIDES
(cm^3, dm^3)

LONGUEUR

AIRE

Un pâtissier utilise des boîtes qui lui arrivent dépliées. Il trouve encombrants les derniers modèles qu'il vient de recevoir. Il décide donc d'en changer. Afin de recueillir des idées, il lance un concours adressé au enfants du voisinage. Il choisira alors les modèles qui lui conviennent le mieux pour les soumettre à un fabricant.

GRAND CONCOURS
"INVENTONS DES BOÎTES"
REGLEMENTS:

1 Les boîtes doivent avoir la forme d'un prisme rectangulaire.

2 Vous devez soumettre 3 developpements différents de chaque boite.

3 Sur chacun de ces développements, vous devez tracer un ✗ sur la face choisie pour être le dessus de la boite et un ⬤ sur la face qui sera le dessous de la boîte.

Inscriptions: Voir Bernard

Bonne chance!

Immédiatement, Frédéric et ses amis s'inscrivent au concours. Très vite, ils s'organisent! La salle de jeux de Frédéric est bientôt transformée en une véritable manufacture de boîtes de carton.

En observant les premières boîtes construites, Frédéric découvre, malheureusement, que certaines boîtes ne pourront pas être présentées au concours. Peux-tu nous dire pourquoi?

a) Reproduis ce diagramme. Places-y chacune des boîtes en l'identifiant par la première lettre du prénom de son auteur.

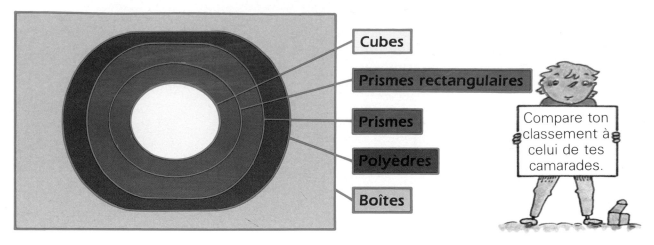

Cubes

Prismes rectangulaires

Prismes

Polyèdres

Boîtes

Compare ton classement à celui de tes camarades.

b) Indique à quel ensemble appartient chacune des boîtes construites. Utilise la lettre correspondant à chacune d'elles.

- polyèdres
- non polyèdres
- prismes
- non prismes
- prismes rectangulaires
- prismes non rectangulaires
- cubes

c) Quelles sont les propriétés communes:
- aux prismes?
- aux prismes rectangulaires?

d) Les cubes possèdent-ils des propriétés plus spécifiques? Lesquelles?

- Si toi aussi tu participais à ce concours, comment décrirais-tu à tes amis ce qu'est un prisme rectangulaire?

- Comment décrirais-tu un cube?

Compare ta définition à celle de tes camarades. Discutez-en. Entendez-vous pour présenter une définition commune.

Compare ta définition à celle de tes camarades. Discutez-en. Quelle définition pourriez-vous en donner?

Voici un des 3 développements que Frédéric va présenter au concours. Tu le trouveras dans ton cahier d'activités.

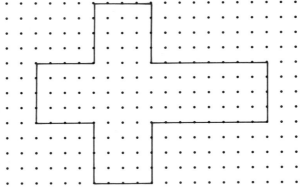

a) Quelle sera la forme de cette boîte?

Justifie ta réponse.

b) Trace, sur le développement, les lignes où devra se faire le pliage.

Compare tes lignes de pliage avec celles de tes camarades.

c) Identifie le dessus et le dessous de la boîte, comme indiqué dans les règlements du concours.

Raconte à tes camarades comment tu as procédé.

d) Construis la boîte proposée par Frédéric. Obtiens-tu la même boîte que tes camarades?

Brian a éprouvé des difficultés à tracer son développement. Il a commencé par tracer chacune des faces de sa boîte. Ensuite, il les a assemblées pour obtenir le développement demandé.

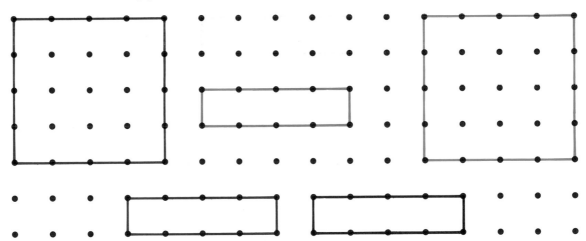

a) Quelle sera la forme de cette boîte lorsqu'elle sera assemblée?

Qu'est-ce qui te permet de l'affirmer?

Réunis toutes les pièces.

b) • Sur la feuille pointée que tu trouveras dans ton cahier d'activités, dessine le développement de la boîte de Brian.

• Indique les lignes de pliage sur ce développement.

• Identifie un dessus et un dessous.

5 ▷ Voici des développements qui ont été présentés au concours. Dis-nous ce que tu en penses après les avoir observés attentivement.

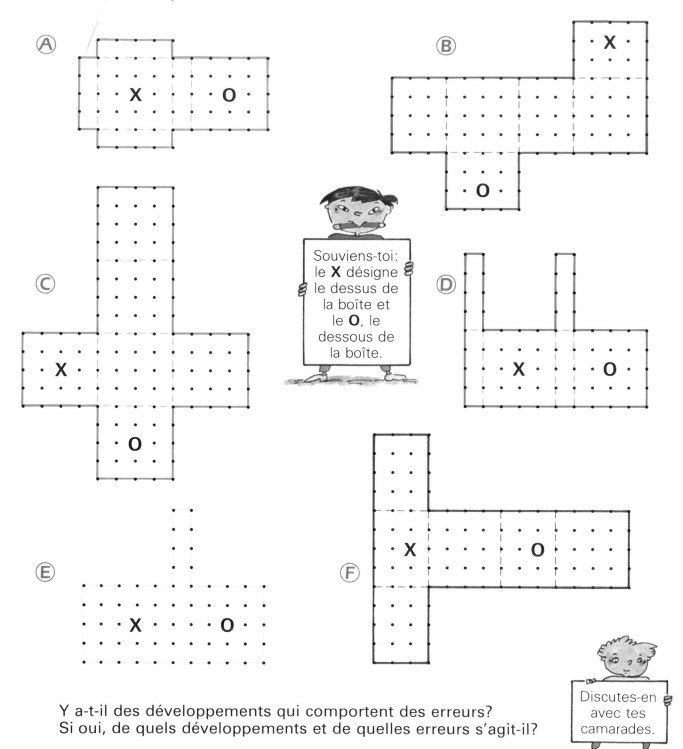

Souviens-toi: le **X** désigne le dessus de la boîte et le **O**, le dessous de la boîte.

Y a-t-il des développements qui comportent des erreurs?
Si oui, de quels développements et de quelles erreurs s'agit-il?

Discutes-en avec tes camarades.

6 ▷ Suppose que tu participes au concours.

a) Dessine alors les trois développements demandés. Ils doivent cependant être différents de ceux présentés dans les activités **3**, **4** et **5**.

b) Trace en rouge toutes les lignes de pliage.

c) Identifie le couvercle de ta boîte par un **X** et le dessous par un **O**.

Jennifer est hospitalisée. Frédéric et ses camarades se proposent de la visiter. Pour souligner leur amitié, ils décident de lui offrir un macaron. Didier tient à faire lui-même l'emballage. N'ayant pas de boîte, il demande à ses camarades d'en construire une.

Didier veut-il une grosse boîte?
Voici ce que lui présente l'équipe de production.

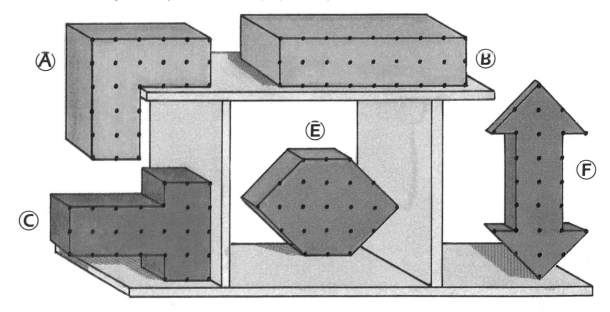

Didier est déçu. Ses amis n'ont pas compris que la boîte devait être carrée. Frédéric est convaincu que son équipe a respecté la consigne donnée par Didier. Qu'en penses-tu? Si tu avais eu à construire la boîte, aurais-tu demandé d'autres informations à Didier? Lesquelles?

1

a) D'après toi, que veut dire **1 cm**? Illustre ta réponse.

b) D'après toi, que veut dire **carré**? Illustre ta réponse.

c) D'après toi, que veut dire **1 centimètre carré**?

Le symbole de centimètre carré est cm^2.

2

a) Pour que son aire mesure 16 cm^2, une figure doit-elle nécessairement être carrée?

Que veut dire le mot aire?

b) Les couvercles des boîtes présentées à Didier ont-ils tous une aire de 16 cm^2?

Que veut-on dire par «l'aire d'une figure mesure 16 cm^2»?

Justifie chacune de tes réponses.

Pour construire la boîte demandée, il est donc très important d'avoir:
- la forme de chacune des faces;
- les dimensions, en cm, de chacune de ces faces.

3

Observe les objets autour de toi.

- Que peux-tu mesurer avec une ficelle qui mesure 1 cm de longueur?

- Que peux-tu mesurer avec un carré de papier dont l'aire mesure 1 cm^2?

Donne plusieurs exemples.

Observe la partie colorée des figures ci-dessous.

a) Pour chacune d'elles, détermine si la partie colorée doit être exprimée en cm ou en cm².

b) Estime la mesure de cette partie.

c) Mesure cette partie avec précision.

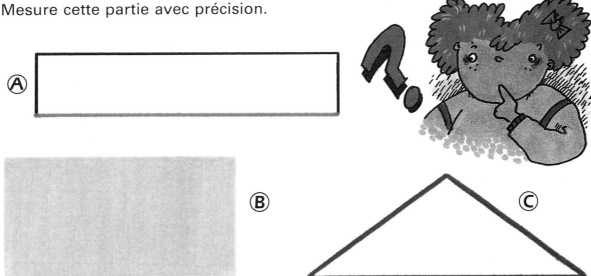

Ⓐ

Ⓑ

Ⓒ

David désire cacher la partie grise de cette boîte. Il veut la couvrir avec des carrés de couleur différente. L'aire de chacun de ces carrés est égale à 1 cm².

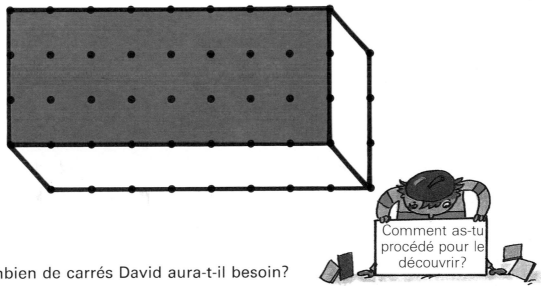

Comment as-tu procédé pour le découvrir?

a) De combien de carrés David aura-t-il besoin?

b) Supposons que, toi aussi, tu veuilles recouvrir cette partie de la boîte. Où poserais-tu ta première rangée de carrés? Combien de carrés cette rangée posséderait-elle?

c) Combien de rangées seront nécessaires pour couvrir cette face?

d) Peux-tu exprimer ces étapes à l'aide d'une équation mathématique?

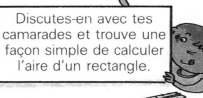

Discutes-en avec tes camarades et trouve une façon simple de calculer l'aire d'un rectangle.

a) Sur du papier pointé, dessine 3 rectangles de grandeur différente.

b) Calcule leur aire à l'aide de la formule que tu as trouvée en **5**. Vérifie si tu as obtenu le bon résultat.

c) Invente un motif pour décorer l'un d'eux comme veut le faire David. Découpe le nombre exact de carrés de couleur différente avant de commencer à les coller.

7 Trouve, en cm², l'aire des faces **A** et **B** de cette boîte. Si tu en as besoin, reproduis-les sur du papier pointé.

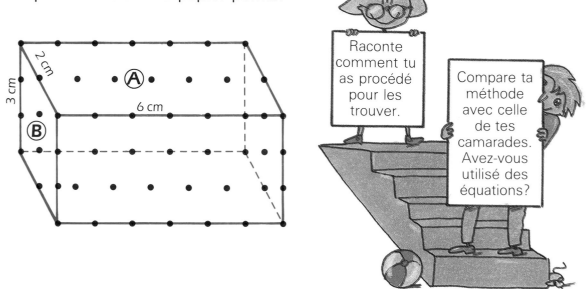

2 cm

3 cm

Ⓐ

6 cm

Ⓑ

Raconte comment tu as procédé pour les trouver.

Compare ta méthode avec celle de tes camarades. Avez-vous utilisé des équations?

8 Lorsque l'on a de plus grandes surfaces à couvrir, on utilise une autre unité de mesure: le dm².

a) Que veut dire, d'après toi, 1 dm²?

b) Dessine et découpe un carré dont l'aire mesure 1 dm².

c) Observe les objets autour de toi. Nomme la partie de ces objets qui mesure:
- plus d'un dm²;
- moins d'un dm²;
- environ un dm².

L'empreinte de ma main mesure environ 1 dm².

Le couvercle de la boîte d'un jeu de cartes mesure moins de 1 dm².

Vérifie, à chaque fois, si ton estimation est correcte.

9 ➤ Pour exprimer l'aire d'une figure, on utilise le cm², le dm² ou encore d'autres unités.
Indique, pour les surfaces suivantes, s'il est préférable d'utiliser le cm² ou le dm².

a) Le dessus de ton bureau

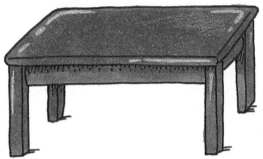

b) La surface d'un timbre-poste

c) La couverture d'un annuaire téléphonique

d) Le couvercle d'une boîte de pâte dentifrice

Compare tes réponses avec celles de tes camarades. Discutes-en.

e) L'une des faces de ta règle

10 ➤ Estime, en dm ou en dm², selon le cas:

- le périmètre de ton bureau;
- l'aire d'une page de ton manuel de mathématique.

Vérifie tes réponses à l'aide de matériels.

11 La grand-mère de Tina, Marion et Dominique vient de recevoir une très jolie boîte en cadeau. Les enfants, qui observent le couvercle avec attention, lui disent qu'ils sont capables d'en calculer l'aire.

● Tina dit que le couvercle couvre une aire de

48

● Marion, lui, dit qu'il couvre une aire de

24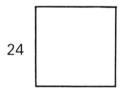

● Dominique est persuadé qu'il mesure 12

a) Qui a raison?

b) Comment peux-tu expliquer que les nombres trouvés par ces enfants soient si différents?

c) Tina ajoute qu'elle voit une translation horizontale dans la 1ᵉ rangée de la décoration.

Compare ta réponse avec celle de tes camarades. Discutez-en.

  ● Es-tu d'accord avec Tina?
  ● Combien de fois cette translation peut-elle être répétée?

d) Marion, lui, voit une réflexion dans cette première rangée.

  ● Es-tu d'accord avec Marion?
  ● Si tu es d'accord avec lui, reproduis cette première rangée et trace l'axe de réflexion en rouge.

À l'occasion de la fête des mères, Andréa, Pietro, Mario et Rosalia décident de préparer du fondant. Avec les quantités indiquées dans la recette, ils doivent remplir 4 boîtes. Leur père leur indique qu'il faudra couper des morceaux de 1 cm³, et que chaque boîte devra pouvoir contenir 18 cm³.

Les enfants se mettent rapidement au travail. Voici les boîtes qu'ils ont construites:

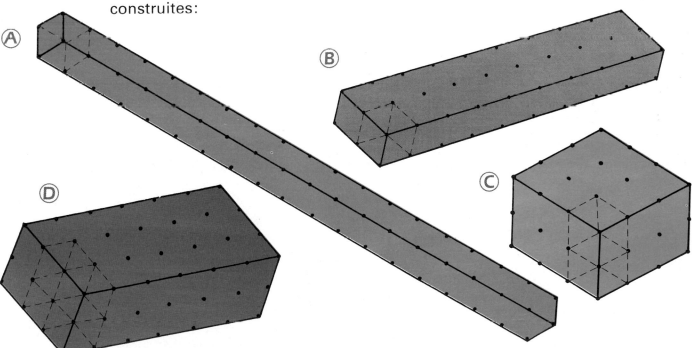

Crois-tu que les instructions ont été bien respectées? Pourquoi?

1

a) D'après toi, que veut dire **1 cm**?
Illustre ta réponse.

b) D'après toi, que veut dire **cube**?
Montre ou illustre un cube.

c) D'après toi, que veut dire **1 centimètre cube**?
Montre ou illustre 1 centimètre cube.

d) Comment peux-tu t'assurer qu'un cube représente réellement 1 cm³?

Le symbole de centimètre cube est cm³.

2

Combien de cm³ chaque boîte peut-elle contenir?

Raconte à tes camarades comment tu as procédé pour le trouver. Comparez vos réponses.

Quelle boîte choisirais-tu? Pourquoi?

3

Tu viens de mesurer le volume des boîtes construites par Andréa et ses frères.

- Comment ferais-tu comprendre à un ou à une camarade ce qu'est le volume d'un objet?

- Comment peux-tu trouver facilement le volume d'un objet?

- Peux-tu écrire des équations pour illustrer la démarche?

Discutes-en avec tes camarades.

4

a) Construis plusieurs modèles de boîtes pouvant contenir 12 cubes de 1 cm³.

b) Utilise la formule trouvée à l'activité **3** pour calculer le volume de ces boîtes.

Compare-les à celles de tes camarades. Vérifie si toutes ces boîtes ont un volume égal à 12 cm³.

5 On a souvent besoin de boîtes plus grandes. Dans ces cas là, on utilise, généralement, le dm^3 comme unité de mesure.

- Peux-tu construire ou montrer un solide dont le volume mesure 1 dm^3?
- Comment peux-tu t'assurer qu'un cube a un volume réellement égal à 1 dm^3?

6 Observe les objets autour de toi.
Trouve un objet dont le volume est:

a) plus grand que 1 dm^3;

b) plus petit que 1 dm^3;

c) environ égal à 1 dm^3.

Vérifie tes réponses à l'aide de matériels.

7 Indique, pour les volumes suivants, s'il est préférable d'utiliser le cm^3 ou le dm^3.

a) Le volume d'une boîte de pâte dentifrice

b) Un tiroir de classeur

c) Un sac d'école

d) Une boîte de chaussures

8 Trouve le volume des objets suivants:

a) une boîte de pastilles pour la toux, en cm^3;

b) une boîte de souliers, en dm^3.

JE
FAIS
LE
POINT

1 Parmi les développements suivants, lesquels sont ceux d'un cube?
Identifie-les par la lettre correspondante.

2 ▶ Identifie, par les lettres correspondantes, les développements qui correspondent réellement à cette boîte.

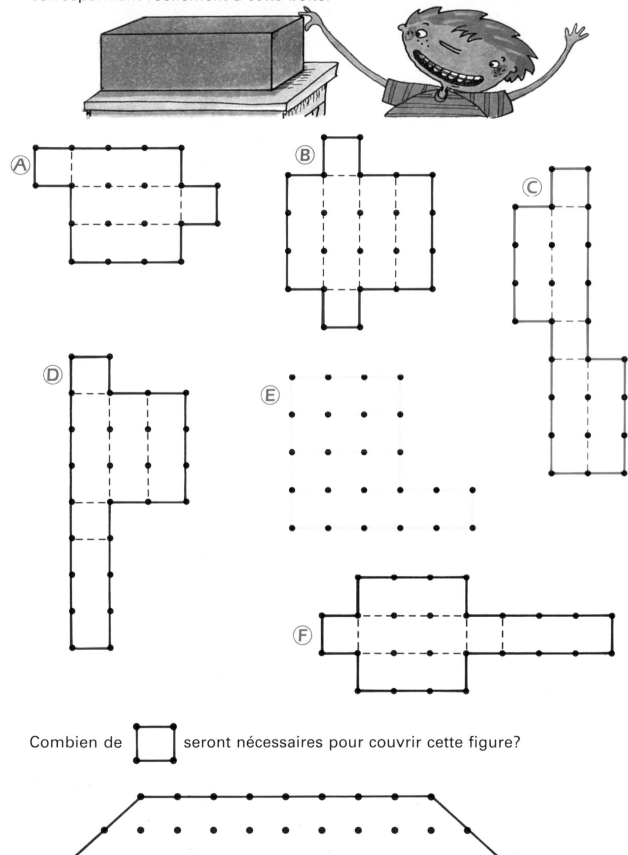

3 ▶ Combien de ☐ seront nécessaires pour couvrir cette figure?

4 Voici le développement d'une boîte de carton.

a) Montre-nous, à l'aide d'un dessin, le nombre de carrés de 1 cm² qu'il te faudrait pour recouvrir l'aire coloriée.

b) Trouve ce nombre de carrés à l'aide d'opérations.

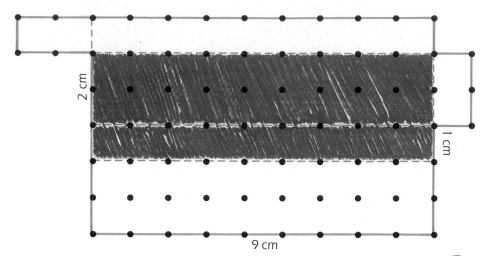

2 cm

1 cm

9 cm

5 **a)** Procure-toi une figure de 1 cm². Combien t'en faut-il pour recouvrir le dessus de ce rectangle?

b) Procure-toi une figure de 1 dm². Combien t'en faut-il pour recouvrir le dessus de ton manuel de mathématique?

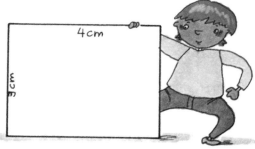

4 cm

3 cm

6 **a)** Prends un solide de 1 cm³. Combien de solides de ce genre une boîte de pastilles pour la toux peut-elle contenir?

b) Prends un solide de 1 dm³. Combien de solides de ce genre te faut-il pour remplir le contenant que te montre ton enseignant ou ton enseignante?

7 Pour chacun de ces objets, indique s'il est préférable d'utiliser le cm³ ou le dm³ pour le mesurer.

a) **b)** **c)** **d)**

Chapeau

8 Choisis l'unité qui convient pour parler:

a) de la surface d'une photographie;

b) de la longueur d'un crayon de couleur;

c) du périmètre de la couverture d'un livre;

d) du volume d'une boîte de craies.

Utilise le cm, le cm^2 ou le cm^3.

9 Dominique veut décorer cette boîte. Elle colle un cordonnet rouge le long des arêtes de sa face supérieure.

a) De quelle longueur de cordonnet aura-t-elle besoin?

b) Écris les opérations mathématiques que tu as effectuées.

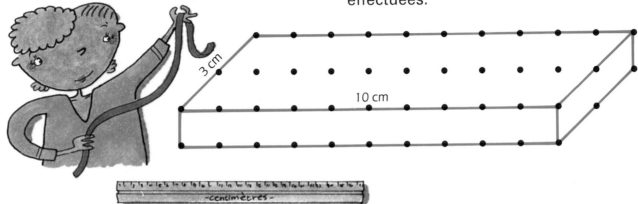

3 cm

10 cm

10 Observe attentivement le solide ci-dessous.
Construis-le avec des cubes de 1 cm^3.

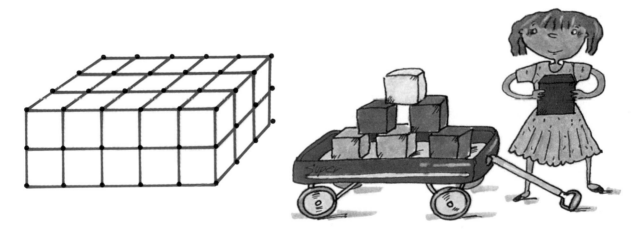

a) • Combien de cubes te faut-il pour construire le premier étage de ce solide?
• Écris l'équation correspondante.

b) • Combien de cubes te faut-il pour construire tout le solide?
• Écris l'équation correspondante.

c) Quel est le volume de ce solide?

1 Observe et reproduis le développement suivant:

a) Trace les lignes de pliage pour obtenir une boîte.

b) Trouve un moyen de vérifier que les lignes de pliage sont à la bonne place.

c) Quelle est la forme de cette boîte?

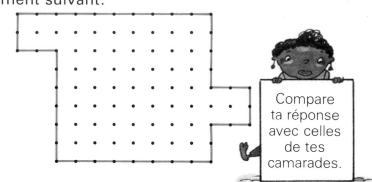

Compare ta réponse avec celles de tes camarades.

2 Observe et reproduis le développement suivant:

● Trace un X sur la face que tu choisis pour être le dessus.

● Trace un O sur la face que tu choisis pour être le dessous.

Raconte à tes camarades les raisons de ton choix. Compare ton choix avec le leur.

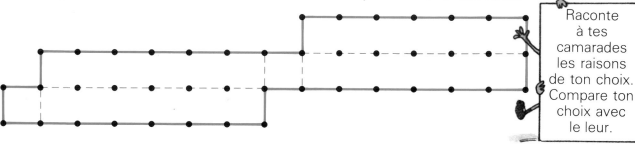

3 Parmi les développements suivants, lesquels correspondent réellement à celui d'un cube?
Identifie-les par les lettres correspondantes.

a)

b)

c)

d)

e)

f)

g)

h)

Compare tes réponses avec celles de tes camarades. Vérifiez concrètement si nécessaire.

322

4 On a produit 2 développements différents de la même boîte.

Développement A:

Développement B:

a) Quelle est la mesure du contour du *développement* A?

b) Quelle est la mesure du contour du *développement* B?

c) Comment appelle-t-on le contour d'une figure?

Utilise ton lexique si nécessaire.

5 Observe attentivement le développement suivant:

 = 1 cm²

a) Quelle est l'aire de la face **A**? Écris l'opération qui t'a permis de la trouver.

b) Nomme les faces qui ont une aire égale à celle de A.

c) Quelle est l'aire de la face C? Écris l'opération qui t'a permis de la trouver.

d) Existe-t-il une face congrue à la face C?

e) Trouve l'aire totale de ce développement.

f) Trouve le périmètre de ce développement.

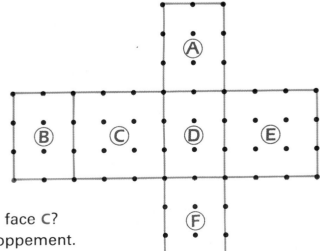

6 Observe puis construis le solide suivant à l'aide de cubes de 1 cm de côté.

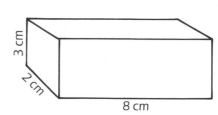

a) Combien de cubes as-tu utilisés?

b) Écris les équations qui te permettraient de trouver ce résultat.

c) Que viens-tu de calculer: le périmètre, l'aire ou le volume?

7 Choisis l'unité qui convient pour exprimer les longueurs suivantes.

Utilise le m, le dm ou le cm.

On a tracé un trait noir sur la partie à mesurer.

a)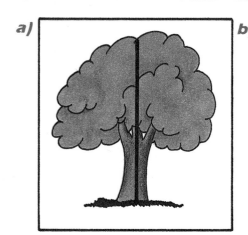

b)

c)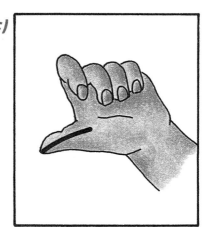

d)

e)

f)

8 Utilise l'unité qui convient pour compléter les phrases suivantes:

a) Pour connaître ce que peut contenir un , on l'a rempli de de glace

dont le volume est égal à 1 ▨.

b) Pascal trouve son trop long. Il demande qu'on le raccourcisse de 8 ▨.

c) Ludovic a reçu une 🐭 en porcelaine. La queue mesure 10 ▨.

d) Pour emballer cette 🎁, il fallait que le papier couvre une superficie de

25 ▨.

e) On a rempli un 🛍 de cubes de bois de 1 dm de côté. On a découvert ainsi

que le volume du sac était égal à 6 ▨.

9 Estime les mesures suivantes:

a) la largeur de ta main, en cm;
b) l'aire de ta carte d'identité, en cm²;
c) le volume d'une boîte de cassette, en cm³;
d) le périmètre de ton bureau, en dm;
e) l'aire du siège de la chaise, en dm²;
f) le volume d'une boîte de mouchoirs en papier, en dm³.

Vérifie ensuite tes estimations.

10 Combien de ▭ sont contenus

dans l'aire de cette figure?

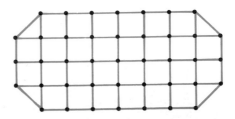

JE
VAIS
PLUS LOIN

1 En réalisant ce développement, on a omis de dessiner l'une des faces.

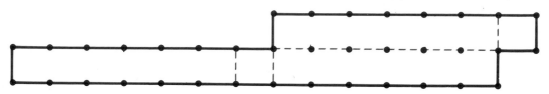

a) Reproduis puis complète ce développement.

Utilise du papier pointé.

b) Vérifie que tu obtiens vraiment une boîte.

Compare ta correction à celle de tes camarades. Discutez-en.

2 Michel veut fermer sa boîte en reliant le dessus et le côté par une boucle, comme ceci:

Sur son développement, il indique par un point rouge l'endroit où il fixera son premier ruban.

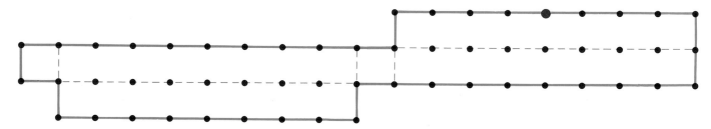

Reproduis ce développement et dessine un point vert à l'endroit où il devra fixer son 2ᵉ ruban.

Construis ta boîte. Les deux points coïncident-ils?

3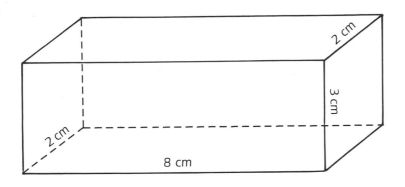

2 cm

3 cm

2 cm

8 cm

Respecte les mesures indiquées.

a) Reproduis chacune des faces de cette boîte sur du carton. Découpe-les ensuite.

b) Assemble ces faces et produis 2 développements différents. Dessine-les.

c) Les périmètres des deux développements sont-ils égaux? Pourquoi?

d) Calcule l'aire totale de cette boîte.

e) Calcule le volume de cette boîte.

Écris tous tes calculs.

Compare tes résultats à ceux de tes camarades. Comparez aussi vos procédés.

4 Amélie veut construire une maquette.

a) Avec 18 cubes, de 1 cm de côté, elle construit un édifice dont les dimensions de la base sont: 3 cm de longueur et 2 cm de largeur. Quelle est la hauteur de son édifice?

b) Avec 18 autres cubes de 1 cm de côté, elle construit un second édifice. La base de celui-ci mesure 9 cm². Quelle en est la hauteur?

5 Phan, Claire et Yvan se partagent la surface d'un tableau pour y exposer leurs dessins.

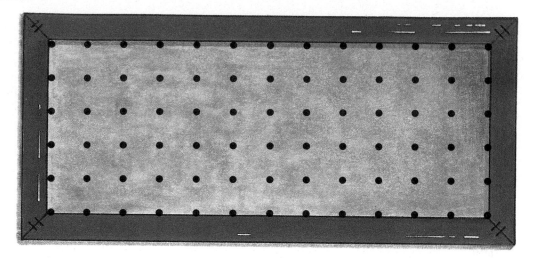

Phan couvrira une aire de 10

Claire une aire de 20

et Yvan le reste du tableau.

a) Reproduis le tableau et délimites-y la place occupée par chaque enfant. Que remarques-tu?

b) Si l'espace réservé à Yvan est mesuré en △ ,combien de ces unités mesure-t-il?

c) Quel lien existe-t-il entre l'unité de mesure utilisée et la mesure de chacun des espaces?

DES IMAGES D'AUTREFOIS

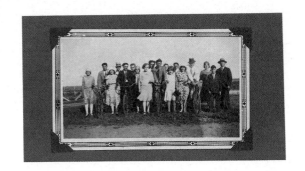

17

**NOMBRES
NATURELS**
ORDRE
DANS LES
NOMBRES

OPÉRATIONS
MIXTES:
ADDITION,
SOUSTRACTION,
MULTIPLICATION,
DIVISION

Sébastien et Marie-Ève, en visite chez leur grand-père, décident d'aller visiter le grenier où une foule de souvenirs dorment encore. En fouillant un peu partout, ils découvrent un vieux catalogue datant de 1901.
En le feuilletant, ils se posent toutes sortes de questions. Ils comparent les prix d'antan à ceux d'aujourd'hui. Que peuvent bien se dire Sébastien et Marie-Ève? Qu'en penses-tu?

Si, toi aussi, tu veux en connaître un peu plus sur les objets des années 1900, consulte le catalogue suivant.

CATALOGUE
printemps-été
1901

VÊTEMENTS POUR DAMES

Robe pour dame
$2

Bottes
$4

Parapluie
$2

Chapeau
50¢

Manteau pour dame
$18

Robe pour fillette
$2

Tablier pour fillette
60¢

Costume $8

Bottes $4

Maillots de bain
enfant 50¢   homme $1

Souliers $2

Costume pour enfant $2

Chandail $2

Chemise de nuit 50¢

Manteau $15

Mobilier de chambre
$12

Mobilier de salon
$36

Piano
$69

Chaise avec accoudoirs
$2

Fauteuil
$6

Berceuse
$3

Machine à coudre
$25

Lit
$9

Matelas
$2

Chaise
$1

Table
$5

MEUBLES

Gramophone
$50

Horloge de table
$6

Caméra de luxe
$60

Landau
$22

Baratte à beurre
$4

Verres à eau
6 pour 30¢

Lampe à huile
de luxe
$3

Moule à beurre
25¢

Lampe à huile
économique
80¢

Coupe à vin
20¢

Laveuse
$4

JOUETS ET ACCESSOIRES DE SPORT

Tambour
$1

Patins
$5

Tricycle
$5

1901

1. Examine attentivement les pages de ce catalogue. Quelles idées te viennent à l'esprit? Quelles questions te poses-tu? Discutes-en avec tes amis.

2. Sébastien et Marie-Ève décident de monter eux-mêmes un catalogue. Ils veulent y placer les mêmes articles que ceux du catalogue de 1901 mais sous leur forme actuelle et au prix d'aujourd'hui. Veux-tu faire comme eux? Voici la démarche qu'ils te proposent.

a) Recherche d'abord dans divers catalogues des articles équivalents à ceux illustrés dans celui de 1901.

Les articles qui n'existent plus, laisse-les de côté!

b) Indique ensuite à côté de chacun des articles son prix actuel. Tu arrondiras le prix indiqué.

S'il y a des dollars et des cents, arrondis au dollar le plus près.
3,87 $ devient 4 $.
2.15 $ devient 2 $.

S'il n'y a que des cents, laisse le prix tel quel.
0,84 $ devient 84¢.

3. Afin de comparer les prix, Sébastien et Marie-Ève décident de bâtir des tableaux. Tu les trouveras dans ton cahier d'activités. Complète-les.

78-80

Tu peux utiliser ta calculatrice pour vérifier tes calculs.

TABLEAU A

VÊTEMENTS POUR DAMES			
ARTICLES	PRIX ACTUEL	PRIX EN 1901	DIFFÉRENCE ENTRE LE PRIX ACTUEL ET LE PRIX EN 1901
▪ Robe			
▪ Manteau			
▪ Chapeau			
▪ Robe pour fillette			
▪ Tablier pour fillette			
▪ Bottes			
▪ Parapluie			
TOTAL			

TABLEAU B

VÊTEMENTS POUR HOMMES			
ARTICLES	PRIX ACTUEL	PRIX EN 1901	DIFFÉRENCE ENTRE LE PRIX ACTUEL ET LE PRIX EN 1901
▪ Maillot de bain pour homme			
▪ Maillot de bain pour enfant			
▪ Chandail			
▪ Souliers			
▪ Chemise de nuit			
▪ Costume pour homme			
▪ Bottes			
▪ Costume pour enfant			
▪ Manteau			
TOTAL			

TABLEAU C

MOBILIER ET ACCESSOIRES DE MAISON			
ARTICLES	PRIX ACTUEL	PRIX EN 1901	DIFFÉRENCE ENTRE LE PRIX ACTUEL ET LE PRIX EN 1901
■ Mobilier de salon			
■ Fauteuil			
■ Table			
■ Chaise avec accoudoirs			
■ Berceuse			
■ Lit			
■ Matelas			
■ Mobilier de chambre			
■ Machine à coudre			
■ Piano			
■ Horloge de table			
■ Caméra de luxe			
■ Gramophone			
■ Laveuse			
■ Lampe à huile économique			
■ Lampe à huile de luxe			
■ Baratte à beurre			
■ Moule à beurre			
■ Verres à eau			
■ Coupe à vin			
■ Landau			
TOTAL			

TABLEAU D

JOUETS ET ACCESSOIRES DE SPORT			
ARTICLES	PRIX ACTUEL	PRIX EN 1901	DIFFÉRENCE ENTRE LE PRIX ACTUEL ET LE PRIX EN 1901
■ Tambour			
■ Tricycle			
■ Patins			
TOTAL			

TABLEAU E

TOTAL DES TABLEAUX PRÉCÉDENTS			
ARTICLES	PRIX ACTUEL	PRIX EN 1901	DIFFÉRENCE ENTRE LE PRIX ACTUEL ET LE PRIX EN 1901
■ TOTAL TABLEAU A			
■ TOTAL TABLEAU B			
■ TOTAL TABLEAU C			
■ TOTAL TABLEAU D			
TOTAL			

4 Observe les prix de 1901.

a) Quel est l'article dont le prix est le plus élevé?

b) Quel est l'article dont le prix est le plus bas?

c) Dans l'ordre décroissant des prix, quel est l'objet qui occupe le 7e rang?

d) Dans l'ordre croissant des prix, quel est l'objet qui occupe le 7e rang?

e) Est-ce le même objet en c et en d? Pourquoi?

5 Observe maintenant les prix actuels.

a) Quel est l'article dont le prix est le plus élevé?

b) Quel est l'article dont le prix est le plus bas?

c) Dans l'ordre décroissant des prix, quel est l'objet qui occupe le 9e rang?

d) Dans l'ordre croissant des prix, quel est l'objet qui occupe le 9e rang?

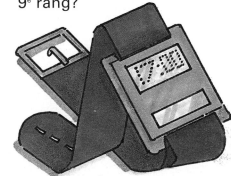

Pour s'amuser, grand-père présente quelques vieilles factures d'achats qu'il a effectués en 1901. Avec le temps, quelques prix ont été un peu effacés. Il demande alors à Marie-Ève et à Sébastien s'ils veulent bien compléter ces factures.

1 ⟶ Complète, toi aussi, les factures que grand-père vient de remettre à Sébastien et à Marie-Ève.

A — facture n° 147

QUANTITÉ	DESCRIPTION	PRIX UNITAIRE	TOTAL
1	Robe pour dame	$2	$2
5	Tablier pour fillette	60¢	
3	Bottes pour dames		$12
2	Chemise de nuit pour homme	50¢	
1	Manteau pour homme	$15	
	GRAND TOTAL		

Tu peux utiliser ta calculatrice pour vérifier tes calculs.

B — facture n° 472

QUANTITÉ	DESCRIPTION	PRIX UNITAIRE	TOTAL
1	Mobilier de salon	$36	$36
1	Table	$5	$5
8	Chaise avec accoudoirs	$2	
2	Berceuse	$3	
4	Lit		$36
4	Matelas	$2	
2	Mobilier de chambre	$12	
1	Machine à coudre	$25	$25
	GRAND TOTAL		

C — facture n° 483

QUANTITÉ	DESCRIPTION	PRIX UNITAIRE	TOTAL
60	Verres à eau	6 pour 30¢	
15	Coupe à vin	20¢	
5	Lampe à huile économique	80¢	
1	Caméra	$60	$60
3	Tricycle		$15
5	Paire de patins	$5	
	GRAND TOTAL		

D — facture n° 704

QUANTITÉ	DESCRIPTION	PRIX UNITAIRE	TOTAL
1	Piano	$69	$69
1	Laveuse	$4	
4	Moule à beurre	25¢	
1	Baratte à beurre	$4	
2	Fauteuil	$6	
6	Chandail pour homme		$12
4	Maillot de bain pour enfant	50¢	
	GRAND TOTAL		

340

2 Pour s'amuser, Sébastien et Marie-Ève décident de retoucher les vieilles factures en y indiquant le prix actuel de chacun des articles.
Retouche toi aussi ces factures mais avec les prix que tu as inscrits dans ton catalogue.

3 Trouve la différence entre le total de chacune des factures: celles d'aujourd'hui et celles de 1901.

Présente tes résultats dans un tableau comme celui-ci.

FACTURE	DIFFÉRENCE
A	
B	
C	
D	

4 Si grand-père avait fait tous ses achats aujourd'hui, combien aurait-il déboursé de plus qu'en 1901?

Raconte à tes camarades comment tu as procédé.

Grand-père garde encore chez lui certains articles qu'il a achetés en 1901. Il veut savoir combien valaient ces biens au moment de leur achat. Il veut aussi savoir combien il aurait à débourser de plus aujourd'hui pour l'achat de biens équivalents.

Voici des photos de ce que grand-père a encore chez lui. Sébastien et Marie-Ève y ont ajouté les prix payés en 1901.

Pour les trois activités suivantes, utilise le **tableau A** qui se trouve dans ton cahier d'activités.

1 **81**

Combien grand-père a-t-il dû débourser pour l'achat de ces biens?

Tableau A

VALEUR DES BIENS DE GRAND-PÈRE			
OBJETS	PRIX EN 1901	PRIX ACTUEL	DIFFÉRENCE
SECRÉTAIRE			
CHAISE DE BUREAU			
ARMOIRE DE CUISINE			
BANC			
BERCEUSE			
FAUTEUILS			
MOBILIER DE CHAMBRE			
TABLE DE CUISINE			
POÊLE			
MALLE			
COMMODE			
LAMPE A HUILE			
SERVICE DE VAISSELLE			
HORLOGE DE TABLE			
PLAT EN ARGENT			
MONTRE			
TOTAL			

Note tous tes calculs pour raconter comment tu as procédé.

2 **81**

Combien grand-père devrait-il débourser aujourd'hui pour l'achat de biens équivalents?

Cherche, dans un catalogue, les prix actuels de ces biens.

N'oublie pas d'arrondir les cents comme indiqué dans la 1re situation.

3 **81**

Indique la différence entre les prix actuels et les prix de 1901.

---

4 **82**

Un antiquaire vient visiter la maison de grand-père. Il désire lui acheter tous les objets anciens qu'il possède. Il fait une offre à grand-père.
Complète le **tableau B** de ton cahier d'activités. Inscris, dans la dernière colonne, un + si grand père a fait un profit ou un − s'il s'agit d'une perte.

Tableau B

OFFRE DE L'ANTIQUAIRE				
OBJETS	PRIX EN 1901	OFFRE DE L'ANTIQUAIRE	DIFFÉRENCE DE PRIX	+ ou −
SECRÉTAIRE		45 $		
ARMOIRE DE CUISINE		79 $		
CHAISE DE BUREAU		20 $		
BANC		10 $		
BERCEUSE		5 $		
FAUTEUIL		12 $ chacun		
TABLE DE CUISINE		25 $		
MOBILIER DE CHAMBRE		135 $		
POÊLE		80 $		
LAMPE A HUILE		7 $ chacune		
SERVICE DE VAISSELLE		68 $		
PLAT EN ARGENT		10 $		
HORLOGE		26 $		
MONTRE		9 $		
COMMODE		18 $		
MALLE		1 $		
TOTAL				

5 **83**

L'antiquaire revend tous les meubles et les objets après les avoir réparés et nettoyés. Pour connaître le profit fait par l'antiquaire, complète le **tableau C** de ton cahier d'activités.

Tableau C

PROFIT FAIT PAR L'ANTIQUAIRE			
OBJETS	PRIX PAYÉ A GRAND-PÈRE PAR L'ANTIQUAIRE	PRIX DE VENTE DE L'ANTIQUAIRE	PROFIT DE L'ANTIQUAIRE
SECRÉTAIRE	45 $	90 $	
ARMOIRE DE CUISINE	79 $	228 $	
CHAISE DE BUREAU	20 $	45 $	
BANC	10 $	38 $	
BERCEUSE	5 $	32 $	
FAUTEUIL	24 $ pour les deux	50 $ pour les deux	
TABLE DE CUISINE	25 $	88 $	
MOBILIER DE CHAMBRE	135 $	260 $	
POÊLE	80 $	347 $	
LAMPE A HUILE	14 $ pour les deux	46 $ pour les deux	
SERVICE DE VAISSELLE	68 $	139 $	
PLAT EN ARGENT	10 $	15 $	
HORLOGE	26 $	64 $	
MONTRE	9 $	37 $	
COMMODE	18 $	44 $	
MALLE	1 $	13 $	
TOTAL			

JE FAIS LE POINT

1 Arrondis les nombres suivants:

a) 3138 à la centaine près;

b) 3478 à la dizaine près;

c) 48 893 à l'unité de mille près.

2 Trouve la valeur de ▢ dans les égalités suivantes:

a) $374 + $ ▢ $ = 786$

b) $237 + $ ▢ $ + 234 = 146 + 632$

307

Vérifie tes résultats.

3   Trouve la valeur de ▢ dans les égalités suivantes:

a) $478 - $ ▢ $ = 146$

b) ▢ $ - 273 = 468$

c) ▢ $ - 146 = 273 - 124$

4   Trouve la valeur de ▢ dans les égalités suivantes:

a) $4 \times $ ▢ $ = 36$

b) ▢ $ \times 7 = 7 \times 9$

c) $4 \times $ ▢ $ = 536$

5 Effectue les calculs suivants:

a) $3478 + 274 + 36 + 4789$

b) $2340 + 279 + 47\,896 + 13$

Utilise l'algorithme de ton choix.

6 Effectue les calculs suivants:

a) $47\,080 - 20\,397$

b) $78\,000 - 347$

7 Trouve les produits suivants:

a) 347×6

b) 87×46

c) 304×5

8   Trouve les résultats suivants:

a) $45 \div 9$

b) $64 \div 8$

c) $42 \div 7$

d) $63 \div 9$

e) $81 \div 9$

f) $56 \div 7$

Fais la preuve pour t'assurer que ton résultat est juste.

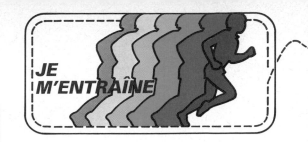

Consulte ton lexique si tu en as besoin.

 1

Arrondis les nombres suivants:

a) à la centaine près;
- 4780
- 13 456
- 743 178

b) à la dizaine près;
- 347
- 14 058
- 130 021

c) à l'unité de mille près.
- 1 478 901
- 347 834
- 712 004

 2

À l'aide de ta calculatrice, trouve la valeur de ▢.

a) 4789 + 432 = ▢ + 748

b) (3 × 12) + 14 = 149 − ▢

c) 473 + 247 + 146 + ▢ = 984 + 1324

d) 443 − 147 = 24 + 36 + ▢

Note tous tes calculs pour raconter à tes camarades comment tu as procédé.

 3

Reproduis les tableaux suivants. Encercle les paires de nombres voisins dont le résultat de la division est égal au nombre indiqué dans l'étiquette.

a)

(36	6)	54	48
24	4	9	8
42	30	18	3
7	5	12	2

6

b)

27	18	24	3
3	2	36	4
81	9	72	63
54	6	8	7

9

Les nombres peuvent être voisins: en ligne, en colonne ou en diagonale.

c)

25	5	35	7
2	4	15	3
45	30	10	40
9	6	2	8

5

d)

12	3	39	3
24	28	36	20
6	7	9	5
16	4	32	4

4

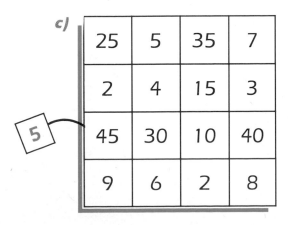
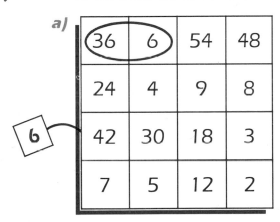
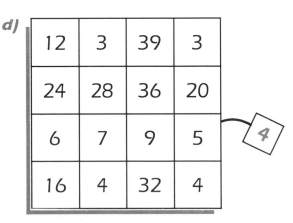

345

4 Trouve les sommes.

a) 607
  + 834

b) 964
  + 289

c) 7462
  + 9317

d) 286
   430
  + 927

e) 651
   287
  + 965

f) 7364
   8091
  + 7436

g) 643
   728
  + 569

h) 758
   304
  + 619

i) 7268
   473
   5860
  + 29

Estime d'abord le résultat de chaque opération à la centaine près.

Compare tes réponses à celles de ton voisin ou de ta voisine.

5 Trouve les différences.

a) 203
  − 156

b) 406
  − 158

c) 702
  − 135

d) 504
  − 257

e) 200
  − 144

f) 8032
  − 3471

g) 8002
  − 6444

h) 7102
  − 4325

6 Parmi les paires de nombres suivantes, choisis celle qui convient pour compléter chacune des inégalités.

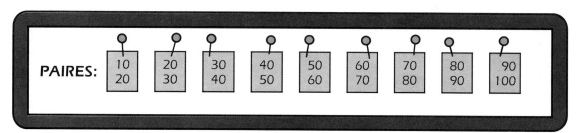

PAIRES:
| 10 20 | 20 30 | 30 40 | 40 50 | 50 60 | 60 70 | 70 80 | 80 90 | 90 100 |

a) ▢ × 4 < 130
    ▢ × 4 > 130

b) ▢ × 6 < 160
    ▢ × 6 > 160

c) ▢ × 9 < 650
    ▢ × 9 > 650

d) ▢ × 7 < 460
    ▢ × 7 > 460

e) ▢ × 7 < 300
    ▢ × 7 > 300

f) ▢ × 5 < 490
    ▢ × 5 > 490

7 Trouve les produits.

a) 395
  ×   5

b) 416
  ×   6

c) 748
  ×   3

d) 206
  ×   6

e) 352
  ×   4

f) 2865
  ×   3

Compare tes réponses à celles de tes camarades.

8 Trouve les produits.

a) 30 × 40   b) 50 × 30
c) 70 × 20   d) 80 × 30
e) 60 × 50   f) 40 × 70
g) 50 × 50   h) 70 × 30

Raconte à tes camarades comment tu as procédé.

9 Trouve le terme manquant.

a) ☐ × 2 = 14
b) ☐ × 2 = 140
c) ☐ × 2 = 1400
d) ☐ × 7 = 35
e) ☐ × 7 = 350
f) ☐ × 7 = 3500
g) ☐ × 4 = 240
h) ☐ × 6 = 4200
i) ☐ × 8 = 6400

Raconte à tes camarades comment tu as procédé.

10 Trouve les produits.

a) 5 × 3
b) 15 × 10
c) 5 × 30
d) 15 × 100
e) 5 × 300
f) 5 × 3000

11 Trouve la valeur de ☐ dans les égalités suivantes.

a) ☐ × 4 = 16
   16 ÷ 4 = ☐

b) ☐ × 5 = 30
   30 ÷ 5 = ☐

c) ☐ × 5 = 35
   35 ÷ 5 = ☐

d) ☐ × 4 = 32
   32 ÷ 4 = ☐

e) ☐ × 7 = 56
   56 ÷ 7 = ☐

f) ☐ × 8 = 16
   16 ÷ 8 = ☐

g) ☐ × 3 = 21
   21 ÷ 3 = ☐

h) ☐ × 7 = 28
   28 ÷ 7 = ☐

12 Voici un ensemble: {100, 200, 300, 400, 500, 600, 700, 800, 900}.
Choisis dans cet ensemble le plus grand nombre qui rendra l'expression d'inégalité vraie. Inscris ce nombre dans le cercle. Termine ensuite la division.

a) 4 6 4 | 2
   – ☐ ☐ ☐ ← ◯ × 2 < 464

b) 1 9 7 3 | 3
   – ☐ ☐ ☐ ☐ ← ◯ × 3 < 1973

c) 2 3 4 6 | 4
   – ☐ ☐ ☐ ☐ ← ◯ × 4 < 2346

d) 4 4 6 2 | 5
   – ☐ ☐ ☐ ☐ ← ◯ × 5 < 4462

e) 4 2 0 5 | 6
   – ☐ ☐ ☐ ☐ ← ◯ × 6 < 4205

f) 5 1 9 9 | 7
   – ☐ ☐ ☐ ☐ ← ◯ × 7 < 5199

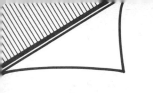

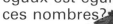

JE VAIS PLUS LOIN

1 La somme de deux nombres égaux est égale à 54. Quels sont ces nombres?

2 Si trois écureuils mangent trois noix en trois minutes, combien de temps faut-il à cent écureuils pour manger cent noix?

Raconte à tes camarades comment tu as procédé.

3 À l'aide de ta calculatrice, calcule:

587 × 7285

Note le résultat.

a) Maintenant, calcule les produits suivants, sans appuyer sur la touche ⊠:

- 588 × 7285
- 586 × 7285

b) Comment as-tu procédé?

c) Compare ta méthode avec celle de tes camarades.

4 Trouve les paires de nombres dont la somme et le produit sont égaux aux valeurs indiquées.

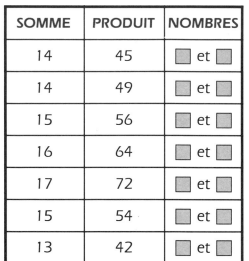

Reproduis et complète le tableau ci-contre.

SOMME	PRODUIT	NOMBRES
14	45	☐ et ☐
14	49	☐ et ☐
15	56	☐ et ☐
16	64	☐ et ☐
17	72	☐ et ☐
15	54	☐ et ☐
13	42	☐ et ☐

5 Anna a quatre fois l'âge de Nando. Jean a deux fois l'âge de Nando. Ensemble, ils ont 21 ans. Quel est l'âge d'Anna, de Nando et de Jean?

Raconte comment tu as trouvé nos âges.

6 Trouve le nombre de départ.

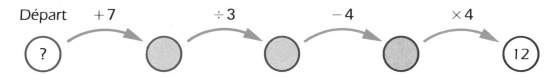

Départ $+7$ $\div 3$ -4 $\times 4$

?   12

7 Robert a fait moins de 24 biscuits. Il a voulu les partager également entre ses amis. Mais, qu'ils soient 2, 3 ou 4, il restait toujours un biscuit après le partage.
Combien de biscuits a-t-il fait?

8 Reproduis cette figure. Places-y les nombres 7, 8, 9, 10, 11, 12 et 13 afin que la somme des nombres alignés soit toujours 30.

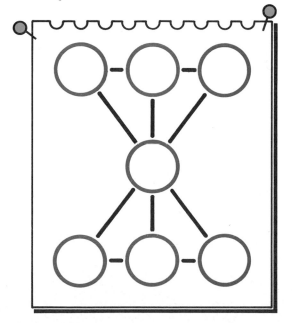

9 Trouve les paires de nombres dont le produit et le quotient sont égaux aux valeurs indiquées.

PRODUIT	QUOTIENT	NOMBRES
100	1	▧ et ▧
250	10	▧ et ▧
160	10	▧ et ▧
300	3	▧ et ▧
1000	10	▧ et ▧
2400	24	▧ et ▧

Vérifie avec tes camarades l'exactitude de tes réponses.

10 ▶ Effectue les calculs suivants:

a) $(1 \times 9) + 2 = ?$
b) $(12 \times 9) + 3 = ?$
c) $(123 \times 9) + 4 = ?$
d) $(1234 \times 9) + 5 = ?$
e) $(12\,345 \times 9) + 6 = ?$
f) $(? \times ?) + ? = ?$

11 ▶ Si $12\,345\,679 \times 9 = 111\,111\,111$

a) Complète:
$12\,345\,679 \times 18 = ?$
$12\,345\,679 \times 27 = ?$
$12\,345\,679 \times 63 = ?$
$? \qquad \times \quad ? = ?$

b) Comment as-tu procédé?

c) Compare ta façon de procéder à celle de tes camarades.

12 ▶ Complète les égalités suivantes:

a) $1 \times 8 = 10 - ?$
b) $2 \times 8 = 20 - ?$
c) $3 \times 8 = ? - ?$
d) $4 \times 8 = ? - ?$
e) $5 \times 8 = ? - ?$
f) $7 \times 8 = ? - ?$
g) $13 \times 8 = ? - ?$
h) $20 \times 8 = ? - ?$

13 ▶ Trouve la valeur de ■.

a)
$$\begin{array}{r} \blacksquare\,1 \\ \times \quad \blacksquare \\ \hline 2\,\blacksquare\blacksquare \end{array}$$

b)
$$\begin{array}{r} \blacksquare\,1 \\ \times \quad \blacksquare \\ \hline 3\,\blacksquare\blacksquare \end{array}$$

Ici, dans une même multiplication, ■ a toujours la même valeur.

14 ▶ Trouve la valeur de ■ dans les égalités suivantes:

a) $13 \times 4 \times 12 = 24 + \blacksquare$
b) $(17 \times 2 \times 0) + 424 = 786 - \blacksquare$
c) $(347 - 243) + 754 = 13 \times \blacksquare$
d) $(478 - 134) + (173 - 46) = 146 + \blacksquare$
e) $(373 + 147) + (146 - 78) = 273 + \blacksquare$

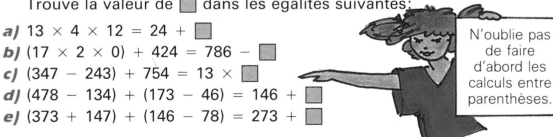

N'oublie pas de faire d'abord les calculs entre parenthèses.

15 ▶ Trouve la valeur de ✳.

a)

| 5 | × | 100 | ÷ | 10 | × | 10 | × | 100 | ÷ | 10 | × | 100 | = | ✳ |

b)

| 9 | × | 100 | × | 10 | × | 10 | ÷ | 100 | × | 10 | ÷ | 100 | = | ✳ |

16 ▶ Trouve les chiffres manquants.

a)
$$\begin{array}{r} ②③⑤ \\ 1\,?\,3\,6 \\ \times \qquad ? \\ \hline 1\,?\,1\,2\,4 \end{array}$$

b)
$$\begin{array}{r} ①②③ \\ 2\,3\,4\,6 \\ \times \qquad ? \\ \hline ?\,?\,7\,?\,0 \end{array}$$

c)
$$\begin{array}{r} ②⑦ \\ 2\,?\,4\,2 \\ \times \qquad ? \\ \hline ?\,2\,2\,5\,2 \end{array}$$

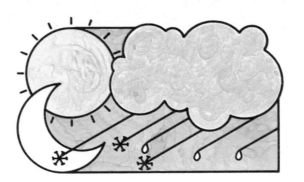

LA MÉTÉO

18

**NOMBRES
ENTIERS
RELATIFS**
EXPLORATION

MESURE
STATISTIQUES

**NOMBRES
NATURELS**
OPÉRATIONS:
ADDITION,
SOUSTRACTION,
MULTIPLICATION,
DIVISION

Les parents de Catherine s'intéressent aux prévisions météorologiques. Pour les connaître, ils écoutent tous les soirs l'émission de télévision consacrée à ces prévisions. Ils consultent aussi la section météo de leur journal quotidien.

Est-ce important pour toi de connaître le temps qu'il fera demain ou les jours suivants? Pourquoi?
Écoutes-tu ces prévisions à la télé ou à la radio?
Consultes-tu la section météo du journal?

Catherine aimerait connaître plus de choses au sujet de la météo. Si cela t'intéresse toi aussi, consulte le tableau ci-contre. Quelles informations peux-tu en tirer?

LUNDI 8 MAI

 **MÉTÉO**

AUJOURD'HUI 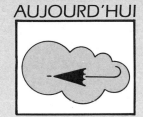   DEMAIN

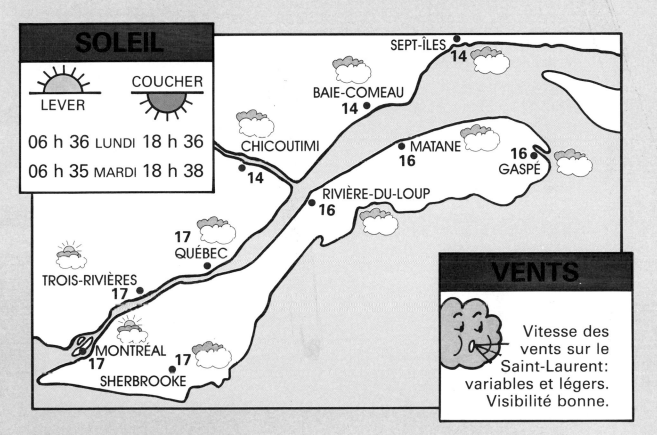

SOLEIL

LEVER	COUCHER
06 h 36 LUNDI	18 h 36
06 h 35 MARDI	18 h 38

SEPT-ÎLES **14**

BAIE-COMEAU **14**

CHICOUTIMI **14**

MATANE **16**

GASPÉ **16**

RIVIÈRE-DU-LOUP **16**

QUÉBEC **17**

TROIS-RIVIÈRES **17**

MONTRÉAL **17**

SHERBROOKE **17**

VENTS

Vitesse des vents sur le Saint-Laurent: variables et légers. Visibilité bonne.

TEMPÉRATURES

Températures enregistrées hier dans les principales villes d'Amérique du Nord.

	Min.	Max.		Min.	Max.		Min.	Max.
CHARLOTTETOWN	5	16	VANCOUVER	6	15	MIAMI	23	30
EDMONTON	0	2	VICTORIA	6	17	NOUV.-ORLÉANS	21	30
FRÉDÉRICTON	1	20	WINNIPEG	1	7	NEW YORK	17	28
HALIFAX	6	17	BOSTON	12	27	ORLANDO	20	30
MONTRÉAL	9	24	BUFFALO	20	23	SAN FRANCISCO	10	23
OTTAWA	9	25	CHICAGO	15	22	ST. LOUIS	21	30
QUÉBEC	4	18	HOUSTON	21	32	TAMPA	21	31
RÉGINA	−2	2	LOS ANGELES	20	24	WASHINGTON	17	28
ST-JEAN, T.-N.	7	12	MEXICO	18	23			
TORONTO	18	22						

1 Fais une petite recherche au sujet de la météo et des prévisions météorologiques.
Discute ensuite avec tes camarades de ce que tu as appris.

2 Regarde les pictogrammes à droite du titre **MÉTÉO**.

a) La case «AUJOURD'HUI» présente cette illustration:

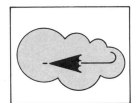

Selon toi, qu'a-t-on voulu exprimer par ce pictogramme?

b) La case «DEMAIN» présente cette illustration:

Explique ce pictogramme à tes camarades.

Météo est l'abréviation de météorologie.

c) Dessine un pictogramme pour représenter cette phrase: «Demain, il fera soleil toute la journée.»
Compare ton pictogramme à celui de tes camarades.

d) Dessine un pictogramme pour représenter cette phrase: «Demain, le ciel sera partiellement couvert.»
Compare ton pictogramme à celui de tes camarades.

3 Regarde la section intitulée **SOLEIL**.

a) Quelles informations y trouves-tu?

b) Calcule le temps écoulé entre le lever et le coucher du soleil le lundi. Raconte à tes camarades comment tu as procédé.

Éprouves-tu certaines difficultés à faire ce calcul? Les informations contenues dans le tableau suivant pourront t'aider.

Entre le lever et le coucher du soleil, il fait jour.

Il faut 60 secondes (s) pour faire 1 minute (min).
Il faut 60 minutes (min) pour faire 1 heure (h).
Il faut 24 heures (h) pour faire 1 jour (d).

---

06 h 38 indique 6 heures 38 minutes; c'est le matin.
13 h 20 indique 13 heures 20 minutes; c'est l'après-midi.
19 h 06 indique 19 heures 6 minutes; c'est le soir.
01 h 19 indique 1 heure 19 minutes; c'est la nuit.

N'oublie pas!

On additionne les heures ensemble.
On soustrait les heures ensemble.

On additionne les minutes ensemble.
On soustrait les minutes ensemble.

Souviens-toi!

Quand tu additionnes ou soustrais des heures et des minutes, le résultat ne doit pas comporter:
- plus de 60 minutes, car cela fait 1 heure;
- plus de 24 heures, car cela fait 1 jour.

70 minutes, c'est 1 heure et 10 minutes.

---

c) Calcule maintenant la durée de la nuit du lundi au mardi.

d) Trouve la durée du jour pour la journée de mardi.

Entre le coucher et le lever du soleil, c'est la nuit.

4 Regarde la section intitulée **VENTS**.
Raconte à tes camarades ce qu'on y prévoit.

5 Observe la carte géographique.

a) Quelle est la région représentée sur cette carte?

b) Que signifient les pictogrammes suivants?

A B

c) Que t'indiquent les nombres?

6 *a)* De quelle façon peut-on connaître la température qu'il fait?

Fait-il chaud ou froid aujourd'hui?

b) Examine un thermomètre. Décris tout ce que tu y vois.

c) Dessine un thermomètre; illustres-en toutes les parties.

7 Sur un thermomètre, des nombres sont inscrits.

a) À quoi servent ces nombres?

b) Pourquoi trouve-t-on le signe moins (−) devant certains nombres?

c) Lorsque le mercure indique
- 20°C
- − 20°C
- 0°C

qu'est-ce que cela signifie?

30°C se lit ainsi: trente degrés Celsius.

30°C
20
10
0
− 10
− 20
− 30

8 Regarde la section intitulée **TEMPÉRATURES**.

a) Quelles informations trouve-t-on dans cette section?

b) À quoi servent les colonnes «**Minimum**» et «**Maximum**»?

Min. est une abréviation de minimum. Max. est une abréviation de maximum.

c) Dans quelle ville a-t-il fait le plus froid? Le plus chaud? Comment le sais-tu?

d) Nomme les villes du Québec où il a fait:
- le plus chaud;
- le plus froid.

9 Catherine a trouvé un vieux journal daté du 15 mars. Elle regarde la section météo. Comme toi, elle est capable maintenant de comprendre les informations qui s'y trouvent.

Examine le tableau ci-contre. Essaie de te représenter le temps qu'il faisait le 15 mars.

MERCREDI 15 MARS

AUJOURD'HUI

DEMAIN

■■■➡ MÉTÉO

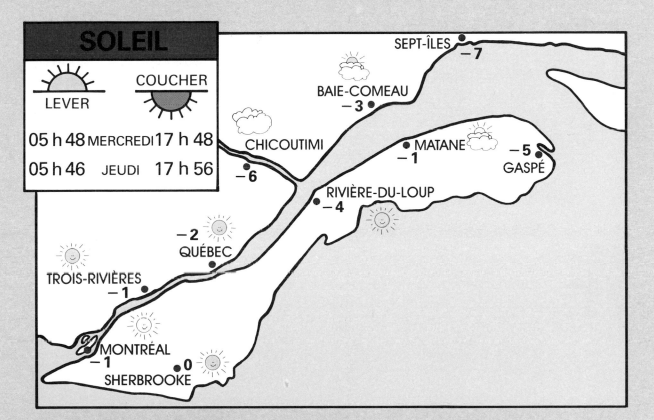

SOLEIL

LEVER	COUCHER
05 h 48 MERCREDI 17 h 48	
05 h 46 JEUDI 17 h 56	

SEPT-ÎLES −7

BAIE-COMEAU −3

CHICOUTIMI −6

MATANE −1

−5 GASPÉ

RIVIÈRE-DU-LOUP −4

−2 QUÉBEC

TROIS-RIVIÈRES −1

MONTRÉAL −1

SHERBROOKE 0

TEMPÉRATURES

Températures enregistrées hier dans les principales villes d'Amérique du Nord.

	Min.	Max.		Min.	Max.		Min.	Max.
CHARLOTTETOWN	−10	0	VICTORIA	12	10	MIAMI	14	21
EDMONTON	−2	8	WINDSOR	−7	4	NEW YORK	−2	4
FRÉDÉRICTON	−8	−3	WINNIPEG	1	6	ORLANDO	10	18
HALIFAX	−5	11	BUFFALO	−12	−2	SAN FRANCISCO	7	14
MONTRÉAL	−13	−5	CHICAGO	−8	7	ST. LOUIS	−1	14
NORTH BAY	−22	−7	JACKSONVILLE	7	16	TAMPA	11	19
OTTAWA	−15	−4	LOS ANGELES	9	15	WASHINGTON	−3	6
QUÉBEC	−16	−7	MEXICO	7	28			
VANCOUVER	7	10						

a) Utilise le tableau. Décris le temps qu'il faisait le 15 mars dans la région que tu habites. Mentionne les éléments suivants:

- température en degrés;
- état du ciel;
- durée du jour (le mercredi);
- durée de la nuit (de mercredi à jeudi).

b) Place en ordre les villes mentionnées sur la carte géographique. Pars de celle où il a fait le plus froid et va jusqu'à celle où il a fait le plus chaud.
Tu peux présenter ta réponse dans un tableau semblable à celui-ci:

VILLE	TEMPÉRATURE

froid
↓
chaud

c) Regarde la section intitulée **TEMPÉRATURES**.
- Indique les 3 villes où il a fait le plus froid.
- Indique les 3 villes où il a fait le plus chaud.

Catherine s'intéresse maintenant de plus en plus à la météorologie. Elle décide de faire une recherche à ce sujet. À la bibliothèque, elle découvre une revue spécialisée remplie d'informations et de tableaux. Trois de ces tableaux traitent de la température dans différentes régions du Québec.

Dans les pages qui suivent, tu trouveras ces trois tableaux. Consulte-les et participe aux découvertes de Catherine.

Température mensuelle moyenne

1951 ● 1980

VILLES DU QUÉBEC	MOIS →	J	F	M	A	M	J	J	A	S	O	N	D
Amos		−17	−15	−9	1	9	14	17	15	10	4	−4	−14
Arvida		−15	−13	−6	3	10	16	18	17	12	6	−1	−11
Baie-Comeau		−14	−13	−6	0	7	13	16	15	10	4	−2	−10
Chicoutimi		−15	−13	−5	3	10	16	19	17	12	6	−1	−11
Drummondville		−11	−10	−3	5	13	18	21	19	14	8	1	−7
Fort-Chimo		−23	−22	−18	−9	0	7	11	10	5	−1	8	−18
Gaspé		−11	−10	−5	1	8	14	17	16	12	6	1	−7
Gatineau		−11	−10	−3	5	12	18	20	19	14	8	1	−8
Granby		−10	−9	−2	5	13	18	20	19	14	8	1	−7
La Sarre		−18	−16	−10	0	8	14	16	15	10	5	−3	−14
Magog		−10	−9	−3	5	12	17	20	18	14	8	1	−7
Matane		−11	−10	−5	1	7	13	16	15	10	5	0	−8
Mont-Laurier		−14	−12	−5	3	11	16	18	17	12	6	0	−11
Montréal		−9	−7	−1	7	14	20	22	21	16	10	3	−5
Québec		−12	−11	−4	3	11	16	19	17	13	7	0	−9
Rimouski		−11	−10	−4	2	9	15	17	16	12	6	0	−8
Saint-Georges		−12	−11	−4	3	11	16	19	17	13	7	0	−9
Sept-Îles		−14	−12	−7	0	6	12	15	14	9	4	−3	−11
Sherbrooke		−12	−11	−4	4	11	15	18	16	12	7	0	−8
Tadoussac		−12	−10	−4	2	9	14	17	16	11	6	0	−8
Trois-Rivières		−12	−11	−4	4	12	17	20	18	13	7	0	−9
Val-D'or		−17	−15	−8	1	9	15	17	15	10	5	−3	−13

Utilise les données du TABLEAU A pour réaliser les activités suivantes.

1 **a)** Quelles informations trouve-t-on dans ce tableau? Décris-le à tes camarades.

b) Selon toi, que signifie **température moyenne**?

c) Dans le tableau, repère la ville que tu habites (ou celle qui en est le plus près).
   - Dans cette ville, quel mois a été le plus froid? Quelle était la température?
   - Dans cette ville, quel mois a été le plus chaud? Quelle était la température?

Sais-tu ce que signifie «mensuel»?

d) Choisis une autre ville. Donne pour cette ville les renseignements demandés à l'activité précédente.

e) Pour ta ville et celle que tu as choisie, compare la température:
   - du mois le plus froid;
   - du mois le plus chaud.
   Que peux-tu en dire?

f) Compose quelques problèmes au sujet de ce tableau. Résous tes problèmes puis présente-les à tes camarades. Ils les résoudront à leur tour.

2 Construis la courbe de température de la ville que tu habites (ou de celle qui en est le plus près).

a) Qu'est-ce qu'une **courbe de température**?

b) De quelle façon construiras-tu cette courbe? Discutes-en avec tes camarades.

c) Construis la courbe.

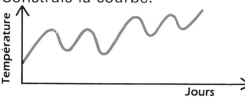

d) À ton avis, qu'est-ce qui représente le mieux les variations de température de cette ville: le tableau ou la courbe? Pourquoi?

3 Choisis une ville du tableau. Construis la courbe de température de cette ville. Présente ton graphique à tes camarades.

Tu pourrais afficher ta courbe au babillard de la classe.

4 Identifie la ville du tableau:

a) où le mois de janvier a été
   - le plus froid,
   - le plus chaud;

b) où le mois d'avril a été
   - le plus froid,
   - le plus chaud;

c) où le mois de juillet a été
   - le plus froid,
   - le plus chaud;

d) où le mois d'octobre a été
   - le plus froid,
   - le plus chaud.

TABLEAU B   Quantité moyenne de pluie (en millimètres)

VILLES DU QUÉBEC ➡ MOIS ➡	J	F	M	A	M	J	J	A	S	O	N	D
Amos	3	3	9	31	63	100	104	112	106	63	30	6
Arvida	4	2	10	36	65	90	121	96	102	66	35	8
Baie-Comeau	6	7	18	43	75	84	81	95	103	83	45	18
Chicoutimi	5	6	14	36	63	94	133	104	102	74	37	9
Drummondville	23	13	40	59	76	91	101	100	96	83	60	27
Fort-Chimo	0	0	1	2	16	48	58	63	49	22	6	1
Gaspé	12	12	18	36	75	81	93	93	72	79	50	25
Gatineau	17	10	28	61	63	87	84	85	79	76	62	29
Granby	25	20	38	69	85	103	116	114	103	86	65	34
La Sarre	3	2	12	35	68	97	94	103	114	70	33	7
Magog	18	15	31	62	81	97	108	109	85	86	62	30
Matane	5	5	8	38	65	78	96	91	93	76	54	13
Mont-Laurier	11	9	51	64	83	116	124	136	111	83	74	23
Montréal	19	13	43	58	79	85	92	104	94	77	71	38
Québec	17	11	26	55	86	110	117	117	119	86	63	29
Rimouski	7	3	15	38	60	66	82	80	80	67	44	12
Saint-Georges	8	9	16	44	75	93	99	118	95	78	48	15
Sept-Îles	8	9	14	46	78	90	97	104	112	85	49	18
Sherbrooke	14	13	26	56	85	109	117	121	100	81	60	29
Tadoussac	6	6	18	43	76	88	104	98	89	80	52	14
Trois-Rivières	21	15	33	55	77	92	97	102	96	83	62	30
Val-D'or	4	3	15	29	60	94	102	101	106	69	33	10

Utilise les données du **TABLEAU B** pour réaliser les activités suivantes.

5 **a)** Quelles informations trouve-t-on dans ce tableau? Décris-le à tes camarades.

b) Qu'est-ce qu'un **millimètre**? Utilise une règle pour te représenter:

- 10 mm
- 100 mm
- 1000 mm

Le symbole de millimètre est mm.

c) Indique la fraction d'un mètre que représente:

- 1 mm
- 1 cm
- 1 dm

d) Un millimètre (mm) représente quelle fraction d'un centimètre (cm)?

Te souviens-tu du symbole de centimètre? De décimètre?

6 Utilise les données de la ville que tu habites (ou de celle qui en est le plus près) pour réaliser les activités suivantes.

a) Pour chacune des saisons, calcule la quantité totale de pluie qui est tombée.

b) Quelle est la quantité totale de pluie tombée pendant l'année?

c) Quelle information peux-tu tirer de ces résultats?

7 Choisis une ville du tableau. Refais, pour cette ville, le travail proposé à l'activité **6**.

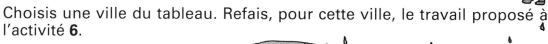

8 Par estimation, tente de trouver la ville:

a) où il pleut le plus pendant l'année;

b) où il pleut le plus en été;

c) où il pleut le plus en hiver;

d) où il pleut le moins pendant l'année;

e) où il pleut le moins en été;

f) où il pleut le moins en hiver.

Utilise la calculatrice pour vérifier tes estimations.

9 Travaille avec des camarades. Choisissez 5 villes du tableau. Construisez un graphique à bandes illustrant la quantité totale de pluie tombée dans chacune de ces villes durant l'année.
Présentez votre graphique aux autres élèves de la classe.

Avant d'entreprendre la construction du graphique, pense aux étapes que tu devras suivre.

 10 Pour calculer la quantité moyenne de pluie tombée par mois, on trouve d'abord la quantité totale de pluie tombée pendant l'année, puis on divise par le nombre de mois.

EXEMPLE:

AMOS	J	F	M	A	M	J	J	A	S	O	N	D
	3	3	9	31	63	100	104	112	106	63	30	6

Quantité totale de pluie pendant l'année:
$$3 + 3 + 9 + 31 + 63 + 100 + 104 + 112 + 106 + 63 + 30 + 6 = 630 \text{ millimètres}$$

Nombre de mois dans l'année:
12

Quantité moyenne de pluie par mois:
$$630 \div 12 = 52,5 \text{ millimètres ou environ 52 millimètres}$$

a) Pour chacune des 5 villes choisies à l'activité **9**, trouve la quantité moyenne de pluie tombée par mois.

b) Compare ces moyennes. Quelle information peux-tu en tirer?

 11 **a)** Peux-tu expliquer maintenant comment les météorologues ont construit le **TABLEAU B**?

b) Peut-on faire la même chose pour des températures?

c) Consulte le **TABLEAU A**. Calcule la température moyenne pendant les mois d'été dans la ville que tu habites (ou celle qui en est le plus près).

363

TABLEAU C   Quantité moyenne de neige (en centimètres)

VILLES DU QUÉBEC ⬇ / MOIS ➡	J	F	M	A	M	J	J	A	S	O	N	D
Amos	52	40	35	15	2	0	0	0	0	8	38	52
Arvida	58	55	37	9	2	0	0	0	0	4	34	73
Baie-Comeau	85	73	60	30	2	0	0	0	0	6	36	77
Chicoutimi	60	52	38	12	1	0	0	0	0	4	34	75
Drummondville	54	51	34	10	1	0	0	0	0	1	25	59
Fort-Chimo	33	34	27	22	15	4	0	1	9	27	36	40
Gaspé	75	61	55	30	3	0	0	0	0	3	25	71
Gatineau	52	48	34	9	2	0	0	0	0	2	18	58
Granby	68	59	43	12	2	0	0	0	0	2	27	74
La Sarre	38	30	29	11	2	0	0	0	0	5	28	41
Magog	76	68	46	15	1	0	0	0	0	2	29	82
Matane	84	71	61	20	2	0	0	0	0	2	29	104
Mont-Laurier	68	61	40	12	1	0	0	0	0	23	26	72
Montréal	57	54	33	11	1	0	0	0	0	1	20	69
Québec	78	70	54	16	1	0	0	0	0	4	34	86
Rimouski	58	54	41	19	1	0	0	0	0	3	24	68
Saint-Georges	45	59	35	12	2	0	0	0	0	3	23	53
Sept-Îles	93	74	70	33	6	0	0	0	0	11	51	89
Sherbrooke	62	56	53	23	10	0	0	0	0	6	37	75
Tadoussac	61	65	51	21	1	0	0	0	0	4	30	73
Trois-Rivières	58	55	42	10	1	0	0	0	0	1	24	70
Val-D'or	60	50	48	22	4	0	0	0	1	15	48	64

Utilise les données du TABLEAU C pour réaliser les activités suivantes.

12 ▷ Examine attentivement le tableau.
Compose ensuite 5 problèmes à son sujet.
Résous tes problèmes puis présente-les à tes camarades.
Ils les résoudront à leur tour.

13 ▷ Selon toi, pourquoi mesure-t-on les précipitations de pluie en millimètres (mm) et les précipitations de neige en centimètres (cm)?

Consulte les **TABLEAUX** A, B et C.

14 ▷ Dresse un tableau synthèse pour la ville que tu habites (ou celle qui en est le plus près). Indique dans ton tableau les éléments suivants:

- la température,
- la quantité de pluie,
- la quantité de neige.

Trouve une façon intéressante de présenter ces données.

Ton tableau doit être simple, clair et facile à lire.

Avec ses camarades, Catherine décide d'installer une station météorologique à l'école. Chaque jour, pendant quelques semaines, elle recueillera des informations au sujet du temps qu'il fait dans sa région.

Que penses-tu du projet de Catherine? Aimerais-tu, toi aussi, devenir météorologue pour quelque temps?

Catherine veut recueillir les informations suivantes:

a) la température, en degrés

b) les précipitations de pluie ou de neige;

c) les conditions atmosphériques;

d) la force et la direction des vents;

e) la durée du jour et de la nuit.

Indique:

- la façon dont Catherine peut procéder pour obtenir chaque donnée qu'elle désire;

- la façon dont Catherine peut noter et présenter ces données.

Et toi, aimerais-tu en connaître davantage sur le temps qu'il fait dans ta région?
Discute avec tes camarades des informations qui vous intéressent.
Trouvez des façons de recueillir, de noter et de présenter vos données.

JE FAIS LE POINT

1 Additionne.

a) 34 072 + 2347 + 1784

b)
```
  2748
   389
+ 1478
```

c)
```
  5036
  2472
+  853
```

2 Divise.

a) 48 ÷ 8

b) 72 ÷ 9

c) 40 ÷ 5

d) (30 ÷ 2) ÷ 5

3 Résous les problèmes suivants.

a) Il y a 48 crayons de couleur dans une boîte. Ces crayons sont disposés également sur 3 rangées. Combien de crayons y a-t-il dans chaque rangée?

b) Zoé propose à Fanny l'échange suivant:
«Je te donne 1 macaron et toi, tu me donnes 3 timbres.»
Si Fanny donne 36 timbres à Zoé, combien de macarons Zoé doit-elle donner à Fanny?

c) Dans une petite salle de conférence, il y a 42 sièges. Chaque rangée compte 7 sièges. Combien de rangées y a-t-il dans la salle?

d) Pour participer aux jeux d'un parc d'attractions, Mario achète des billets. Il doit donner 1 $ pour avoir 2 billets. À la fin de la journée, il constate qu'il a participé à 14 jeux. Combien d'argent a-t-il dépensé pour ces activités?

4 ▶ Voici un ensemble de points bleus:

Compare les ensembles de points rouges à l'ensemble de points bleus.
Exprime la valeur relative de chaque ensemble à l'aide d'un nombre entier.

a)

b)

5 ▶ Voici une paire d'ensembles:

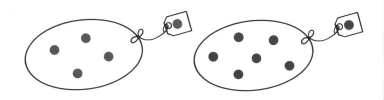

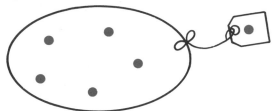

La valeur relative des points bleus par rapport aux points rouges est **−2**.
La valeur relative des points rouges par rapport aux points bleus est **+2**.

Construis 4 paires d'ensembles différents qui ont les mêmes valeurs relatives que ceux-ci.

$(-2, +2)$

6 ▶ Mesure au millimètre près la longueur de ton livre ESPACE 4.

Fais d'abord une estimation.

7 ▶ Associe chaque symbole au mot qu'il représente.

a) mm

b) m

c) cm

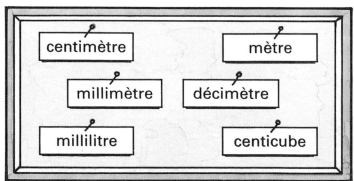

centimètre   mètre

millimètre   décimètre

millilitre   centicube

JE
M'ENTRAÎNE

1 Voici deux ensembles:

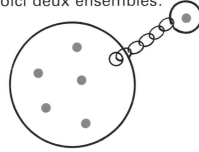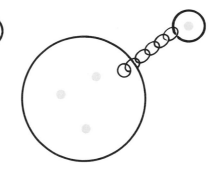

a) Combien y a-t-il de points verts de plus que de points jaunes? Exprime ta réponse à l'aide d'un nombre entier.

b) Combien y a-t-il de points jaunes de moins que de points verts? Exprime ta réponse à l'aide d'un nombre entier.

2 Compare les ensembles de chaque paire. Exprime la valeur relative de chaque ensemble à l'aide d'un nombre entier.

Écris le nombre entier de la couleur de l'ensemble qu'il représente.

a) 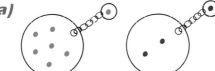   **b)**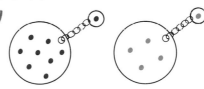

c) 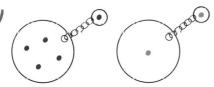   **d)**

e) 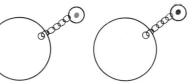   **f)**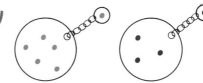

3 Construis des ensembles pour illustrer les valeurs relatives suivantes.

a) (−2, +2)   **b)** (−1, +1)   **c)** (+4, +4)
d) (0, 0)   **e)** (−6, +6)   **f)** (+3, −3)

Colorie les points de tes ensembles de la même couleur que les nombres entiers.

4 Voici un ensemble:

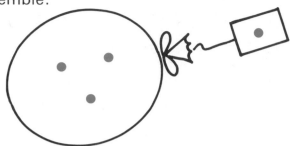

Compare les ensembles ci-dessous à l'ensemble de points verts. Exprime la valeur relative de chaque ensemble à l'aide d'un nombre entier.

a)

b)

c)

d)

e)

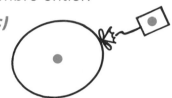

f)

5 Résous les problèmes suivants.
Compare tes solutions à celles de tes camarades.

a) 48 oeufs sont placés dans des cartons contenant 6 oeufs chacun. Combien de cartons y a-t-il?

b) 36 enfants sont répartis en 6 équipes. Combien d'enfants y a-t-il dans chaque équipe?

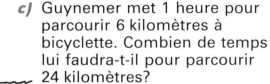

c) Guynemer met 1 heure pour parcourir 6 kilomètres à bicyclette. Combien de temps lui faudra-t-il pour parcourir 24 kilomètres?

d) Tante Anna partage 40 biscuits entre 8 enfants. Combien de biscuits chaque enfant reçoit-il?

6

Effectue les divisions.
Vérifie ensuite tes résultats à l'aide de la calculatrice, mais sans appuyer sur la touche ÷.

a) 45 ÷ 5   *b)* 36 ÷ 3   *c)* 60 ÷ 5   *d)* 96 ÷ 8

e) 92 ÷ 2   *f)* 96 ÷ 6   *g)* 90 ÷ 3 ÷ 5   *h)* 90 ÷ 3 ÷ 6

i) 80 ÷ 2 ÷ 5   *j)* 70 ÷ 2 ÷ 5   *k)* 96 ÷ 2 ÷ 6   *l)* 75 ÷ 3 ÷ 5

Raconte à tes camarades comment tu as procédé.

7

Effectue les additions.
Vérifie ensuite tes résultats à l'aide de la calculatrice, mais sans appuyer sur la touche +.

a) 3148 + 1737   *b)* 1606 + 1734   *c)* 1806 + 999

d) 2554 + 1898   *e)* 2126 + 984   *f)* 47 894 + 23 478

Raconte à tes camarades comment tu as procédé.

8

Remplace les ◯ par les symboles <, > ou =.

Tu peux utiliser ta calculatrice mais sans appuyer sur les touches ✕ et ÷. Comment procéderas-tu?

a) 80 ÷ 40 ◯ 15 × 5

b) 63 ÷ 7 ◯ 84 ÷ 12

c) 5 × 13 ◯ 6 × 12

9

Place en ordre croissant les mesures suivantes.

a)   4 cm — 24 dm — 36 mm — 2 m

b) 340 mm — 5 cm — 45 dm — 1 m

c) 28 cm — 2 dm — 250 cm

Raconte à tes camarades comment tu as procédé.

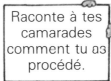

10

Mesure au millimètre près les dimensions suivantes de ton pupitre:

a) hauteur;

b) largeur;

c) longueur;

d) contour.

Fais d'abord une estimation.

11

Refais l'activité **10** avec l'objet de ton choix.

1 Trouve les couples de nombres qui permettent d'obtenir:

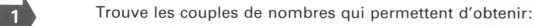

une somme de:	et une différence de:	couple:
15	3	(9,6)
7	3	
12	4	
15	1	
18	0	
80	20	

On l'a fait pour toi:
9 + 6 = 15
9 − 6 = 3

2 Reproduis le dessin suivant:

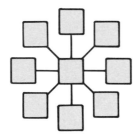

Place les nombres 3, 4, 5, 6, 7, 8, 9, 10 et 11 dans les carrés de façon que la somme des nombres de chaque ligne soit égale à 21.

3 Reproduis le dessin suivant:

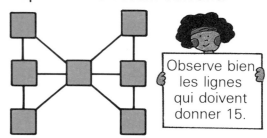

Observe bien les lignes qui doivent donner 15.

Place les nombres 2, 3, 4, 5, 6, 7, 8 dans les carrés de façon que la somme des nombres de chaque ligne soit égale à 15.

4 Julie est allée à l'épicerie faire des courses pour son père. Le prix de l'un des produits n'a pas été imprimé sur la facture. Trouve ce prix.

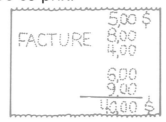

FACTURE
5,00 $
8,00
4,00

6,00
9,00
43,00 $

5 Combien d'années se sont écoulées depuis:

a) la découverte de l'Amérique en 1492?

b) la découverte du Canada en 1534?

c) la fondation de Québec en 1608?

d) le début de la première guerre mondiale en 1914?

6 Voici un carré qui n'est plus magique. Pour qu'il le redevienne, tu dois interchanger deux nombres. La somme magique est alors 15. Trouve ces deux nombres.

9	3	4
1	5	8
6	7	2

Raconte à tes camarades comment tu as procédé.

LES JEUX DE HASARD

19

FRACTIONS
SENS
ORDRE
ÉQUIVALENCE

MESURE
STATISTIQUE
PROBABILITÉ

Depuis des centaines d'années, enfants et adultes jouent à divers jeux. Certains de ces jeux reposent exclusivement sur la chance, le hasard, d'autres pas.

Quels sont les jeux de hasard que tu connais? Comment décrirais-tu ces types de jeux? Quand peut-on qualifier un jeu de «jeu de hasard»? As-tu généralement de la chance à ce type de jeux?

Que penses-tu des réflexions de Bao?

 1

Rose ne pense pas que Bao ait tout à fait raison. Certains jeux ne sont pas vraiment des jeux de hasard.

Rose donne à Bao l'exemple suivant:

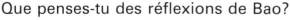

a) Peux-tu aider Rose? Suggère-lui 3 ou 4 façons différentes de procéder.

b) Nicole, qui écoutait la conversation entre Bao et Rose, est intervenue pour proposer 7 méthodes différentes.

1 . TU FAIS LEVER LA MAIN À TES QUATRE AMIS ET TU EN CHOISIS UN AU HASARD.

2 . TU ÉCRIS LE NOM DE TES AMIS SUR DES PETITS CARTONS ET TU EN TIRES UN AU HASARD.

3 . TU JOUES À "AM STRAM GRAM" ET TU DÉTERMINES LE GAGNANT. MAIS, IL FAUT QUE TU LEUR EXPLIQUES LE JEU S'ILS NE LE CONNAISSENT PAS.

4 . TU CONSTRUIS UNE ROULETTE. TU FAIS TOURNER L'AIGUILLE ; ELLE S'ARRÊTERA SUR LE NOM DU GAGNANT.

5 . TU JOUES À "PILE OU FACE".

6 . TU CONSTRUIS UNE TOUPIE. TU LA FAIS TOURNER. LE NOM DU GAGNANT SERA CELUI QUI TOUCHE LE SOL.

7 . TU LEUR FAIS CHOISIR UN NOMBRE ENTRE 1 ET 10. LE GAGNANT EST LE PREMIER QUI TROUVE LE NOMBRE QUE TU AS CACHÉ.

Rose ne croit pas que toutes ces méthodes dépendent uniquement du hasard. Et toi, qu'en penses-tu?

2

a) De quelle façon penses-tu que Rose puisse adapter le jeu de pile ou face pour faire jouer ses 4 amis?

b) Combien de chances de gagner a le joueur qui jette la pièce après avoir choisi pile? après avoir choisi face? Explique-nous ta réponse.

3

Bao raconte à ses amis que son enseignante de 4e année a utilisé la méthode «choix d'un nombre au hasard». Elle voulait tirer au sort un livre de lecture.

a) Ce tirage dépend-il uniquement du hasard? Pourquoi?

b) Luc avait choisi le nombre 19. Peut-on dire qu'il avait presque gagné?

c) Bao avait choisi le nombre 49. Est-il passé aussi près que Luc de gagner? Pourquoi?

d) Chacun avait-il une chance égale de gagner?

Plusieurs jeux nécessitent l'utilisation d'une roulette. Il en existe plusieurs sortes. Avec chaque roulette, les chances de gagner ne sont pas forcément les mêmes.

Bao et Rose décident de se fabriquer toute une série de roulettes et d'en faire une analyse mathématique.

Es-tu intéressé à connaître tes chances de gagner avec chacune de ces roulettes? Voici les différents modèles que Bao et Rose ont construits.

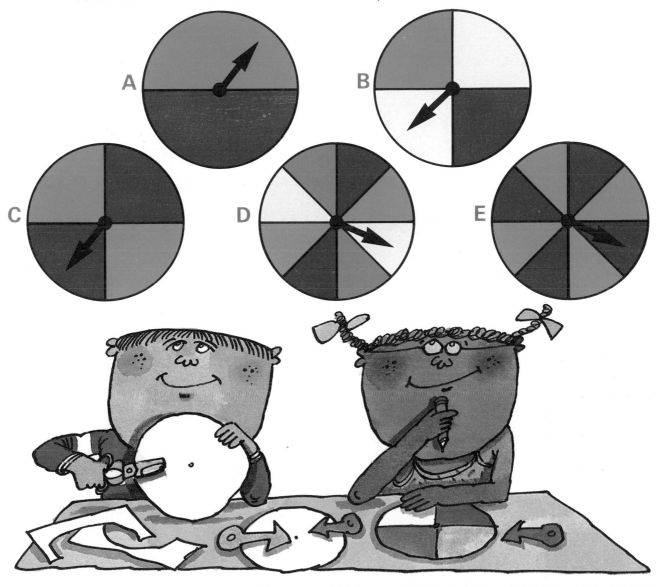

1

Que penses-tu des roulettes construites par Rose et Bao?

Décris ce que tu remarques sur chacune de ces roulettes.

2 **a)** Ces roulettes te permettent-elles de déterminer, au hasard, une couleur gagnante? Pourquoi? Explique ta réponse.

b) Les disques ont-ils été partagés en parties congrues?

c) En combien de parties chaque disque a-t-il été divisé?

d) Pour chacune des roulettes A, B, C, D, E, exprime, de façon mathématique, ce que représente une partie.

Trouve un moyen de t'en assurer.

3 **a)** Si tu choisis la couleur rouge, combien as-tu de chances de gagner avec:

- la roulette A?
- la roulette B?

b) Quelles sont tes chances de gagner avec les autres couleurs?
Reproduis puis complète le tableau ci-dessous.

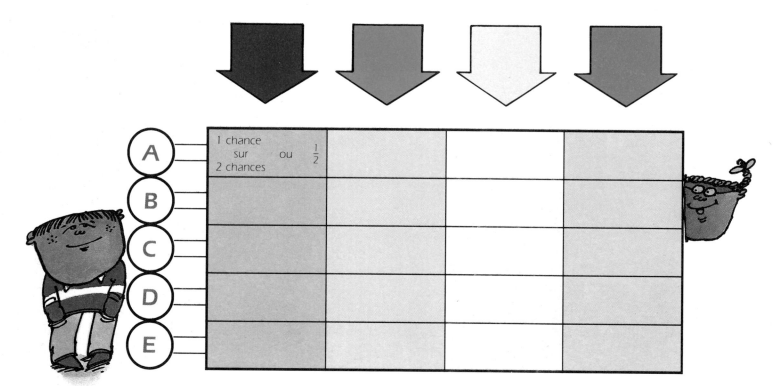

A	1 chance sur 2 chances ou $\frac{1}{2}$			
B				
C				
D				
E				

4 Observe uniquement les roulettes A, C et E.

a) Quelle couleur choisirais-tu pour avoir le plus de chances de gagner?

b) Si tu choisis le rouge, laquelle des roulettes utiliserais-tu pour avoir le plus de chances de gagner?

c) Que peux-tu dire, alors, des fractions $\frac{1}{2}$, $\frac{2}{4}$, $\frac{4}{8}$?

Raconte-nous les raisons de ton choix.

5 Observe maintenant les roulettes **B** et **D**.

a) Quelle couleur choisirais-tu?

b) Après avoir choisi une couleur, as-tu toujours les mêmes chances de gagner avec les deux roulettes?

c) Que peux-tu dire, alors, des fractions $\frac{1}{4}$ et $\frac{2}{8}$?

6 Construis une roulette pour chacune des situations suivantes:

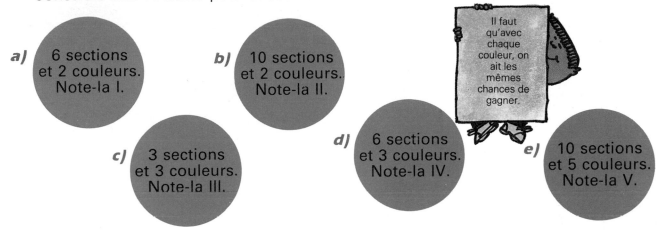

a) 6 sections et 2 couleurs. Note-la I.

b) 10 sections et 2 couleurs. Note-la II.

Il faut qu'avec chaque couleur, on ait les mêmes chances de gagner.

c) 3 sections et 3 couleurs. Note-la III.

d) 6 sections et 3 couleurs. Note-la IV.

e) 10 sections et 5 couleurs. Note-la V.

7 Pour les 5 roulettes que tu viens de construire, dresse un tableau semblable à celui de l'activité **3**.
Note, pour chacune des roulettes, les chances que tu as de gagner avec chaque couleur donnée.

8 Par quelle fraction est représentée chacune des sections des roulettes que tu viens de construire? Reproduis et complète le tableau suivant.

Roulette	I	II	III	IV	V
Fraction					

9 **a)** Quelle roulette a les plus petites sections? Par quelle fraction peut-on représenter ces sections?

b) Quelle roulette a les plus grandes sections? Par quelle fraction peut-on représenter ces sections?

c) Que peux-tu dire des autres roulettes? Parmi les fractions $\frac{1}{6}$, $\frac{1}{10}$, $\frac{1}{3}$, quelle est la plus grande? la plus petite?

10

a) Imagine maintenant des roulettes dont les sections sont représentées par les fractions $\frac{1}{10}$, $\frac{1}{4}$, $\frac{1}{5}$, $\frac{1}{20}$. Place ces fractions en ordre décroissant.

Dis-nous ce qu'est le numérateur d'une fraction.

Attention! La plus grande fraction représente la plus grande section.

b) Comment peux-tu comparer des fractions qui ont le même numérateur?

c) Énonce une règle qui te permette d'ordonner des fractions ayant le même numérateur.

Note cette règle dans ton lexique.

11 Place les fractions suivantes en ordre décroissant.

a) $\frac{3}{10}$, $\frac{3}{4}$, $\frac{3}{5}$, $\frac{3}{20}$

b) $\frac{4}{7}$, $\frac{4}{5}$, $\frac{4}{4}$, $\frac{4}{12}$

c) $\frac{5}{10}$, $\frac{5}{30}$, $\frac{5}{15}$, $\frac{5}{7}$

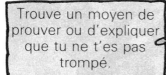

Trouve un moyen de prouver ou d'expliquer que tu ne t'es pas trompé.

12 Reprends les roulettes que tu as construites à l'activité **6**. Observe le tableau de l'activité **7**.

Quelle que soit la couleur choisie, tu as:

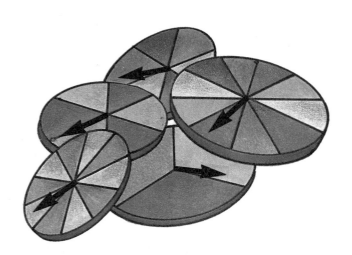

- 3 chances sur 6 ou $\frac{3}{6}$ chance de gagner avec la roulette I;

- 5 chances sur 10 ou $\frac{5}{10}$ chance de gagner avec la roulette II;

- 1 chance sur 3 ou $\frac{1}{3}$ chance de gagner avec la roulette III;

- 2 chances sur 6 ou $\frac{2}{6}$ chance de gagner avec la roulette IV;

- 2 chances sur 10 ou $\frac{2}{10}$ chance de gagner avec la roulette V.

a) Les chances de gagner sont-elles équivalentes avec les roulettes III et IV?

b) 2 chances sur 10 $\left(\frac{2}{10}\right)$ et 1 chance sur 5 $\left(\frac{1}{5}\right)$ représentent-elles des chances équivalentes de gagner?

c) 3 chances sur 6 $\left(\frac{3}{6}\right)$, 5 chances sur 10 $\left(\frac{5}{10}\right)$ et 1 chance sur 2 $\left(\frac{1}{2}\right)$ représentent-elles des chances équivalentes de gagner?

Comment peux-tu le prouver?

13 a) Construis des roulettes pour représenter chacune des situations suivantes:

POUR LA COULEUR JAUNE, J'AI LES CHANCES SUIVANTES DE GAGNER:

ROULETTE ①	ROULETTE ②
1 chance sur 2, donc $\frac{1}{2}$.	2 chances sur 4, donc $\frac{2}{4}$.

ROULETTE ③	ROULETTE ④
3 chances sur 6, donc $\frac{3}{6}$.	4 chances sur 8, donc $\frac{4}{8}$.

b) Pour chacune des roulettes, mes chances de gagner sont-elles égales si je choisis la couleur jaune?

c) Pourrais-tu construire d'autres roulettes qui te donneraient des chances égales de gagner avec la couleur jaune? Construis-en deux.

d) Écris les fractions correspondant à tes chances de gagner avec les deux roulettes que tu viens de construire.

e) Écris des fractions équivalentes à:

$$\frac{1}{2}, \frac{2}{4}, \frac{3}{6}, \frac{4}{8}.$$

14 Écris des fractions équivalentes à:

a) $\frac{1}{3}, \frac{2}{6}, \frac{3}{9}, \frac{4}{12}$.

b) $\frac{1}{4}, \frac{2}{8}, \frac{3}{12}, \frac{4}{16}$.

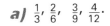

Des fractions équivalentes donnent des chances égales de gagner.

Si tu en éprouves le besoin, regroupe-toi avec des camarades pour construire des roulettes comme à l'activité **13**.

À l'endos de chaque roulette, tu peux écrire:
chances: ▢
couleurs: ▢
sections: ▢

15 • Peux-tu imaginer des roulettes avec lesquelles tu aurais:

— 2 chances sur 2 $\left(\frac{2}{2}\right)$ de gagner?

— 3 chances sur 3 $\left(\frac{3}{3}\right)$ de gagner?

— 4 chances sur 4 $\left(\frac{4}{4}\right)$ de gagner?

• Comment construirais-tu ces roulettes?

• Combien auraient-elles de couleurs? de sections?

16 **a)** Construis 3 roulettes avec lesquelles tes chances de gagner, si tu as choisi le vert, sont respectivement $\frac{2}{4}$, $\frac{1}{4}$, $\frac{3}{4}$.

b) Quelle roulette t'offre le plus de chances de gagner? Par quelle fraction sont représentées tes chances?

c) Quelle roulette t'offre le moins de chances de gagner? Par quelle fraction sont représentées tes chances?

d) Place les fractions $\frac{2}{4}$, $\frac{1}{4}$, $\frac{3}{4}$ en ordre décroissant.

17 Place les fractions $\frac{3}{10}$, $\frac{1}{10}$, $\frac{5}{10}$, $\frac{2}{10}$ en ordre décroissant.

Si tu en as besoin, construis les roulettes correspondantes comme à l'activité 16.

18 Énonce une règle te permettant d'ordonner des fractions ayant le même dénominateur.

Dis-nous ce qu'est le dénominateur d'une fraction.

Note cette règle dans ton lexique.

19 Rose et Bao ont construit ensuite les roulettes ci-dessous. Examine-les attentivement.
Reproduis puis complète le tableau qui te permettra de les analyser.

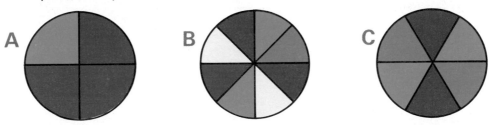

A   B   C

Roulettes	Nombre de sections égales	Fraction correspondante à chacune des sections	Chances de gagner exprimées en fractions			
A						
B						
C						

Pour chacune des roulettes, indique la couleur que tu choisirais pour avoir le plus de chances de gagner. Explique-nous pourquoi.

On peut faire de nombreux jeux avec des cartes à jouer. En connais-tu?
Parle-nous de ceux que tu connais.

Que veut dire l'expression «tirer une carte au hasard»? A-t-on des chances égales de tirer une carte rouge, une figure, un as, l'as de pique?
Qu'en penses-tu?

Afin d'en savoir plus long sur les chances qu'ils ont de tirer une carte donnée, Rose et Bao ont décidé de faire une recherche.
Tu trouveras dans ton cahier d'activités les tableaux qu'ils ont construits pour mener à bien cette tâche.
Complète ces tableaux.

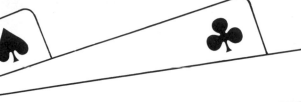

TABLEAU DESCRIPTIF D'UN JEU DE CARTES

■ _____   ■ _____

♦ _____   ♥ _____   ♠ _____   ♣ _____

As ____ Roi ____ Dame __ Valet __ 10 ____ 9 ____ 8 ____ 7 ____ 6 ____ 5 ____ 4 ____ 3 ____ 2 ____

As ■ ____ As ■ ____ Roi ■ ____ Roi ■ ____ Dame ■ __ Dame ■ __ Valet ■ __ Valet ■ __

10 ■ __ 10 ■ __ 9 ■ __ 9 ■ __ 8 ■ __ 8 ■ __ 7 ■ __ 7 ■ __ 6 ■ __ 6 ■ __ 5 ■ __ 5 ■ __

4 ■ __ 4 ■ __ 3 ■ __ 3 ■ __ 2 ■ __ 2 ■ __

figures   _____   non figures   _____

figures   ■ _____   figures   ■ _____

non figures   ■ _____   non figures   ■ _____

As ♦ _____ As ♥ _____ As ♠ _____ As ♣ _____ Roi ♦ _____ Roi ♥ _____ Roi ♠ _____ Roi ♣ _____

Dame ♦ __ Dame ♥ __ Dame ♠ __ Dame ♣ __ Valet ♦ __ Valet ♥ __ Valet ♠ __ Valet ♣ __

10 ♦ __ 10 ♥ __ 10 ♠ __ 10 ♣ __ 9 ♦ __ 9 ♥ __ 9 ♠ __ 9 ♣ __ 8 ♦ __ 8 ♥ __ 8 ♠ __ 8 ♣ __

7 ♦ __ 7 ♥ __ 7 ♠ __ 7 ♣ __ 6 ♦ __ 6 ♥ __ 6 ♠ __ 6 ♣ __ 5 ♦ __ 5 ♥ __ 5 ♠ __ 5 ♣ __

4 ♦ __ 4 ♥ __ 4 ♠ __ 4 ♣ __ 3 ♦ __ 3 ♥ __ 3 ♠ __ 3 ♣ __ 2 ♦ __ 2 ♥ __ 2 ♠ __ 2 ♣ __

a) Dans le tableau I, indique le nombre de cartes de chaque sorte.
Comment peux-tu vérifier ton tableau pour t'assurer que tu ne t'es pas trompé?

b) Dans le tableau II, note, à l'aide de fractions, les chances de tirer une carte au hasard.

2 Dans un jeu de cartes, quelles sortes de cartes avons-nous le plus de chances de tirer?

3 Place en ordre décroissant les chances que tu as de tirer chaque sorte de cartes.
Tu noteras la carte et les chances que tu as de la tirer.

Lorsqu'une fraction se répète, ne l'écris qu'une fois. À côté de cette fraction, note le nom de toutes les cartes qui lui correspondent.

EXEMPLE: as $\frac{4}{52}$ ou $\frac{1}{13}$

4 Maintenant, tu vas jouer avec un dé.
Réalise une recherche semblable à celle effectuée par Rose et Bao.

a) Construis un tableau descriptif d'un dé.

b) Construis un tableau d'analyse des chances que tu as d'obtenir, lors d'un lancer, chaque face du dé.
Exprime ces chances sous forme de fractions.

c) Quelle face as-tu le plus de chances d'obtenir?

5 Utilise deux dés maintenant.

Pour chaque lancer, additionne les points des deux faces qui apparaissent.

a) Construis un tableau descriptif de tous les lancers possibles.

b) Construis un tableau d'analyse. Exprime, sous forme de fractions, les chances d'obtenir les sommes de 2 à 12.

c) Quel nombre as-tu le plus de chances d'obtenir?

d) Ordonne ces nombres selon les chances que tu as de les obtenir.

Indique à côté de chaque nombre les chances que tu as de l'obtenir.

JE FAIS LE POINT

1 Reproduis 3 fois les figures suivantes sur du papier quadrillé.
Partage-les de 3 façons différentes en respectant la consigne.

a)

b)

En 2 parties égales

En 4 parties égales

2 Reproduis puis partage les ensembles suivants en respectant la consigne.

a)

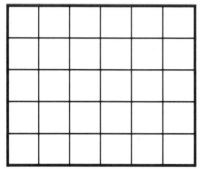

A

b)

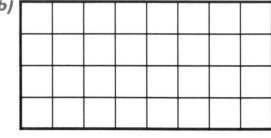

B

En 3 parties égales

En 5 parties égales

3 Écris, à l'aide de chiffres, les fractions suivantes:

a) un demi;

b) trois quarts;

c) sept dixièmes;

d) deux tiers;

e) quatre cinquièmes;

f) six septièmes.

4 Choisis 4 fractions parmi les suivantes:

$$\frac{3}{4}, \frac{2}{3}, \frac{4}{8}, \frac{5}{7}, \frac{2}{10}, \frac{5}{3}, \frac{1}{2}, \frac{3}{5}$$

Lis-les à un ou à une camarade qui les écrira.
Vérifie sa liste.

Note-les sur une feuille de papier.

Utilise le moyen de ton choix.

5 Illustre les fractions suivantes par un dessin:

a) $\frac{3}{4}$ **b)** $\frac{2}{5}$ **c)** $\frac{4}{3}$ **d)** $\frac{3}{10}$

6 As-tu le même nombre d'éléments si tu prends le $\frac{1}{2}$, les $\frac{2}{4}$ ou les $\frac{3}{6}$ de l'ensemble ci-dessous?

7 Écris 4 fractions équivalentes à $\frac{1}{4}$.

Justifie tes réponses à l'aide de dessins ou de matériels.

8 Les fractions suivantes sont-elles équivalentes?

a) $\frac{1}{4}$ et $\frac{3}{12}$　　b) $\frac{1}{5}$ et $\frac{3}{10}$　　c) $\frac{2}{3}$ et $\frac{8}{12}$

Justifie tes réponses par des dessins.

9 Place les fractions suivantes en ordre décroissant:

$$\frac{9}{5}, \frac{2}{5}, \frac{4}{5}, \frac{1}{5}, \frac{6}{5}$$

10 Pour chacune des paires de fractions, trouve la plus petite et justifie ton choix par un dessin.

a) $\frac{1}{2}, \frac{1}{4}$　　b) $\frac{1}{5}, \frac{1}{8}$　　c) $\frac{1}{10}, \frac{1}{3}$

11 Ordonne les fractions suivantes:

$$\frac{1}{10}, \frac{1}{8}, \frac{1}{2}, \frac{1}{5}$$

Justifie ta réponse en illustrant chaque fraction par un dessin.

12 Place les fractions suivantes en ordre décroissant:

$$\frac{3}{6}, \frac{3}{9}, \frac{3}{4}, \frac{3}{2}$$

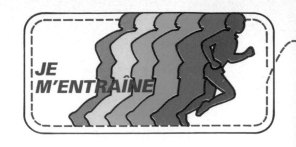

1 Voici un plan représentant le chemin suivi par Nathan pour aller de chez lui à l'école.

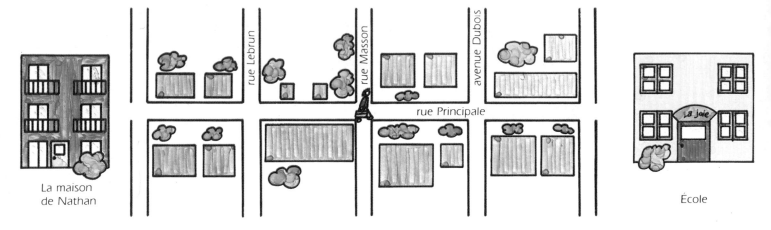

a) Indique, à l'aide d'une fraction, l'endroit où se trouve Nathan.

b) Où se trouverait Nathan s'il avait parcouru les $\frac{3}{4}$ du chemin le conduisant de chez lui à l'école?

2

a) Quelle fraction de la course Mila a-t-elle parcourue lorsqu'elle arrive à **B**?

b) Indique le point **B** d'une autre façon.

c) Indique de deux façons la fraction de la course parcourue lorsqu'elle arrive à **C**.

d) À quel point arrive-t-elle après avoir parcouru les $\frac{2}{3}$ de la course?

e) Arrivée à **E**, quelle fraction de la course aura-t-elle parcourue?

Les phrases suivantes sont-elles vraies ou fausses? Pourquoi?

a)

La partie rouge représente le $\frac{1}{2}$ de la figure.

b)

La partie rouge représente les $\frac{5}{8}$ de la figure.

c)

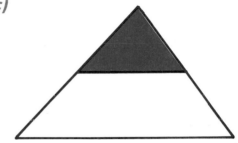

La partie rouge représente le $\frac{1}{2}$ de la figure.

d)

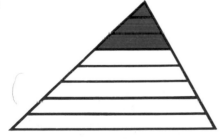

La partie rouge représente les $\frac{3}{8}$ de la figure.

e)

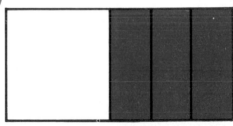

La partie blanche représente le $\frac{1}{2}$ de la figure.

f)

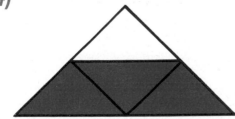

La partie rouge représente les $\frac{3}{4}$ de la figure.

g)

La partie blanche représente les $\frac{6}{7}$ de la figure.

Écris deux fractions équivalentes correspondant à chacune des illustrations suivantes:

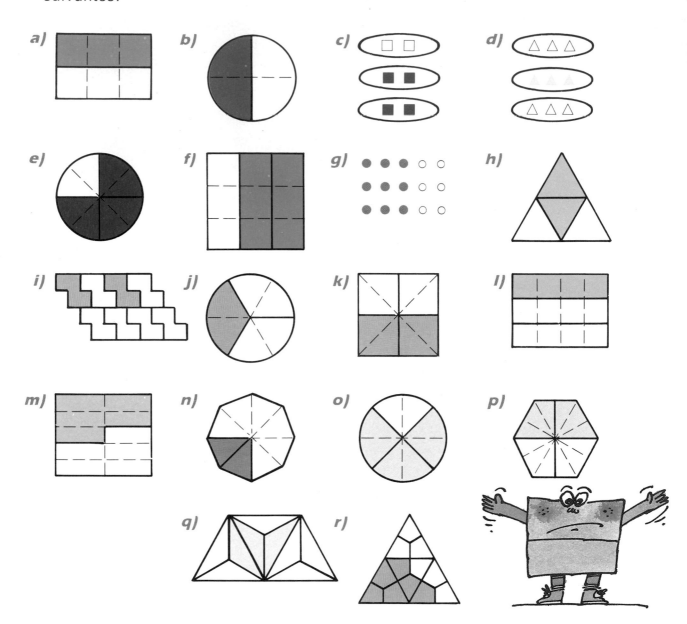

a) b) c) d)

e) f) g) h)

i) j) k) l)

m) n) o) p)

q) r)

5

Chacune des barres suivantes illustre des fractions.
Écris 2 fractions pour chaque barre.

a)

b)

c)

d)

e)

f)

6 Pour chacun des ensembles suivants, ajoute 3 autres fractions équivalentes à celles qui te sont données.

a) $\left\{\dfrac{1}{2}, \dfrac{2}{4}, \dfrac{3}{6}, \dfrac{4}{8}, \square, \square, \square\right\}$

b) $\left\{\dfrac{1}{6}, \dfrac{2}{12}, \dfrac{3}{18}, \square, \square, \square\right\}$

c) $\left\{\dfrac{1}{3}, \dfrac{2}{6}, \dfrac{3}{9}, \dfrac{4}{12}, \square, \square, \square\right\}$

d) $\left\{\dfrac{1}{8}, \dfrac{2}{16}, \dfrac{3}{24}, \square, \square, \square\right\}$

e) $\left\{\dfrac{1}{4}, \dfrac{2}{8}, \dfrac{3}{12}, \dfrac{4}{16}, \square, \square, \square\right\}$

f) $\left\{\dfrac{1}{10}, \dfrac{2}{20}, \square, \square, \square\right\}$

g) $\left\{\dfrac{1}{5}, \dfrac{2}{10}, \dfrac{3}{15}, \dfrac{4}{20}, \square, \square, \square\right\}$

h) $\left\{\dfrac{1}{12}, \dfrac{2}{24}, \square, \square, \square\right\}$

7 Choisis une fraction dans chacun des ensembles suivants. Lis-la à un ou une camarade qui l'écrira.

Note les fractions que tu as choisies. Vérifie les réponses de ton ou ta camarade.

a) $\left\{\dfrac{1}{2}, \dfrac{1}{4}, \dfrac{1}{5}, \dfrac{1}{8}\right\}$

b) $\left\{\dfrac{2}{3}, \dfrac{3}{4}, \dfrac{4}{7}, \dfrac{8}{10}\right\}$

c) $\left\{\dfrac{5}{4}, \dfrac{8}{9}, \dfrac{7}{3}, \dfrac{5}{2}\right\}$

d) $\left\{\dfrac{4}{7}, \dfrac{8}{100}, \dfrac{20}{1000}, \dfrac{13}{15}\right\}$

e) $\left\{\dfrac{3}{7}, \dfrac{4}{8}, \dfrac{2}{9}, \dfrac{17}{25}\right\}$

f) $\left\{2\dfrac{1}{2}, 3\dfrac{2}{4}, 14\dfrac{7}{10}, 21\dfrac{2}{3}\right\}$

8 Illustre de 3 façons différentes chacune des fractions suivantes:

a) $\dfrac{1}{2}$

b) $\dfrac{3}{4}$

c) $\dfrac{7}{10}$

d) $\dfrac{1}{3}$

e) $\dfrac{3}{5}$

f) $\dfrac{5}{6}$

Utilise du papier quadrillé.

9 Illustre de 3 façons différentes chacune des fractions suivantes:

a) $\dfrac{1}{4}$

b) $\dfrac{4}{10}$

c) $\dfrac{2}{3}$

d) $\dfrac{4}{5}$

e) $\dfrac{2}{2}$

f) $\dfrac{3}{7}$

Utilise des jetons ou des cubes que tu dessineras.

391

10 Les fractions suivantes sont-elles équivalentes? Prouve par un dessin chacune de tes réponses.

a) $\frac{1}{2}, \frac{3}{6}$

b) $\frac{1}{4}, \frac{3}{8}$

c) $\frac{2}{5}, \frac{4}{10}$

d) $\frac{3}{4}, \frac{9}{12}$

e) $\frac{2}{3}, \frac{10}{12}$

f) $\frac{3}{10}, \frac{6}{10}$

11 Place en ordre croissant les fractions de chacune des séries suivantes:

a) $\frac{3}{4}, \frac{2}{4}, \frac{5}{4}, \frac{1}{4}$

b) $\frac{5}{10}, \frac{2}{10}, \frac{15}{10}, \frac{7}{10}$

c) $\frac{3}{3}, \frac{7}{3}, \frac{1}{3}, \frac{9}{3}$

d) $\frac{8}{5}, \frac{4}{5}, \frac{1}{5}, \frac{19}{5}$

Fais des dessins si tu en éprouves le besoin.

12 Trouve la plus petite fraction.

a) $\frac{4}{5}, \frac{4}{3}$

b) $\frac{3}{5}, \frac{3}{10}$

c) $\frac{2}{4}, \frac{2}{7}$

d) $\frac{9}{5}, \frac{9}{8}$

e) $\frac{8}{10}, \frac{8}{4}$

f) $\frac{1}{4}, \frac{1}{2}$

Justifie chacune de tes réponses en faisant un dessin.

13 Place en ordre décroissant les fractions de chacune des séries suivantes:

a) $\frac{3}{4}, \frac{3}{7}, \frac{3}{2}, \frac{3}{5}$

b) $\frac{8}{4}, \frac{8}{7}, \frac{8}{9}, \frac{8}{2}$

c) $\frac{7}{10}, \frac{7}{5}, \frac{7}{4}, \frac{7}{15}$

d) $\frac{10}{9}, \frac{10}{10}, \frac{10}{5}, \frac{10}{2}$

Fais des dessins si tu en éprouves le besoin.

Pour chacune des activités suivantes, reproduis et complète le tableau qui t'est proposé.

1 À la cafétéria, on offre comme dessert 2 morceaux de pêche avec 3 biscuits. Combien de biscuits le responsable devra-t-il se procurer s'il possède 4, 6, 8, 10, 12, 14, 20 morceaux de pêche?

Morceaux de pêches	2	4	6	8	10	12	14	20
Biscuits	3	6						

2 Lors de l'organisation d'une fête, on compte un gâteau pour 5 personnes. Combien aura-t-on besoin de gâteaux si on attend 10, 15, 20, 25, 30, 35, 50 personnes?

Gâteaux	1							
Personnes	5	10	15	20	25	30	35	50

3 Une automobile possède 4 roues. Combien de roues faut-il, au total, pour 2, 3, 4, 5, 6, 10 automobiles?

Automobiles	1	2	3	4	5	6	10
Roues	4						

4 Un élève use environ 3 crayons par année. Combien de crayons useront 2, 3, 4, 5, 10 élèves?

Crayons	3					
Élèves	1	2	3	4	5	10

5 Pour fêter son anniversaire, Natacha prévoit 2 bouteilles de jus de fruits pour 3 enfants. Combien de bouteilles devra-t-elle acheter si elle invite 6, 9, 12, 15, 18, 30 enfants?

Reproduis, puis complète le tableau suivant.

Bouteilles						
Enfants						

6 Qu'est-ce qui est le plus économique:
21 bonbons pour 35¢ ou 6 bonbons pour 15¢?

Pour t'aider, reproduis puis complète les tableaux suivants:

Bonbons				18	21
¢			25	30	35

Bonbons			6	8		
¢		10	15	20		

7 Continue les suites ci-dessous:

Découvre la règle de construction.

a) $\frac{3}{5}, \frac{6}{5}, \frac{12}{5}$, ▢, ▢, ▢.

b) $\frac{3}{10}, \frac{4}{10}, \frac{6}{10}, \frac{7}{10}, \frac{9}{10}$, ▢, ▢, ▢, ▢, ▢.

8 Christophe, Sébastien et Antonia comparent le nombre de billes de chaque couleur qu'ils possèdent.

PARMI MES 24 BILLES, 12 SONT ROUGES.

3 DE MES 6 BILLES SONT ROUGES.

6 DE MES 12 BILLES SONT BLEUES; LES AUTRES SONT ROUGES.

a) Trouve, pour chacun des enfants, la fraction que représentent ses billes rouges.

b) Quel enfant possède la plus grande proportion de billes rouges? Comment peux-tu expliquer cela?

c) Si toutes les billes étaient réunies, quelle fraction du total représenterait l'ensemble des billes rouges?

LA CONSTRUCTION D'UN CERF-VOLANT

20

MESURE
LONGUEUR,
AIRE,
PÉRIMÈTRE,
ÉQUIVALENCES

**NOMBRES
NATURELS**
VALEUR DE
POSITION

OPÉRATIONS:
ADDITION,
SOUSTRACTION,
MULTIPLICATION,
DIVISION

GÉOMÉTRIE
LIGNES,
ANGLES,
POLYGONES

Ce matin, il vente fort. Dany et ses amis se rendent dans le champ voisin pour faire voler les cerfs-volants qu'ils ont construits.

Aimerais-tu construire ton propre cerf-volant? Lis attentivement, dans les pages qui suivent, la démarche que te suggère Dany.

LE MATÉRIEL

Voici le plan du cerf-volant de Dany.
Examine-le attentivement.
Discute avec tes camarades les informations que tu y trouves.

PLAN DU CERF-VOLANT

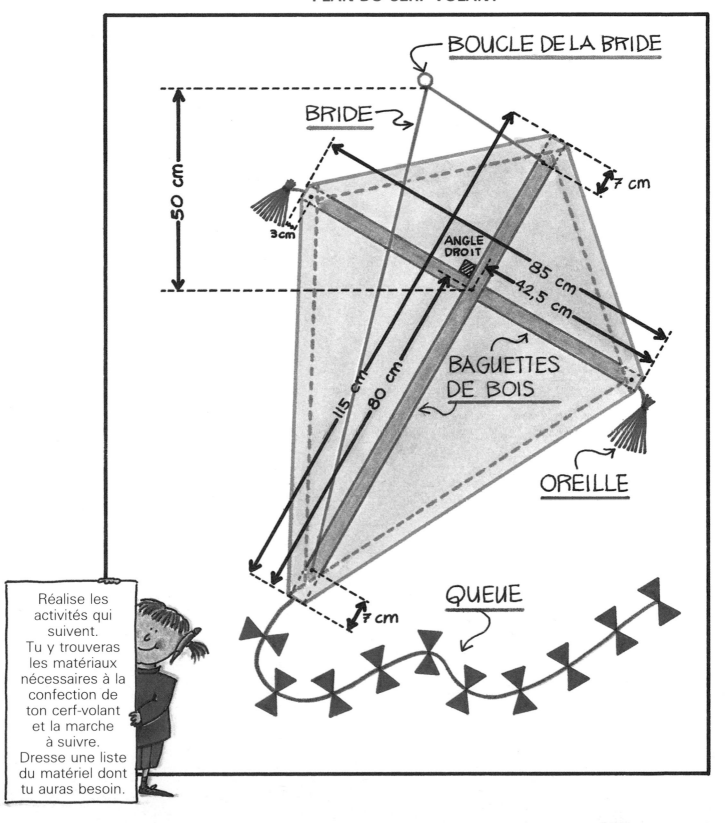

Réalise les activités qui suivent.
Tu y trouveras les matériaux nécessaires à la confection de ton cerf-volant et la marche à suivre.
Dresse une liste du matériel dont tu auras besoin.

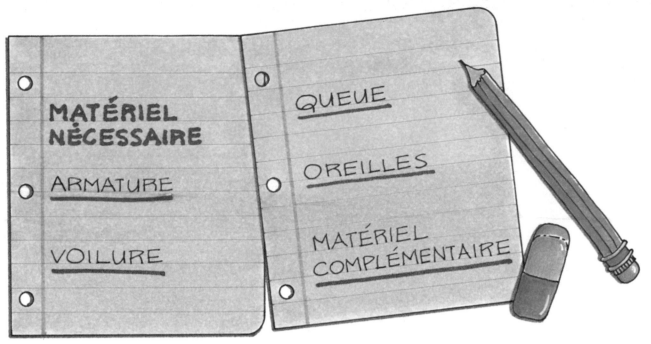

L'armature

2

a) Combien de baguettes de bois te faut-il?

b) Quelle est la longueur de chaque baguette?

c) Quelle est la longueur totale de baguettes dont tu as besoin?

d) Sur ta liste, note cette longueur en centimètres, en mètres et en décimètres.
Explique à tes camarades comment tu as procédé.

L'épaisseur de la baguette peut varier entre 1 et 2 cm.

3

La voilure

a) Quels matériaux peux-tu utiliser pour la voilure? Lesquels peux-tu te procurer facilement? Discutes-en avec tes camarades. Sur ta liste, note le matériel que vous aurez choisi.

b) Pour construire la voilure, tu auras besoin d'un carré de tissu de $1\frac{1}{2}$ m². S'il mesure $1\frac{1}{4}$ m sur $1\frac{1}{4}$ m, tu en auras donc assez.

- Exprime en centimètres la longueur de chaque côté du carré.

- Représente ce carré avec de la ficelle, par terre ou sur un mur.

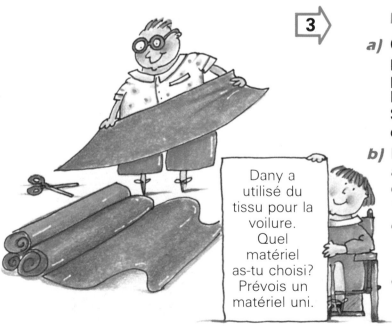

Dany a utilisé du tissu pour la voilure. Quel matériel as-tu choisi? Prévois un matériel uni.

La queue

a) Voici le plan de Dany pour la queue du cerf-volant. Examine-le attentivement. Discute avec tes camarades les informations que tu y trouves.

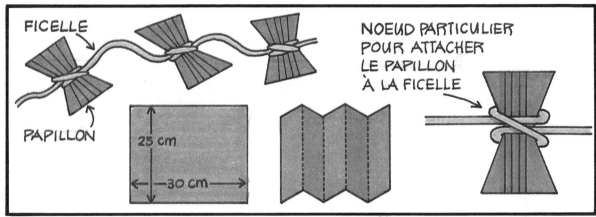

b) Pour la queue, prévois une ficelle de 10 mètres. Exprime cette longueur en centimètres. Note-la sur ta liste.

c) Quel matériel peux-tu utiliser pour construire les papillons de la queue?

d) Les papillons doivent être placés à égale distance les uns des autres sur la ficelle. Quelle distance séparera deux papillons:

- si tu en places 5?
- si tu en places 10?

e) Détermine le nombre de papillons que tu désires placer sur la queue. Quelle distance y aura-t-il entre deux papillons?

f) Regarde le plan de Dany. Quelle est la forme initiale dont tu as besoin pour construire un papillon? Trouve l'aire de cette forme.

g) Avant de construire tes papillons, tu dois connaître l'aire totale de matériel dont tu auras besoin. De quelle façon peux-tu trouver cette aire totale? Sur ta liste, note cette quantité.

Les oreilles

Voici un dessin plus précis d'une des oreilles du cerf-volant.

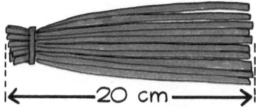

Tu construiras les oreilles et les papillons avec le même matériel.
Chaque oreille est formée de 10 bandes de 20 cm de longueur. Quelle longueur totale ces bandes formeront-elles? Exprime cette mesure en mètres. Sur ta liste, note en mètres la longueur totale des bandes.

Pour compléter ta liste de matériel, ajoute:

• de la colle (ou une agrafeuse);

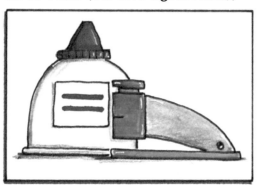

• de la ficelle;

• une petite scie;

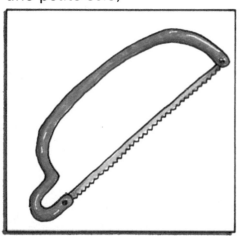

• une petite vrille.

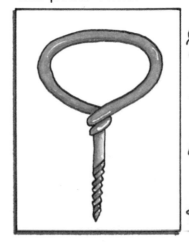

Demande à ton enseignant ou à ton enseignante de t'aider à te procurer tout le matériel nécessaire.
Tu peux aussi demander à tes parents.

LA CONSTRUCTION

Tu as examiné attentivement les plans de Dany. Tu as dressé une liste du matériel nécessaire et tu t'es procuré ce matériel. Tu peux maintenant commencer la construction de ton cerf-volant.

Lis attentivement les consignes suivantes.
Réfère-toi aux plans de Dany.

Montage de l'armature

a) Dans la baguette de bois, coupe:

- un morceau de 115 cm;
- un morceau de 85 cm.

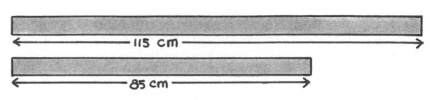

b) Aux deux bouts de chaque baguette, scie une encoche en forme de V. Regarde bien ce plan:

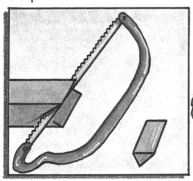

Fais attention au sens des encoches.

c) Perce un trou à 7 cm des extrémités de la grande baguette, et à 3 cm des extrémités de la petite.

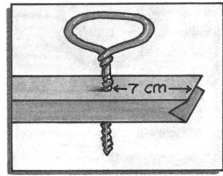

←7 cm→

Fais attention à la disposition des trous.

d)
- Trouve le milieu de la baguette de 85 cm. Trace un trait.
- Sur la baguette de 115 cm, mesure une longueur de 80 cm à partir d'une extrémité. Trace un trait. Quelle longueur reste-t-il sur cette baguette?

e) Croise les baguettes à angle droit. Assure-toi que les traits soient bien l'un sur l'autre. Attache les baguettes avec de la ficelle. Tu obtiens une croix.

f) Fais passer une ficelle par les quatre encoches aux bouts de la croix. Tends bien la ficelle; elle servira d'armature extérieure au cerf-volant.

- Quelle longueur de ficelle as-tu utilisée pour faire le contour de ton cerf-volant?
- Le périmètre de ton cerf-volant est-il de la même longueur?
- Quelle est la longueur de chacun des côtés de ton cerf-volant?

g)
- Comment peux-tu t'assurer que les baguettes sont bien perpendiculaires?
- Combien d'angles droits y a-t-il dans l'armature du cerf-volant?
- Y a-t-il des angles aigus? des angles obtus? À quel endroit?
- Y a-t-il des droites parallèles dans cette armature? Si oui, lesquelles? Comment peux-tu le vérifier?

La voilure

a) Place ton tissu (ou le matériel que tu as choisi) par terre.

b) Dépose l'armature sur le tissu. Découpe le tissu à 5 cm de la ficelle.

c) Replie le tissu par-dessus la ficelle. Colle-le ou agrafe-le.

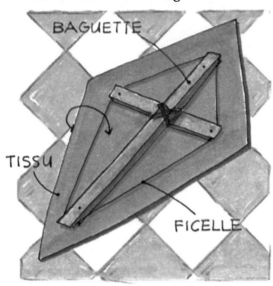

La bride

a) Fais de petits trous dans le tissu vis-à-vis de ceux que tu as faits dans la baguette de 115 cm.

b) • Prends une ficelle d'une longueur de 1 m 90. Quelle est la longueur de cette ficelle, en centimètres?

• Fixe la ficelle aux deux extrémités de la baguette de 115 cm en la faisant passer par les trous.

c) Fais une boucle dans la ficelle à environ 50 cm au-dessus de la croix.

d) Tiens le cerf-volant par la boucle. L'avant doit être plus élevé que l'arrière. Si ce n'est pas le cas, déplace ta boucle.

Observe encore le plan de Dany.

La queue

a) Suis bien le plan que t'a proposé Dany. Découpe le nombre de papillons dont tu as besoin.

b) Attache tes papillons à la ficelle de 10 m pour former la queue.

Souviens-toi: Tu as déjà calculé la distance que tu dois laisser entre deux papillons.

Les oreilles

a) Fabrique maintenant les oreilles.

b) Fixe les oreilles au cerf-volant.

Consulte le plan du cerf-volant et l'activité 5 à la page 400.

La ficelle

Attache le bout de ton rouleau de ficelle à la boucle de la bride.
Regarde bien le plan du cerf-volant si tu as des difficultés.

Fais une vérification finale. Ton cerf-volant correspond-il au plan proposé par Dany?

LA DÉCORATION

Après avoir construit son cerf-volant, Dany l'a décoré d'une frise et de dessins composés de figures géométriques.

Veux-tu décorer ton cerf-volant toi aussi? Réalise les activités qui suivent. Tu auras un très joli cerf-volant avec lequel tu pourras t'amuser tout l'été!

 1 Regarde bien le cerf-volant de Dany. Décris-le à tes camarades.

 2 Sur le cerf-volant de Dany, indique où tu vois:

a) des lignes parallèles;

b) une frise;

c) un axe de réflexion (sur la frise);

d) une translation (sur la frise);

e) un cercle;

f) un non polygone;

g) un quadrilatère;

h) un triangle;

i) un carré;

j) un rectangle;

k) un quadrilatère qui n'est ni un carré ni un rectangle;

l) un polygone qui n'est ni un triangle ni un quadrilatère;

m) un angle droit;

n) un angle aigu.

 3 Décore ton cerf-volant. Respecte les consignes suivantes:

- il doit y avoir une frise;
- il doit y avoir des polygones et des non polygones.

 4 Présente ton cerf-volant à tes camarades. Décris les figures géométriques que tu as utilisées.

Inspire-toi de l'activité 2.